Gaston Bonheur

LA RÉPUBLIQUE NOUS APPELLE

l'album de famille de Marianne

ROBERT LAFFONT
6, place Saint-Sulpice, 6
PARIS-VIe

LA
RÉPUBLIQUE
NOUS
APPELLE

PLAN DE L'OUVRAGE

A la mémoire de mon père.

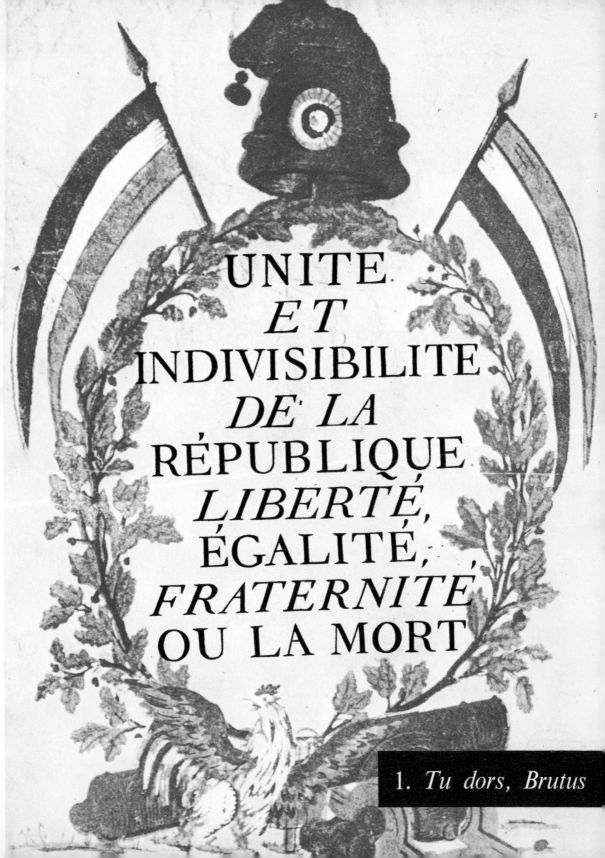

UNITE
ET
INDIVISIBILITE
DE LA
RÉPUBLIQUE
LIBERTÉ,
ÉGALITÉ,
FRATERNITÉ
OU LA MORT

1. *Tu dors, Brutus*

2. *Les soldats de l'An II*

Prologue

Ɛn mémoire de
MA MÈRE et de l'institutrice qu'elle fut, j'ai déjà écrit le livre
de l'école communale. Je lui ai donné pour titre la question
par excellence de notre catéchisme laïque : « Qui a cassé le
vase de Soissons? ». C'était le livre des souvenirs de tout le
monde; et beaucoup s'y sont reconnus.

J'ai déjà fait entendre, à travers la cloison de ma chambre
d'enfant, la respiration de l'horloge municipale, et comme elle
s'ébrouait longuement avant de sonner dans la nuit. Je vais passer
de l'autre côté de la cloison pour écrire le livre de la République.
L'École et la République vivent sous le même toit.

Ce second livre s'est imposé à moi pendant que j'écrivais le
premier. Les personnages que j'avais dû appeler dans ma
mémoire, pour redevenir écolier, restaient là. Les lieux aussi.
Comme insatisfaits. Et toute une partie des livres du grenier
dont j'avais secoué la poussière.

J'ai grandi dans trois écoles, qui furent mes maisons. Elles me reprochent de n'avoir pas poussé la dernière porte. Car de même qu'il y a dans les maisons bourgeoises un salon d'apparat, où l'on ne pénètre qu'avec le sentiment de son importance, de même il y a dans mes souvenirs trois mairies, et trois Mariannes sur trois cheminées.

Ma mère était aussi secrétaire de mairie. Elle n'avait jamais fini sa journée à quatre heures, quand sonnait la fin de la classe. Une longue soirée commençait où elle m'entraîne maintenant. Et je me réjouis de prolonger la veillée avec elle.

Ma grand-mère a encore son mot à dire, et davantage le menuisier dont elle était veuve.

L'oncle Jules, à peine aperçu quand il courtisait ma tante Julie, voudrait signifier quelque chose.

Sylvain Condouret, le pêcheur de rivière qui m'enseignait le violon, et qui battait la mesure avec son pied nu sur le carrelage, est toujours là, l'archet en l'air.

Et l'ombre de mon père.

Ils sont restés penchés sur moi à la fin du livre de l'École, et me réclament le livre de la République.

Je la raconterai comme je l'ai apprise.

Je voudrais mettre en un seul livre tout ce qui fait qu'elle est une espèce de religion : ses textes sacrés, ses prophètes, ses apôtres, ses saints, sa liturgie.

Et qu'on puisse la voir d'un seul regard, avec ses jeunes tambours et ses vieux guerriers, comme Rude a si bien réussi à le faire.

Il me semble que c'est un devoir que m'a dicté mon père.

J'ai installé sur mon pupitre les vieilles Morales, les Instructions Civiques défraîchies. J'ai tâché de revoir les hommes et les événements avec mes yeux d'enfant. Je n'ai fait que grappiller dans le luxuriant XIXe siècle.

Je n'ai trouvé bon que ce qui avait le goût de mes souvenirs.

MARIANNE I

*La Première République
nous a donné la terre*

JULES FERRY

Tu dors, Brutus

TEXTES CHOISIS

Avant la Révolution, il n'y avait que des sujets.

*L*ES RÉPUBLIQUES SE SUCCÈDENT de mère en fille, comme les rois de père en fils.

En partant de Louis XVIII qui avait les chevilles enflées, et en remontant le temps, on trouve Louis XVII, un enfant évanoui, Louis XVI en bras de chemise sur l'échafaud, Louis XV et son troupeau de biches, Louis XIV qui se pavanait au milieu des jets d'eau, Louis XIII si triste parce qu'on le purgeait tous les matins, Louis XII qui a l'avantage de précéder François Ier, Louis XI qui avait un petit chapeau rotatif avec 365 médailles (il priait un saint tous les jours), Louis X dont je ne sais rien et Louis IX qui n'est autre que Saint Louis. Mais leur histoire m'est étrangère. Elle se passe au château, de l'autre côté du grand mur qui garde le parc, dans un monde où les petits garçons ont des collerettes empesées, où l'on sonne du cor à s'en faire claquer la jugulaire, où l'on mange du perdreau froid au petit déjeuner. Je me souviens de ces vers de Paul Fort qui chantent la France royale :

> *Charlemagne a l'odeur du chêne*
> *Jeanne d'Arc celle du sureau*
> *La Pompadour sent la verveine*
> *Tous nos Louis, chasseurs, le perdreau.*

Mais la République, elle, habite le village. J'ai grandi sur ses genoux. Elle sent le bon pain. Elle est solidement campée sur ses mollets lourds, une main à la hanche, l'autre en visière sur son front de Minerve, regardant au loin si l'on vient enfin chercher les corbeilles de linge. Ses mains sont assez grandes pour tenir une pierre de savon. L'eau de la rivière a éclaboussé son corsage qui refoule mal sa poitrine généreuse.

Cette rivière, c'est « Aude », ma rivière natale.

Pour retrouver la jeune République, le petit Chaperon rouge de 89, je n'ai qu'à remonter son cours au lieu de remonter les siècles.

Au sud de Carcassonne, à mesure que se dressent les escarpements des Pyrénées, sa vallée se rétrécit, se faufile, son eau se fait plus fraîche, plus causante.

La voici, petite fille apeurée, juste avant l'étranglement des gorges, en amont de Quillan. C'est ici que je suis né, dans le bâtiment scolaire qui se dresse en sentinelle à main droite, à l'approche du défilé de Pierre-Lys. C'est ici que se situent mes premiers souvenirs et mes premières leçons de civisme.

Il faut que je remonte plus haut, avant ma naissance, pour que tout s'éclaire. Ma mère était la fille cadette d'un des deux menuisiers de Barbaira, celui qu'on appelait « le Jeune », pour le distinguer de son frère « l'aîné », qu'on appelait aussi « le Gros ». En passant sur la grand-route qui joint l'Océan à la Méditerranée, on était frappé par ces deux ateliers jumeaux bâtis en bordure et sur le seuil desquels séchaient, debout, les grandes planches de chêne qui gardent la forme de l'arbre. L'atelier de l'aîné était plus large d'une pierre et plus haut d'une tuile pour marquer la nuance. Les deux frères lançaient la varlope à qui mieux mieux et leurs marteaux se répondaient allégrement. Ils avaient bon cœur, ils pensaient rouge, l'aîné plus colérique, le cadet plus malicieux. Ma mère, petite fille aux souliers bien cirés, étrenna l'école neuve qui venait de surgir « à la perpendiculaire », entre la route et le chemin de fer, dressant orgueilleusement au-dessus des maisons basses son horloge et sa Marianne.

Ma mère fut une élève exemplaire. En elle s'accomplissaient les rêves d'élévation, de progrès, de lumière qui rendaient soudain sérieux, au-dessus de son établi, le menuisier rieur. Distinguée par sa maîtresse, poussée au-delà du certificat d'études, elle travaillait tard sous la suspension de la cuisine pendant que, de l'autre côté de la cloison, son père clouait un cercueil. Mais la cloison ne les séparait pas; ils communiaient à travers l'odeur du pétrole et de la colle forte dans une même exaltation sourde, nourrie, le plus souvent, par le sujet du devoir que l'enfant lisait à haute voix : poésie de Victor Hugo ou dictée d'Edgar Quinet; attisée, quelquefois, par un discours de Camille Pelletan reproduit dans la *Dépêche de Toulouse* et répercuté, avec toute l'ampleur oratoire qu'il faut, par la voix chaude du père. Ma mère, emportée par l'élan, fut brillamment reçue à l'École normale d'institutrices de Carcassonne. O la fierté du menuisier endimanché, suant sous le poids de la chapelière pleine de pauvres robes et de longues chemises raides, quand, donnant la main à sa fille, il franchit la grille de ce palais de la République où elle allait être pensionnaire! Et avec quel amour il allait raboter, ajuster, caresser le buffet, la table, le lit, l'armoire, la bibliothèque qui seraient le mobilier de l'institutrice. Mobilier que je connais bien et qui laisse voir à travers la cire les nervures du noyer, mobilier amoureusement poncé dans ses moindres moulures, frais et lisse comme des joues de jeune fille. Mobilier triomphal, souvent déménagé et fièrement promené sur une charrette à travers le nouveau village que nous venions conquérir, mobilier qui fit le tour du département avant de retourner, à la fin, au village natal où ma mère devait remplacer son ancienne maîtresse. Mais le menuisier n'était plus là pour assister à cette apothéose : sa fille prenant possession de la belle école où elle avait appris à lire.

Son premier poste — elle n'avait pas vingt ans — fut Trèbes qui est une grosse bourgade à mi-chemin entre Carcassonne, le chef-lieu, et Barbaira d'où son père venait à pied pour s'asseoir au fond de la classe, intimidé, démesuré, pendant qu'elle écrivait au tableau noir, de cette belle craie friable d'où elle savait tirer les pleins et les déliés, le mot « papa ».

Ensuite, elle fut nommée à Villegly. J'imagine qu'elle commençait à recevoir des cartes postales romantiques du jeune instituteur de Bizanet, du genre « on n'a pas oublié la belle normalienne qui marchait en tête de la promenade sur le boulevard Marcou ». Le mobilier de noyer occupait alors une maison sinistre, ancienne école des temps obscurs, où l'on logeait désormais l'adjointe. Le menuisier dut venir exorciser les vieux fantômes. En effet, la jeune institutrice mourait de peur, à cause d'une trappe qui s'ouvrait dans le plancher de la chambre. La trappe ne s'ouvrait pas, mais ma mère l'avait ouverte; et, en bas, dans la nuit des rats, elle avait aperçu le buste blafard de l'immonde Napoléon III. Dès lors, chaque nuit, elle croyait entendre grincer le plancher et elle se cachait dans les draps pour ne pas voir surgir le tyran blafard avec son impériale de plâtre. Son père cloua la trappe en chantant allégrement « Tyrans, descendez au cercueil ». Et cette eau bénite laïque mit fin au cauchemar.

Comme par hasard, l'instituteur de Bizanet et la peureuse adjointe de Villegly furent nommés la même année à Quillan. Nous nous rapprochons de ma naissance. Que j'aime cette petite ville de Quillan, ses fêtes, ses ombrages, ses eaux vives! L'accent y chante plus haut que dans la plaine, l'hospitalité y est plus généreuse, la République plus ardente. C'est notre Sparte à nous, athéniens du vignoble. Il m'arrive d'y revenir comme au paradis perdu et j'ai la joie de m'y entendre interpeller par le prénom de mon père, mort il y a plus de cinquante ans. Comme s'il revenait à travers moi,

d'une trop longue guerre, lui qui militait dans le sillage de Jaurès pour la paix à jamais, et qui tomba, parmi les premiers, entre Massiges et Virginie, en septembre 14, sans adieu et sans tombe. On me parle encore à Quillan de ses joyeuses farandoles, de son rire, de sa bonté, de sa foi socialiste, de ses parties de pêche. Pour lui, plus besoin de cartes postales à l'éloquence ambiguë. Il suffisait de donner congé aux garçons quelques minutes avant l'heure, pour se trouver, comme par hasard, à la sortie des filles et saluer la jeune institutrice rougissante, dont il avait vu arriver le mobilier de noyer sur une grande charrette de la plaine.

Mariés, ils purent prétendre à un poste double et ce fut Belvianes, quelques kilomètres en amont. Le mobilier reprit la route pour une courte étape, alourdi d'un berceau qu'on me destinait et dans lequel mon frère m'avait précédé. Pour le reste, l'apport de mon père devait se ramener à un lit de camp, à une table de bois blanc, à une chaise et à quelques livres en plusieurs tomes, le Grand Larousse universel, la Géographie de Reclus, l'Histoire de Michelet, la Pédagogie de Buisson. Car il sortait de la vraie pauvreté.

Son vieux père, d'humeur peu ouvrière, n'en était pas revenu d'une jeunesse aventureuse; retraité prématurément il portait la casquette à haut pont, et la mouche de poils à la lèvre inférieure; il poursuivait paresseusement sur les bancs publics, dans la fumée de sa pipe Jacob, un rêve éveillé du côté de Madagascar dont il avait fait la conquête. L'épouse plus jeune, plus vaillante, gagnait leur vie au lavoir de Carcassonne, en s'usant les mains sur tous les jupons brodés de la ville. Elle prenait sa revanche le jour de la distribution des prix, quand elle emportait sur sa tête, dans une corbeille d'osier, les beaux livres rouges à tranche d'or décernés à son fils, champion du palmarès. « Ce jour là, disait-elle, je suis plus riche que toutes... ».

Ainsi, j'ai vu le jour dans ce village de montagne et plus précisément dans l'aile gauche (côté des filles) de ce bâtiment en forme de trinité laïque qui se dresse à flanc de coteau, sur le socle d'une imposante terrasse, à l'entrée de la haute vallée, plus pompeusement qu'aucun château seigneurial.

Quillan, c'est la bourgade au pied des monts, le premier rire de la plaine, le plus clair, le plus franc. Belvianes, si peu en amont, appartient déjà à l'austère pays d'en haut, voué depuis toujours aux faydits, aux rebelles, aux protestants, aux curés réfractaires, aux déserteurs, aux maquisards. Ses grottes me racontaient à la fois les plaintes de Jocelyn et les joies des Parfaits. L'Aude semble y surgir, tumultueusement, de la roche elle-même comme ce torrent de larmes jailli des yeux sombres de la belle fiancée de Roland quand s'éteignit le son du cor, si l'on en croit la légende. Légende si vraie que dans notre langue occitane, nous n'employons jamais l'article pour désigner notre rivière; car elle n'est pas un objet, mais une personne. Nous disons que nous allons à Aude, que notre jardin est au bord d'Aude ou bien qu'Aude est trouble, qu'Aude est grosse, qu'on entend Aude gronder les soirs d'orage.

Je ne fais pas exprès d'amorcer ce climat de terreur. Il revient tout seul sous ma plume. Il est lié aux lieux que je veux évoquer et où se situent, pour moi, les sources de la République.

Les jours de fête durent peu. La petite part de bonheur à laquelle ma mère avait droit appartient à Quillan. Belvianes, nous n'y allons que pour entendre le tocsin, que pour afficher la mobilisation générale. Ces mots en capitales noires surmontés de deux petits drapeaux tricolores croisés étaient encore placardés à la porte de la mairie, sur le panneau grillagé réservé à l'affichage, quand se précisent mes premiers souvenirs de petit garçon. Ma mère m'apparaît à travers un épais crêpe noir, comme une statue d'église le jour du vendredi saint. Je l'embrassais à travers son voile et cela mêlait le goût de l'apprêt au sel des larmes. Elle portait avec courage trois deuils survenus en quelques mois. Et pour commencer, la mort brutale de son père, frappé d'apoplexie un jour caniculaire qu'il avait mal choisi pour aller sulfater sa vigne. Le menuisier devait beaucoup manquer pour soutenir sa fille, l'été suivant, car la tragédie était sur elle. Vint alors la terrible nouvelle de l'insolation de son frère, sous-officier, tombé foudroyé sur le quai d'Alger pendant qu'il procédait à l'embarquement des troupes. Vint ensuite, à la rentrée scolaire, pendant qu'elle faisait la classe aux garçons, à la place de son mari mobilisé, la dépêche officielle annonçant qu'il était mort au champ d'honneur, porté disparu le 27 septembre... Elle s'écroula du haut de la chaire, et je connais les écoliers épouvantés qui la relevèrent, et m'en parlent encore aujourd'hui. Tous ces malheurs, comme dans *Mireille*, semblent liés au brûlant soleil d'été. C'est pourquoi la grande lumière d'août me fait toujours peur.

La mairie de Belvianes est située au rez-de-chaussée, en légère avancée, entre l'école des filles et l'école des garçons. On accède d'abord à la terrasse par deux escaliers divergents qui tiennent de l'initiation maçonnique. On débouche sur le terre-plein bordé à droite et à gauche par un parapet, et défendu du vide, au centre, entre les deux escaliers, par un garde-fou à barreaux de fer. Avais-je trois ans, quatre ans? Ce fut le théâtre de mon premier exploit. On me découvrit à moitié chemin, agrippé aux barreaux, du côté du vide naturellement, mes pieds mordant légèrement sur le rebord, car j'avais entrepris la première liaison d'un escalier à l'autre par l'extérieur. J'y appris l'hypocrisie des autres. Ma mère craignant par-dessus tout de m'affoler, et dans l'impossibilité d'intervenir autrement que par la voix, ne cessa de m'applaudir, de m'encourager, de me porter aux nues pour la part de trajet qui me restait à faire. « Qu'il est brave, qu'il est adroit, qu'il est mignon! » Mais au terminus, son sourire feint se figea soudain et je reçus une magistrale fessée.

J'allai sécher mes pleurs dans un coin de la mairie et m'essuyai avec les franges d'un drapeau dont la poussière me paraissait glorieuse. La mairie était en quelque sorte notre dépendance — ce qu'est aux maisons bourgeoises le salon d'apparat. Nous en jouissions comme d'un luxe. Nous y passions, comme on dit dans le monde, après les repas. Il m'est arrivé souvent d'y faire mes devoirs sur un coin de la grande table des délibérations. C'était une vaste salle rectangulaire qui s'ouvrait à double battant en haut d'un noble perron et qui prenait jour derrière, du côté des cours de récréation, par de hautes fenêtres à la manœuvre desquelles on ne pouvait accéder qu'en se hissant sur une chaise et sur la pointe des orteils. La grande table recouverte d'un tapis vert barrait la pièce dans le sens de la longueur. Il y avait beaucoup de chaises : celles du conseil municipal et celles, le long des murs, d'un éventuel public. La cheminée de marbre noir était à droite en entrant. Ma grand-mère venait entretenir le feu pendant les longues soirées d'hiver et mettait à cuire, sous la cendre, des pommes de terre dont je me régalais ensuite. Il y avait aussi, en permanence, à tiédir dans un coin de l'âtre, un filtre émaillé grâce auquel ma mère s'abreuvait de café réchauffé. Elle avait naturellement succédé à mon père, au premier jour de la guerre, dans ses fonctions de secrétaire de mairie. C'est de son écriture qu'elle a rajouté sur le registre d'État Civil, en marge des quelques lignes qui mentionnent ma naissance, l'inscription officielle « pupille de la Nation ». A ces mots était lié le brassard noir que j'ai porté au bras gauche toute mon enfance, comme une espèce d'Alsace-Lorraine personnelle.

Sur la tablette de la cheminée, comme on a le buste de son aïeule dans les châteaux, il y avait Marianne, ma première Marianne. Elle était blanche, d'une pâleur

mortelle. En face d'elle, à l'autre bout de la longue table, contre le mur opposé, il y avait un mystérieux guignol fait de quelques chevrons et de trois rideaux verts, nommé l'isoloir. Je jouais à m'y cacher, et à surgir soudain de sous l'étoffe en criant : « Hou! hou! ». Ma mère, surprise dans ses écritures, simulait la grande peur et j'en riais beaucoup.

Si je m'attarde à cette mairie, c'est qu'elle fut la première, et que j'éprouve une sorte d'angoisse délicieuse en y revenant en pensée. Il m'apparaît aujourd'hui qu'elle illustrait parfaitement les trois dons de la République tels que les a définis Jules Ferry.

La première République, dit-il, nous a donné la terre. La preuve en était là dans un immense cahier de toile grise couché le long du mur et intitulé cadastre.

On le feuilletait à quatre pattes sur le plancher, tant il était lourd. On pouvait y retrouver, avec leur numéro, toutes les parcelles de la commune, tous les sentiers de chèvre, tous les ruisseaux. J'y apprenais à lire la vraie géographie; ma mère me faisait reconnaître un champ lointain, presque à l'orée du bois, où j'aimais aller au temps de la fenaison. Madame Siffre me prenait en passant à la sortie de onze heures. Elle portait la nourriture des hommes en équilibre sur sa tête, une soupe chaude et succulente, avec de gros morceaux de confit, dont j'avais ma part, refroidie, dans le couvercle de la soupière. Le repas se faisait sur l'herbe fraîche coupée, à l'ombre d'un grand arbre, pendant que se balançaient, pendues aux branches basses, les faux étincelantes. Sur le cadastre je pouvais aussi retrouver le jardin de Font-Maure. C'était une laisse de bonne terre, juste à l'entrée des gorges, entre la rivière et le chemin de fer à l'instant où il s'enfonce dans le tunnel. Ma mère avait loué cette petite terre, non pour doubler le potager de l'école qui était bien suffisant, mais pour établir la paix chez nous. C'était trop de jardinage, mais moins de querelles. En effet, à la mort de mon père, ma grand-mère de Barbaira, la veuve du menuisier, était venue vivre à la maison. Bientôt après, mon grand-père de Carcassonne, veuf de la lavandière, se réfugia à son tour sous notre toit. Ma mère se faisait un devoir de le bien accueillir maintenant que son fils ne reviendrait plus. Mais la fourmi qu'était bonne-maman ne s'entendait pas avec bon-papa, plutôt lézard. C'est pour fournir un dérivatif au vieil homme que l'on loua la petite terre de Font-Maure, ma grand-mère gardant la totale maîtrise du jardin de l'école. Je flâne à plaisir dans cette géographie familiale.

A la seconde République nous devons le suffrage universel. Il figurait à l'inventaire de la mairie sous les espèces d'un parallélépipède de bois verni qui en est en quelque sorte le tabernacle. C'est l'urne municipale munie d'un cadenas et d'une fente.

Le don de la Troisième s'appelle le savoir, concluait Jules Ferry qui y était pour beaucoup. Mon école natale fut son œuvre, et c'est sous son impulsion que surgirent en même temps toutes les communales de France, cossues, monumentales, se voulant partout la plus haute maison du village, la plus imposante. Aucune entreprise d'aujourd'hui ne peut se comparer à celle-là qui fit lever sur toute la surface du pays cette moisson de palais. Non pas bâtis à la diable, mais avec une volonté d'éternité, en pierres de taille si possible, et dotés de frontons, de jardins, de cours, de terrasses, de préaux, de fontaines et de cabinets. On comprendra mieux que tant de groupes scolaires perpétuent le nom de Jules Ferry (que je croyais attribué aussi au bateau du Pas de Calais nommé Ferry-boat).

De tout cela, du cadastre, de l'urne, du tableau noir, je n'ai compris la signification que plus tard. Mais ces choses étaient là, autour de moi, apprivoisées encore que mystérieuses et c'est dans les impressions d'un petit garçon que je veux les faire revivre. Il me semble que cheminant avec lui, grandissant avec lui, elles prendront plus naturellement leur place et leur sens. Il me semble, en tout cas, que je leur devais ce livre qui voudrait être leur mythologie.

Car, pour l'enfant de la secrétaire de mairie, les vertus républicaines n'étaient alors que des fées, dans une espèce de brume enchantée. Je jouais à cache-cache avec l'isoloir, je glissais mes économies dans l'urne et je dessinais des bonshommes au tableau noir. Les mots que j'entendais me parlaient comme en rêve, à travers les calembours de l'innocence. Je crois bien avoir cherché tout un soir « l'assiette de l'impôt », dont parlait le maire, et que j'imaginais bleu sombre décorée d'or. « Les prestations » m'apparaissaient comme des espèces de travaux forcés qui envoyaient la population casser des cailloux dans les chemins creux. « Les poids et mesures » m'enchantaient. A l'appel de leur contrôleur, l'épicière, le boulanger, le boucher, la chiffonnière venaient avec leur Romaine sur l'épaule ou leur Roberval dans les bras, qu'accompagnaient les poids de cuivre rangés dans leurs alvéoles comme le soleil et ses planètes. J'aimais aussi les Eaux et Forêts et l'homme qui les incarnait avec son col brodé d'un cor de chasse, quand il nous apportait un panier de fraises des bois ou une friture de truites roulée dans des feuilles de fougère.

J'évoquerai tout à l'heure les hymnes, les héros, les lectures qui enseignaient la première République au petit garçon que j'étais. Il me paraît juste de faire passer avant l'histoire ce qui appartient à la nuit des temps. Une espèce de grosse voix bourrue qui me réveille encore. La voix de l'Ancien Testament avant les paraboles des Évangiles, avant les béatitudes et la Passion. Elle se confondait parfois avec la voix de mon oncle Jules. Il était cheminot et fonctionnait sur la petite ligne qui passait en bas, au bord de la rivière, et qui, au prix d'un nombre incroyable de tunnels et de viaducs, relie Quillan à Rivesaltes. Quillan était son port d'attache. Mais parfois, au hasard d'une halte, il surgissait soudain de la nuit dans la chaleur de la mairie, son fanal à la main. Il était mon oncle, parce qu'il avait épousé Julie, la sœur aînée de ma mère. Comme mon père était mort, il devint naturellement mon tuteur. Il était petit, nerveux, drôle, une espèce de d'Artagnan à moustaches de chat et portant en guise de feutre la casquette du chemin de fer sur laquelle était brodé en rouge le mot « Midi ». Ma grand-mère lui confectionnait vite un lapereau à la casserole. Entre deux bouchées, il sifflait en louchant pour me faire rire. Il repartait tôt le matin et me réveillait, dans mon petit lit-cage, par ces mots farouches :

— Tu dors, Brutus?

— Et Rome est dans ses fers, répondais-je en élève appliqué.

Car la République est d'abord romaine. Brutus, Caton, Spartacus, Camille, Cornelia, la mère des Gracques, sont toujours là, drapés dans leur terrible toge, au fond de ma mémoire, brandissant le poignard ou l'imprécation. Mais je repousse ces spectres. S'il me plaît de situer l'antiquité de la République dans mon village natal, c'est que je croyais, alors, que Belvianes se trouvait en Phrygie. On sait que de là vient le bonnet que porte Marianne. On sait moins que c'est le pays de Philémon et Baucis. Or, ce vieux couple existait encore dans mon enfance et ma mère appelait ainsi un petit vieux et une petite vieille qui vivaient dans une petite maison, à mi-pente, sous un énorme figuier qui était leur seule fortune. Ils se nourrissaient deux fois l'an de figues fraîches, car c'est un arbre généreux qui donne en fleur et donne en fruit. Ils faisaient sécher le surplus sur des claies de roseaux, pour l'hiver. C'était peu, au total, et ma mère, me prenant par la main, leur apportait les légumes que nous avions en trop (à cause des deux jardins) ou bien un bon de sucre tamponné à la mairie. Philémon et Baucis s'agitaient, joignaient les mains, bénissaient ma mère, m'offraient un pot de confiture de figues et évoquaient en pleurant la glorieuse mémoire de mon père. La bonne vieille racontait toujours qu'une fois qu'elle revenait du bois, pliant sous le fagot, il était accouru à son secours, lui arrachant sa charge pour la porter lui-même, malgré son costume de monsieur, jusqu'à la maison. Elle voyait là la preuve que c'était un saint et qu'il était au ciel. Je le crois. C'est à ce vieux couple, maintenant devenu figuier depuis longtemps, que je dédie l'histoire de Philémon et Baucis (racontée par Ovide), telle qu'elle arriva en Phrygie, c'est-à-dire dans la Terre promise de la Liberté.

PHILÉMON ET BAUCIS

Il y a, sur les montagnes de la Phrygie, dans une petite enceinte fermée de murs, un chêne à côté d'un tilleul. Non loin de là est un étang, jadis terre ferme, aujourd'hui amas d'eau fréquenté par les plongeons et les oiseaux de marais.

Jupiter était venu naguère dans ce pays; il avait avec lui son fils, Mercure, qui avait déposé ses ailes. Ils frappent à mille portes, demandant un asile pour se reposer : toutes se ferment devant eux : une seule s'ouvrit pour les recevoir. C'était une pauvre cabane couverte de chaume et de roseaux. Mais là vivaient une pieuse femme, la vieille Baucis, et Philémon, son mari, du même âge qu'elle. C'est là qu'ils avaient uni leur sort dès leurs jeunes années, là qu'ils avaient vieilli ensemble; ils trouvaient leur pauvreté légère et ils la supportaient d'un cœur égal. En vain vous eussiez cherché chez eux des maîtres et des serviteurs : eux seuls composaient toute la maison; ils obéissaient et commandaient à la fois.

Dès que les Immortels ont franchi la porte en se baissant, le vieillard leur présente un siège, et Baucis attentive étend sur ce siège un tissu grossier. Puis elle écarte dans le foyer la cendre encore tiède, ranime le feu de la veille avec des feuilles, de l'écorce sèche, et, de son souffle, elle excite la flamme. Elle ajoute alors des branches sèches, prises sur le toit et brisées en menus morceaux, et sur lesquelles elle place un petit chaudron d'airain. Puis elle dépouille de leurs feuilles des légumes que son mari avait été cueillir dans son frais jardin.

Philémon, prenant une petite fourche, détache d'une solive noircie, à laquelle il était suspendu, le dos enfumé d'un porc, qu'il gardait depuis longtemps; il en coupe une petite tranche et la fait cuire dans l'eau bouillante. Tout en faisant ces préparatifs, ils causent aimablement avec leurs hôtes pour abréger l'ennui de l'attente.

Un baquet de hêtre était là, suspendu par l'anse à un clou. On l'emplit d'eau tiède et il reçoit les pieds fatigués des voyageurs. Puis un matelas d'algues molles est placé sur un lit, dont les pieds et le bois sont de saule, et on le recouvre d'un tapis, qui ne servait qu'aux jours de fête. Les Dieux y prirent place. Baucis retrousse sa robe, et, d'une main tremblante, dresse la table. Un des trois pieds était plus court; elle place en dessous une tuile pour mettre la table d'aplomb, et la frotte ensuite avec de la menthe fraîche. On sert aux Dieux des olives naturelles de deux couleurs, des cornouilles d'automne confites dans une saumure liquide, de la chicorée, du raifort, du fromage, des œufs légèrement cuits sous la cendre tiède, tous ces mets sont servis dans des plats d'argile. Ensuite, on apporte un cratère ciselé et des coupes de hêtre, enduites intérieurement de cire blonde. Bientôt les mets brûlants sont retirés du feu. Puis un vin paraît, qui ne date pas de longtemps. A ce premier service succède le second, composé de noix, de figues sèches, de dattes, de prunes, de pommes odorantes placées dans des corbeilles et de raisins pourpres fraîchement cueillis. Au milieu est un blanc rayon de miel. Mais, ce qui vaut mieux que tout cela, ce sont les visages bienveillants des deux vieillards et surtout leur accueil empressé, qui fait oublier leur pauvreté.

Cependant, chaque fois qu'on le vidait, le cratère se remplissait de lui-même et le vin, loin de diminuer, était plus abondant. Étonnés et tremblants à la vue de ce prodige, Baucis et le timide Philémon tendent des mains suppliantes et s'excusent auprès de leurs hôtes de leur avoir servi des mets si modestes avec si peu d'apprêts. Ils ne possédaient qu'une oie, gardienne de leur modeste toit. Ils se préparent à l'immoler pour la servir aux Dieux :

mais l'oiseau, grâce à son aile rapide, fuit et fatigue ces vieillards appesantis par l'âge : longtemps, il les évite et enfin, comme pour chercher refuge, se sauve auprès des Dieux, qui défendent de le tuer : « Nous sommes des Dieux, dirent-ils; tous vos voisins porteront la peine qu'ils méritent; vous seuls serez exempts du châtiment qui les attend : sortez de cette cabane et suivez-nous jusqu'au sommet de cette montagne. » Tous deux obéissent, et suivant les Dieux, ils soutiennent sur un bâton leurs membres appesantis par les années et gravissent péniblement la longue pente. Ils n'étaient plus éloignés du sommet que de la portée d'une flèche, quand, tournant la tête, ils voient toute la contrée ensevelie sous les eaux; seule, leur demeure restait debout. Surpris, ils donnent des larmes au sort de leurs voisins. Mais voici que leur vieille cabane se change en temple : les poteaux qui la soutenaient deviennent des colonnes! Le chaume prend la couleur de l'or et le toit doré resplendit; les portes sont ciselées et le sol est couvert de marbre. Alors Jupiter leur dit d'une voix douce : « Apprenez-moi, pieux vieillard, et vous, sa digne épouse, ce que vous désirez. » Philémon s'entretient quelques instants avec Baucis, puis il fait connaître aux Immortels le souhait que tous deux ont formé. « Être les gardiens de ce temple, voilà ce que nous demandons; et, puisque nous avons passé toutes nos années dans une parfaite union, puisse la même heure nous enlever tous les deux; puissé-je ne jamais voir le tombeau de Baucis, ni elle avoir à me rendre les derniers devoirs. »

Leur vœu fut exaucé. Ils gardèrent le temple tant que la vie leur fut laissée. Un jour, qu'affaiblis par l'âge, ils étaient devant les marches du temple et racontaient les événements dont ces lieux avaient été le théâtre, Baucis s'aperçut que Philémon se couvrait de feuillage, et le vieux Philémon que Baucis subissait la même métamorphose. Déjà l'écorce montait sur leurs visages, et eux, tant qu'ils le purent, se parlaient encore : « Adieu, cher époux; adieu. chère épouse », dirent-ils ensemble, et l'écorce ferma en même temps leur bouche.

La religion laïque, dont nous allons bientôt connaître les apôtres (les géants de 93), repose sur l'idée d'un Dieu intérieur, exigeant, vigilant, ne fermant jamais l'œil : la conscience. On l'avale une fois pour toutes, ce Dieu, et il fait à jamais le guet, embusqué derrière sa lucarne triangulaire. « Du moment que votre conscience ne vous reproche rien... » Cet œil, qui nous regarde fixement du dedans, il plane d'abord sur le silence de la classe, sévère, juste, souverain. C'est l'œil de l'instituteur auquel nous devrons rendre compte toute notre vie des fautes d'orthographe. Pour moi, c'était l'œil de ma mère, divinatoire. Elle assurait que si je mentais, les mots « je mens » apparaissaient en rouge sur mon front. J'eus l'imprudence, la fois suivante, de vérifier devant l'armoire à glace avant de lui tenir tête. Et quand elle m'affirma que les mots révélateurs étaient là, je rétorquai sottement : « Non, je viens de me regarder dans ta chambre et il n'y avait rien. » J'étais pris à mon propre piège.

Ce que la République doit à la Bible c'est essentiellement ce poème de Victor Hugo : le souffle des prophètes répercuté par la célèbre bouche d'ombre.

CAIN

Lorsqu'avec ses enfants vêtus de peaux de bêtes,
Échevelé, livide, au milieu des tempêtes,
Caïn se fut enfui de devant Jéhovah,
Comme le soir tombait, l'homme sombre arriva
Au bas d'une montagne en une grande plaine ;
Sa femme fatiguée et ses fils hors d'haleine
Lui dirent : « Couchons-nous sur la terre, et dormons. »

Caïn, ne dormant pas, songeait, au pied des monts.
Ayant levé la tête, au fond des cieux funèbres,
Il vit un œil tout grand ouvert dans les ténèbres,
Et qui le regardait dans l'ombre fixement.
« Je suis trop près », dit-il avec un tremblement.
Il réveilla ses fils dormant, sa femme lasse,
Et se remit à fuir, sinistre, dans l'espace.
Il marcha trente jours, il marcha trente nuits.
Il allait, muet, pâle et frémissant aux bruits,
Furtif, sans regarder derrière lui, sans trêve,
Sans repos, sans sommeil ; il atteignit la grève
Des mers dans le pays qui fut depuis Assur.
« Arrêtons-nous, dit-il, car cet asile est sûr.
Restons-y. Nous avons du monde atteint les bornes. »
Et, comme il s'asseyait, il vit dans les cieux mornes
L'œil à la même place au fond de l'horizon.
Alors il tressaillit en proie au noir frisson.
« Cachez-moi ! » cria-t-il ; et le doigt sur la bouche,
Tous ses fils regardaient trembler l'aïeul farouche.
Caïn dit à Jabel, père de ceux qui vont
Sous des tentes de poil dans le désert profond :

« Étends de ce côté la toile de la tente. »
Et l'on développa la muraille flottante ;
Et quand on l'eut fixée avec des poids de plomb :
« Vous ne voyez plus rien ? » dit Tsilla, l'enfant blond,
La fille de ses fils, douce comme l'aurore ;
Et Caïn répondit : « Je vois cet œil encore ! »

Et Caïn dit : « Cet œil me regarde toujours ! »
Hénoch dit : « Il faut faire une enceinte de tours
Si terrible, que rien ne puisse approcher d'elle.
Bâtissons une ville avec sa citadelle. »
Sur la porte on grava : « Défense à Dieu d'entrer. »
Quand ils eurent fini de clore et de murer,
On mit l'aïeul au centre en une tour de pierre,
Et lui restait lugubre et hagard. « O mon père !
L'œil a-t-il disparu ? » dit en tremblant Tsilla.
Et Caïn répondit : « Non, il est toujours là. »

Alors il dit : « Je veux habiter sous la terre
Comme dans son sépulcre un homme solitaire ;
Rien ne me verra plus, je ne verrai plus rien. »
On fit donc une fosse, et Caïn dit : « C'est bien ! »
Puis il descendit seul sous cette voûte sombre.
Quand il se fut assis sur sa chaise dans l'ombre
Et qu'on eut sur son front fermé le souterrain,
L'œil était dans la tombe et regardait Caïn.

L'idée antique d'une Phrygie heureuse, l'idée biblique d'un œil intérieur dont serait doté chaque citoyen inspirèrent le siècle des lumières — douces lumières irisées jouant sur des clavecins tempérés au-dessus des eaux rêveuses de Genève. Du moment que l'on savait où l'on allait (au paradis) et que l'on avait inventé ce qui doit nous guider dans la nuit (un œil vert qui passe au rouge quand il y a danger), il ne restait qu'à établir le répertoire des bifurcations et des correspondances et à souhaiter bon voyage à l'humanité. Ce fut l'Encyclopédie. Je ne saurais mieux faire, pour rendre d'un seul coup hommage à tous les beaux esprits, que de reproduire cette publicité qu'écrivit Voltaire.

L'ENCYCLOPÉDIE A TRIANON

Un domestique de Louis XV me contait qu'un jour le roi son maître soupant à Trianon en petite compagnie, la conversation roula d'abord sur la chasse, et ensuite sur la poudre à tirer. Quelqu'un dit que la meilleure poudre se faisait avec des parties égales de salpêtre, de soufre et de charbon. Le duc de La Vallière, mieux instruit, soutint que pour faire de bonne poudre à canon il fallait une seule partie de soufre et une de charbon, sur cinq parties de salpêtre bien filtré, bien évaporé, bien cristallisé.

Il est plaisant, dit M. le duc de Nivernais, que nous nous amusions tous les jours à tuer des perdrix dans le parc de Versailles, et quelquefois à tuer des hommes ou à nous faire tuer sur la frontière, sans savoir précisément avec quoi l'on tue.

Hélas! nous en sommes réduits là sur toutes les choses de ce monde, répondit Mme de Pompadour; je ne sais de quoi est composé le rouge que je mets sur mes joues, et on m'embarrasserait fort si on me demandait comment on fait les bas de soie dont je suis chaussée.

C'est dommage, dit alors le duc de La Vallière, que sa Majesté nous ait confisqué nos dictionnaires encyclopédiques, qui nous ont coûté chacun cent pistoles : nous y trouverions bientôt la décision de toutes nos questions. Le roi justifia sa confiscation : il avait été averti que les 21 volumes « in-folio », qu'on trouvait sur la toilette de toutes les dames, étaient la chose du monde la plus dangereuse pour le royaume de France, et il avait voulu savoir par lui-même si la chose était vraie, avant de permettre qu'on lût ce livre. Il envoya sur la fin du souper chercher un exemplaire par trois garçons de sa chambre, qui apportèrent chacun sept volumes avec bien de la peine.

On vit à l'article « poudre » que le duc de La Vallière avait raison; et bientôt Mme de Pompadour apprit la différence entre l'ancien rouge d'Espagne et le rouge des dames de Paris. Elle vit comme on lui faisait ses bas au métier; et la machine de cette manœuvre la ravit d'étonnement. Ah! le beau livre! s'écria-t-elle. Sire, vous avez donc confisqué ce magasin de toutes les choses utiles pour le posséder seul, et pour être le seul savant de votre royaume? Chacun se jetait sur les volumes et chacun y trouvait à l'instant tout ce qu'il cherchait. Ceux qui avaient des procès étaient surpris d'y voir la décision de leurs affaires. Le roi y lut tous les droits de sa couronne. Mais vraiment, dit-il, je ne sais pourquoi on m'avait dit tant de mal de ce livre. Eh! ne voyez-vous pas, sire, lui dit le duc de Nivernais, que c'est parce qu'il est fort bon? On ne se déchaîne contre le médiocre et le plat en aucun genre.

A Belvianes, vers la fin de l'hiver, soufflait parfois un vent délicieux qu'on appelait le vent d'Espagne. C'était un souffle tiède et parfumé, comme une respiration féminine. Toute la sève des forêts s'en émouvait et la promesse du printemps s'éveillait sous la mousse. Par ces corridors de la montagne d'où ne descendait habituellement que la peur, c'était un peu de jasmin qui avait passé par-dessus la neige. L'Espagne n'était pas loin, juste au-delà de la montagne, mais elle nous paraissait fabuleuse et fleurie, à cause de ce vent si doux, à cause des oranges, si rares encore et qui nous parvenaient dans des papiers de soie imprimés de rouge et d'or. C'est d'elle que nous vient, la guitare en bandoulière, à la veille de la Révolution, le Figaro de Beaumarchais. Il est bon d'entendre sa voix enjouée, juste avant les clameurs, car il marche en tête d'un terrible cortège.

LE BARBIER DE SÉVILLE

LE COMTE *(à part)* — Cet homme ne m'est pas inconnu.

FIGARO *(à part)* — ... Cet air altier et noble...

LE COMTE *(à part)* — Cette tournure grotesque...

FIGARO — Je ne me trompe point; c'est le comte Almaviva.

LE COMTE — Je crois que c'est ce coquin de Figaro!

FIGARO — C'est lui-même, Monseigneur.

LE COMTE — Maraud! si tu dis un mot...

FIGARO — Oui, je vous reconnais; voilà les bontés familières dont vous m'avez toujours honoré.

LE COMTE — Tu ne dis pas tout. Je me souviens qu'à mon service tu étais un assez mauvais sujet.

FIGARO — Eh! mon Dieu, Monseigneur, c'est qu'on veut que le pauvre soit sans défaut.

LE COMTE — Paresseux, dérangé...

FIGARO — Aux vertus qu'on exige d'un domestique, Votre Excellence connaît-elle beaucoup de maîtres qui fussent dignes d'être valets?

LE COMTE — Ta joyeuse colère me réjouit. Mais tu ne me dis pas ce qui t'a fait quitter Madrid.

FIGARO — C'est mon bon ange, Excellence, puisque je suis assez heureux pour retrouver mon ancien maître. Voyant à Madrid que la République des lettres était celle des loups, toujours armés les uns contre les autres, fatigué d'écrire, ennuyé de moi, dégoûté des autres, abîmé de dettes et léger d'argent; à la fin convaincu que l'utile revenu du rasoir est préférable aux vains honneurs de la plume, j'ai quitté Madrid; et, mon bagage en sautoir, parcourant philosophiquement les deux Castilles, la Manche, l'Estramadure, la Sierra Morena, l'Andalousie; accueilli dans une ville, emprisonné dans l'autre, et partout supérieur aux événements; loué par ceux-ci, blâmé par ceux-là; aidant au bon temps, supportant le mauvais; me moquant des sots, bravant les méchants, riant de ma misère et faisant la barbe à tout le monde, vous me voyez enfin établi à Séville, et prêt de nouveau à servir Votre Excellence en tout ce qu'il lui plaira de m'ordonner.

LE COMTE — Qui t'a donné une philosophie aussi gaie?

FIGARO — L'habitude du malheur. Je me presse de rire de tout, de peur d'être obligé d'en pleurer.

L'architecte républicain qui avait conçu l'école de Belvianes était amoureux de l'ordonnance, de la symétrie, du dédoublement. A partir du point d'accès le plus bas, la base des escaliers divergents, tout se développait, s'élevait, se conjuguait, se répercutait, et finalement se recoupait, en deux mouvements aussi harmonieux que celui des ailes d'un grand oiseau. Sur la terrasse ombragée de tilleuls, la mairie, en légère avancée, disposait de trois perrons, le perron central et deux perrons latéraux qui menaient aux appartements. Il y avait encore deux autres perrons aux deux bouts des ailes, au plus loin l'un de l'autre, celui des filles et celui des garçons. Ils menaient à deux corridors transversaux sur lesquels s'ouvraient les classes et qui débouchaient, derrière, sous deux préaux. Les cours de récréation étaient séparées par deux jardins mitoyens sur la largeur de la mairie. Au fond de chaque préau s'ouvrait une petite porte qui donnait directement sur les champs. A l'étage le mouvement architectural reproduisait celui du rez-de-chaussée. En fait, nous disposions des deux appartements à la fois : celui de l'institutrice et celui de l'instituteur, car, après la mort de mon père, on n'osa pas imposer à la veuve un autre occupant, et la seconde classe fut assurée par des suppléants qui n'habitaient pas la maison. C'était immense. Toutes nos pièces occupées, sur la partie gauche, avaient leur double sur la partie droite, à peu près vide, que ma mère abandonnait aux enfants, c'est-à-dire à mon frère aîné, à moi même, et à nos camarades du jeudi et du dimanche. Une seule chambre de l'aile déserte était occupée par mon grand-père qui s'y tenait dans l'odeur du tabac refroidi. Symboliquement, l'ascendant et les descendants occupaient les lieux de l'instituteur mort à la guerre. Je parcours en songe aujourd'hui toutes ces chambres mortes tapissées de fleurs, où nous avions nos soldats de plomb et notre lanterne magique. C'est dans une de ces chambres que je vais retrouver Florian, non seulement à cause de la lanterne magique et du singe qui avait oublié de l'allumer, mais aussi parce qu'elle servait de dépôt au surplus des bagages municipaux et que l'on y rangeait, debout près de la fenêtre, la bannière du Secours Mutuel. C'est un accessoire important de la vie municipale. Il va à presque tous les enterrements. Le cimetière est de l'autre côté de la rivière, passé le pont et le passage à niveau, sur le rivage de Cavirac, petit hameau d'en face que nous dédaignions du haut de la terrasse, mais qui fournissait à ma mère ses élèves préférés (la petite Pagès et les petits Siffre par exemple). La bannière était un lourd velours grenat sur lequel était brodée en fil d'or, sur plusieurs lignes, comme une récitation au tableau noir, la phrase suivante (ou à peu près) : « Société de Secours Mutuel de la Commune de Belvianes, « l'Avenir », fondée par ses habitants solidaires en 1897 ».

On y reconnaissait le solide style de la République et surtout, au-dessous du mot l'Avenir, deux mains d'or tranchées au poignet s'étreignaient pour illustrer la notion d'entraide. C'était directement inspiré de la célèbre fable que voici et qui parut à l'aube de l'an I, en 1792. Florian rêvait; car la Révolution fit l'inverse. Elle ne donna pas de jambes à Couthon et coupa la tête à Danton.

L'AVEUGLE ET LE PARALYTIQUE

Aidons-nous mutuellement :
La charge des malheurs en sera plus légère;
Le bien que l'on fait à son frère,
Pour le mal que l'on souffre, est un soulagement.

Dans une ville de l'Asie,
Il existait deux malheureux :
L'un perclus, l'autre aveugle, et pauvres tous les deux.
Ils demandaient au ciel de terminer leur vie :
Mais leurs cris étaient superflus;
Ils ne pouvaient mourir. Notre paralytique,

Couché sur un grabat, dans la place publique,
Souffrait sans être plaint : il en souffrait bien plus.
L'aveugle, à qui tout pouvait nuire,
Était sans guide, sans soutien,
Sans avoir même un pauvre chien
Pour l'aimer et pour le conduire.
Un certain jour, il arriva
Que l'aveugle, à tâtons, au détour d'une rue,
Près du malade se trouva.
Il entendit ses cris, son âme en fut émue.
Il n'est tels que les malheureux
Pour se plaindre les uns les autres.
— « J'ai mes maux », lui dit-il, « et vous avez les vôtres.
Unissons-les, mon frère, ils seront moins affreux ».
— « Hélas ! » dit le perclus, « vous ignorez, mon frère,
Que je ne puis faire un seul pas ;
Vous-même, vous n'y voyez pas :
A quoi nous servirait d'unir notre misère ? »
— « A quoi ? » répond l'aveugle, « écoutez : à nous deux,
Nous possédons le bien à chacun nécessaire :
J'ai des jambes, et vous des yeux.
Moi, je vais vous porter ; vous, vous serez mon guide.
Vos yeux dirigeront mes pas mal assurés ;
Mes jambes, à leur tour, iront où vous voudrez.
Ainsi, sans que jamais notre amitié décide
Qui de nous deux remplit le plus utile emploi,
Je marcherai pour vous, vous y verrez pour moi ».

Les trois coups sont frappés. La foule se presse aux grilles des Tuileries. On entend s'enfler dans la nuit, sur l'air de la Carmagnole, le souffle de la tempête. Mais nous avons oublié, pour ce grand baptême, une des fées de la République. La plus puissante pourtant. Celle qui a un costume étoilé, celle qui tient un paratonnerre dans sa main droite, comme Jupiter tenait la foudre, l'Amérique mère de notre Révolution. Son ambassadeur était le bonhomme Franklin, que j'imagine toujours courant après un cerf-volant au milieu des éclairs, et qui nous communiqua, comme un mal contagieux, sa passion de la liberté.

Mon parrain d'Amérique avait réussi le tour de force de réunir dans son adresse toute une mythologie. Il s'appelait Franklin Bayard et habitait Philadelphie. Qui était-ce? Un brave homme sans doute. Je ne l'ai connu que par ses tendres lettres et ses royales étrennes à chaque Noël. Il intervient dans ma vie au plus loin de mes souvenirs, c'est-à-dire dès l'armistice. Le sort des pupilles de la Nation, orphelins de guerre, intéressait les gens de cœur. En particulier les quakers qui par conviction religieuse n'avaient pas voulu participer à la tuerie, mais voulaient secourir les victimes. C'est ainsi que nous fûmes dotés, mon frère et moi, par voie officielle, de deux tuteurs bénévoles qui s'intitulaient, dès leur première lettre, « parrains d'Amérique ». Je n'ai pas connu le mien, mais nous eûmes la joie de recevoir à Belvianes celui de mon frère qui s'appelait Edward Wood et qu'il fallait appeler « Uncle Ned ». C'était un homme grand, élégant, doux, rêveur, théosophe. Il prétendait correspondre avec l'âme de mon père par l'intermédiaire d'une table tournante. En ces lendemains de guerre, au fond de notre vallée perdue, il apparut comme un miracle. Il avait loué pour venir nous voir une puissante automobile torpédo, la première dans laquelle il m'ait été donné de monter. Il nous faisait l'effet d'un héros de Jules Verne avec sa veste à carreaux, son chapeau panama, ses knickerbockers et son kodak en bandoulière. Nous n'étions plus seuls au monde. Pour ma mère ce fut une petite fête, la première depuis son veuvage. Il insista pour nous emmener tous en promenade dans sa puissante Panhard et Levassor qui disposait de strapontins. Ma grand-mère prépara le pique-nique. Ma mère releva son voile. Et nous partîmes sur la route étroite et sinueuse, à travers les gorges de l'Aude, jusqu'à une prairie au pied de la forêt, au bord de l'eau, où la nappe fut étalée. Mais ce sont des lieux sombres et nulle fée, même américaine, ne peut en apaiser la puissance funeste. La prairie se trouvait malencontreusement juste en dessous d'une coupe de bois, très haut dans la montagne. Soudain des cris nous alertèrent. Par une clairière verticale au-dessus de nos têtes, une bille de bois emballée dévalait vers nous. Nous n'eûmes que le temps de nous garer sous un rocher. Le tronc d'arbre balaya la prairie avant de plonger dans le courant où le rejoignaient bientôt d'autres poutres pressées, dégringolant avec un bruit terrible. C'était encore le temps du flottage et ces arbres abattus descendaient la rivière, guidés par les crochets des radeleurs, jusqu'aux scieries de Quillan.

Uncle Ned nous laissa en souvenir un petit drapeau de soie de son pays, avec ses raies rouges et blanches et son carré bleu constellé. Il est toujours resté dans notre chambre d'enfants, au-dessus d'une terre cuite qui représentait Pershing en chapeau de cow-boy.

Parmi les grands prophètes, il est temps de faire place à Washington. Et aussi à sa mère, car la République, à mes yeux, lui ressemble.

J'ai toujours considéré que c'était mon second drapeau. Il arrive toujours à temps, comme à la fin des westerns, en tête d'un escadron vengeur, quand tout semble perdu. Ainsi en 1917; ainsi en 1944.

MARY WASHINGTON

Mary Washington, veuve de bonne heure et tout entière à l'éducation de ses enfants, avait entouré d'une sollicitude spéciale le jeune George, qui, par le caractère, était son vivant portrait. Sous l'heureuse inspiration de sa mère, ce fils apprit à se gouverner lui-même et à être passionné pour la justice.

Nature énergique et douce, ardente et sereine, la noble femme répandit de plus en plus son âme dans celle de son fils. De plus en plus, elle affermit en lui la résolution de consacrer tout ce qu'il avait de cœur, d'intelligence et de force, au bien de l'Amérique.

C'est ainsi qu'un grand homme est l'œuvre de sa mère.

Pendant les sept ans que son cher George commanda l'armée américaine, Mary Washington ne fut jamais ni découragée par les revers, ni enivrée par les succès.

Au lendemain d'une victoire, des amis accoururent pour la féliciter et se mirent à exalter Washington en renchérissant les uns sur les autres.

Elle les interrompit par ces mots :

« Ceci est de la flatterie, Messieurs. George se rappellera, j'espère, les leçons que je lui ai données. Il n'oubliera pas qu'il est tout simplement un citoyen de l'Union, que Dieu a fait plus heureux que les autres. »

A la nouvelle du triomphe décisif de York-Town, sa première idée ne fut pas de glorifier son fils, mais de glorifier la patrie. « Enfin, s'écria-t-elle, l'Union est libre, et nous allons avoir la paix ! »

Cette femme trouvait tout simple que son fils se comportât en héros.

En 1784, quand Washington, ayant enfin déposé les armes, vint la visiter dans sa solitude et lui prodiguer ses pieux embrassements, elle ne le loua pas de s'être élevé si haut dans l'opinion des hommes, elle se contenta de lui dire : « Mon fils, je suis heureuse que tu aies bien fait ton devoir. »

A cette époque, un grand bal fut donné en l'honneur de Washington. Il s'y rendit avec sa mère.

Vêtue à la vieille mode, très droite malgré ses soixante-dix-huit ans, elle avait un air simple et grand.

Quand elle entra appuyée sur le bras de son fils, toute l'assistance fut attendrie. On ne pouvait contempler sans admiration le libérateur de l'Amérique conduisant avec un tendre respect la femme à qui il devait sa vie, sa vertu et sa gloire.

« Les jours de danse sont loin de moi, dit Mary Washington ; mais je suis heureuse de prendre part à la joie publique. » Et elle assista gaiement au commencement de la fête.

Lorsque neuf heures sonnèrent, la mère dit à son fils : « Allons, George, il est temps que les vieilles gens rentrent chez eux. »

Elle salua l'Assemblée et se retira, reconduite par Washington.

Avant d'aller prendre possession de la présidence de la République américaine, Washington fit une visite à sa mère, retirée dans une petite ferme qui était son douaire et qu'elle n'avait jamais voulu quitter.

« Je viens vous faire mes adieux, lui dit-il. Dès que la nation me rendra ma liberté, je reviendrai dans la Virginie.

Louis Edouard Fournier.

— Tu ne me reverras plus, répondit-elle. Mais va, mon bon George, et fais toujours le bien. »

Et elle embrassa longuement son fils qui pleurait; puis elle le bénit.

Peu de temps après, la mère de Washington mourait.

Elle expira en murmurant ces paroles : « Mon Dieu, je vous recommande ma patrie et mon fils. »

Plus tard, à cette femme qui s'était glorifiée en son fils, l'Amérique devait élever un monument funèbre portant ces mots : Mary, mère de Washington.

Le véritable pacte Atlantique, imprescriptible, est fondé sur la Déclaration des Droits de l'Homme et du Citoyen. Il est contresigné par Washington et par La Fayette. Beaumarchais en fut un peu l'entremetteur.

La prose de la Constituante, corrigée par la Convention, ressemble comme une sœur à la Déclaration d'Indépendance des États-Unis. Il s'est passé, dans ces années 1780, quelque chose de fulminant comme l'aventure du Sinaï. Sous le paratonnerre de Franklin, la République a reçu ses Tables de la Loi.

Elles étaient reproduites à la mairie de Belvianes dans un cadre allégorique telles qu'elles furent consacrées en 93 sous le titre « Tables des Droits de l'Homme ». Un œil dans une équerre affirmait d'abord « Unité, Indivisibilité de la République ». (On sentait la présence de mathématiciens parmi les rédacteurs). Le préambule et les 35 articles se déroulaient sur deux colonnes séparées par le faisceau des licteurs. Deux lourdes femmes casquées à la Minerve et drapées dans des toges qui révélaient leurs formes opulentes semblaient assises sur l'édifice. C'était le temps où les écoliers apprenaient encore par cœur l'essentiel de ces versets laïques. Nous les évoquerons à travers un récit de Georges d'Esparbès où l'on voit littéralement s'écrouler, sous leurs salves, l'ancien régime vermoulu.

LES DROITS DE L'HOMME

Le 13 juillet 1793, un bataillon de la 32e demi-brigade, qui allait combattre vers le Rhin, entra dans une petite ville de l'Est et campa sur la place publique.

Cette demi-brigade s'était profondément transformée. Un de ses anciens capitaines, Vimeux, avait pris le rang de colonel. Sous l'influence des idées égalitaires, l'armée était devenue peuple.

La petite ville où ce bataillon faisait la soupe était isolée des grands centres et on n'y connaissait presque rien des choses surprenantes qui venaient de bouleverser le monde. On savait seulement qu'une grande lumière s'élevait de Paris comme une lampe merveilleuse. Mais cette lumière était bien lointaine. Néanmoins, le mieux qu'elle pouvait, la petite cité célébrait la Liberté.

Pour donner à leur fête l'éclat de la majesté militaire, les officiers municipaux, de braves laboureurs en blouse, vinrent trouver le colonel Vimeux et lui demandèrent de prendre part, lui et son bataillon, aux réjouissances patriotiques du lendemain 14 juillet. Vimeux le promit. Mais à la façon dont ils parlaient de la République et de la liberté, le soldat devina qu'ils répétaient ces mots pour les avoir lus ou entendus, et qu'ils ignoraient leur sens magnifique. Alors, une idée lui vint.

Le lendemain, après la revue, toute une foule vint s'entasser dans l'église. Sous la surveillance du syndic, les hommes et les jeunes gens se placèrent dans les bas-côtés, une centaine d'enfants envahirent la travée de gauche, tandis que les femmes s'asseyaient dans celle de droite et on plaça les vieillards dans la tribune du fond, au-dessus du portail intérieur, face à l'autel. Soudain, au son des tambours, le portail s'ouvrit et le bataillon envahit l'église. Le colonel y entra à cheval. Puis la troupe s'arrêta dans la nef, arme au pied. Les officiers traversèrent les rangs, prirent place dans les stalles du chœur. Vimeux, descendu de son cheval, gravit l'autel d'un pas digne, la tête nue, l'épée à la main droite, en serrant des feuillets dans l'autre main.

Tourné vers l'assemblée, il commanda d'une voix grave : « Tambours de Spire et de Mayence, ouvrez le ban! » Le roulement lourd des caisses sourdes fit trembler les vitraux comme sous un coup de tonnerre, et on entendit la voix de Vimeux, simple, mais plus haute, qui disait lentement et profondément :

« Au nom de la République française une et indivisible. »

Quand ces mots furent prononcés, on n'entendit rien, plus rien que la voix formidable :

« Déclaration des Droits de l'Homme adoptée par l'Assemblée constituante de 1789, par la Convention nationale de 1793. »

Et le soldat se mit à lire.

Et comme il commençait, soudain, on vit une lumière tomber dans la tribune des vieillards; c'est que les trois cents têtes, dès les premiers mots avaient pâli en même temps.

« Les hommes naissent et demeurent libres et égaux », martelait au loin la voix grave. Elle continua :

« Les droits de l'homme sont : la liberté, la propriété, la sûreté, la résistance à l'oppression... »

Alors commença l'embrasement de la foule; dans les rangs des aïeux, les visages étaient enivrés.

« La loi est l'expression de la volonté générale... » et une fièvre d'orgueil courut des travées à la tribune et redescendit dans la nef sur le bataillon impassible.

« Nul corps, nul individu ne peut exercer d'autorité qui n'émane expressément de la loi... »

Accent nouveau! Immobiles de saisissement, les vieillards éblouis semblaient se demander quel rêve impossible récitait là-bas cet homme inspiré. Et comme pour mieux les convaincre la voix plus claire reprenait :

« L'égalité consiste en ce que chacun puisse jouir des mêmes droits... La loi est la même pour tous, soit qu'elle punisse, soit qu'elle protège ».

Et chacun de ces mots, dans les cœurs, tombait en explosion sourde en brisant des chaînes.

Ivres d'enthousiasme, les vieillards s'étaient tout à fait levés; aucun cri, seulement un léger craquement. Puis d'une simple ligne, d'abord, l'estrade où ils étaient resserrés plia... Et un drame effroyable et muet, vu d'eux seuls, entendu d'eux seuls, se passa dès lors dans leur tribune.

« Nul ne doit être inquiété pour ses opinions... »

Pendant que grondait cette voix, sous eux, l'échafaudage de la tribune cédait peu à peu.

Dans le chœur, là-bas, aux doigts du colonel, le papier tremblait :

« La souveraineté réside dans le peuple entier... »

A ce moment, toute la tribune eut conscience de la catastrophe. Les fendillements se multiplièrent. Mais, devait-on crier, appeler à l'aide, interrompre cette voix généreuse qui délivrait? Tous ces hommes, sans se regarder, s'entendirent. Déjà, ils n'avaient ensemble qu'une âme. Et cette âme accepta.

Le colonel, agitant les feuillets au-dessus de sa tête : « Il n'y a plus de noblesse ni de distinctions d'ordre! Liberté pour tous! Égalité et fraternité entre tous! »

Les vieillards eurent à peine le temps de se lever, tous debout, tous droits : enfin ils avaient compris! « Vive la République! » essayèrent-ils de crier, mais les clameurs étaient si grandes qu'on n'entendit rien, qu'on ne vit que leur trois cents bouches ouvertes... Instant tragique. Alors, comme si elles n'attendaient que ce signal, les fractures intérieures de la tribune éclatèrent, l'estrade s'arracha violemment de la muraille, tandis que dans les cris atroces de la foule et du bataillon désespérés, les vieillards s'écroulaient comme des ruines.

Les écoliers partant pour la promenade.

CHAPITRE II

O soldats
de l'An II

TEXTES CHOISIS

1 ■ LA CARMAGNOLE (ANONYME).

2 ■ LE CHANT DU DÉPART (MARIE-JOSEPH CHÉNIER).

3 ■ MINOS, EAQUE ET RHADAMANTE (VICTOR HUGO).

4 ■ ROBESPIERRE, DANTON, MARAT (MICHELET).

5 ■ LE CHANT DES VICTOIRES (MARIE-JOSEPH CHÉNIER).

6 ■ DISCOURS SUR LA CALOMNIE (MARIE-JOSEPH CHÉNIER).

7 ■ LE SERMENT DU JEU DE PAUME (EDGAR QUINET).

8 ■ LE CALENDRIER RÉPUBLICAIN (LOUIS BLANC).

9 ■ LES DEUX MÉTIERS (LAZARE CARNOT).

10 ■ DES STROPHES FÉCONDES (FÉLIX PYAT).

11 ■ L'INSPIRATION SUBLIME (LAMARTINE).

12 ■ LA MARSEILLAISE (ROUGET DE LISLE).

13 ■ MONTAIGU (ROUGET DE LISLE).

14 ■ O SOLDATS DE L'AN II (VICTOR HUGO).

15 ■ ROLAND A RONCEVAUX (ROUGET DE LISLE).

16 ■ LA MORT DES GIRONDINS (MICHELET).

17 ■ MADAME ROLAND SUR L'ÉCHAFAUD (MICHELET).

18 ■ LE DERNIER SCRUPULE (MICHELET).

19 ■ L'HALLALI DES PATRIOTES (MICHELET).

20 ■ ÉPITAPHE DE JEAN CHOUAN (VICTOR HUGO).

21 ■ LA CONVENTION (VICTOR HUGO).

L**A PREMIÈRE RÉPUBLIQUE**
leur avait donné la terre. Mais dans le village où je suis né, c'était un don chaque
année remis en cause par les eaux torrentielles qui descendaient de la montagne.
Les champs emportés, il fallait aller les rechercher au bord de la rivière à pleines
hottes d'osier et les remettre en place les uns au-dessus des autres comme des étagères accrochées à la roche. Mais dans cette terre chiche, si violemment disputée, si
chérie, si lourde aux épaules des hommes, poussaient des choses délicieuses, de
petites salades tendres, des artichauts fondants, des tomates parfumées, d'incom-
parables melons.

Mon grand-père paternel avait reçu en partage le jardin de Font-Maure. C'était
de l'autre côté du pont d'Aude et il fallait franchir le passage à niveau. On tournait
alors à droite jusqu'à un petit souterrain voûté, sous le chemin de fer, par lequel
on débouchait de plain-pied sur le dernier arpent du Bon Dieu.

Coincé entre le ballast et la rive du torrent, il n'était guère plus grand que
l'ombre que lui faisait un poirier de la Saint-Jean, un brave vieil arbre aux branches
basses dans lequel je pouvais me nicher. C'était ici, à mes yeux, la pointe extrême
des terres conquises, la dernière presqu'île heureuse, à la frontière de l'horreur.
De l'autre côté du torrent, plus fort que lui, on entendait mugir une eau noire qui
jaillissait à gros bouillons d'une espèce de caverne : celle-là même qu'on appelait
Font-Maure. Au-dessus de nos têtes la paroi lisse des falaises s'élevait verticalement
et faisait une muraille qui aurait été parfaite sans la brèche, comme tranchée d'un
coup d'épée, par où passait la rivière. C'est dans cette muraille que s'ouvrait la
porte noire et voûtée du tunnel d'où surgissait parfois, annoncé par des sifflets
lugubres et des souffles empestés, le train de Rivesaltes. Au plus loin de mes souvenirs, il charriait encore des poilus encadrés dans la porte ouverte des wagons de

marchandises qui défilaient lentement, les uns les jambes pendantes, les autres sur un banc, les derniers debout, arrangés comme pour une photographie. Et, à la fenêtre d'une voiture de première, Joffre lui-même, peut-être? dont on parlait dans le petit livre rose que je dévorais à califourchon sur mon poirier. Et sur les escaliers de la vigie du fourgon de queue, avec son drapeau rouge, l'oncle Jules?

Sur la rive d'en face, la route, parallèle aux rails, venait buter pareillement contre la muraille rocheuse qui barrait la vallée. Là aussi, il avait fallu le pic et la mine. Ce fut l'œuvre d'un curé entêté, un curé jureur sans doute, un Prométhée local qui défia l'obstacle. Sa statue est sur une place de Quillan. Il y figure muni des armes de la révolte, la pioche et le fanal, dans une attitude de galérien rompant ses chaînes, la soutane relevée sur les hanches, le rabat en bataille. Une espèce d'abbé Grégoire? Je le soupçonne de sentir un peu le fagot pour que Quillan, républicaine autant que Sparte, lui ait élevé un monument. Le fait est qu'il vint à bout de la montagne et que la route put passer, par une longue galerie obscure taillée à même le roc et sculptée par des millions de coups de pic. Cet endroit s'appelle « le Trou du curé ». Il est désigné à l'attention de la postérité par un quatrain, moulé dans la fonte et fixé au-dessus du cintre de l'entrée. Ce sont les premiers vers que j'ai appris par cœur. Ils restent mystérieux et me remplissent à la fois d'allégresse et d'épouvante. Ils sont gravés au fond de ma mémoire, comme pour signifier quelque chose qui dépasse la petitesse des lieux que je dépeins. Les voici dans toute leur noirceur prophétique :

> Arrête, voyageur ! Le maître des humains
> A fait descendre ici la force et la lumière.
> Il a dit au pasteur : « Accomplis mes desseins »
> Et le pasteur, des monts, a brisé la barrière !

Ce pasteur des monts, je l'avais retenu phonétiquement comme un pasteur-démon. Appris en même temps que la révolution et le catéchisme, il figure pour moi l'ange rebelle en tête des cohortes lucifériennes.

Il est donc vrai que ce fut longtemps le bout du monde, ce petit jardin arrimé comme un radeau à l'entrée des gorges de l'Aude et où mon grand-père, vite fatigué d'arroser, fumait à très lentes bouffées, assis sur la margelle du bassin. C'était un homme qui parlait peu. Il ne m'enseigna que le silence et le rêve. Il s'était établi en marge de notre vie et je le revois, comme je le voyais en levant la tête pendant la récréation, à l'étage, fantomatique derrière sa fenêtre d'où il surveillait nos jeux.

Ma mère, accablée de voiles et de malheurs, faisait front avec un entêtement de Romaine. Son civisme devait surmonter son deuil. Il nous arrivait, certains jeudis, d'entreprendre une redoutable expédition. Nous partions affronter les gorges, nos deux peurs conjuguées, nos deux courages rassemblés. Le village en amont s'appelle Saint-Martin-Lys. Son école sinistre est juste au bord du torrent, en contrebas et, comme pour l'accabler encore, on avait imaginé de badigeonner ses murs d'un épais goudron. Ce crépi lugubre prétendait la défendre de l'humidité. Ma mère, si digne de pitié elle-même, s'apitoyait sur sa collègue, jeune veuve comme elle, abandonnée au pays des ombres avec sa fillette qui était blonde et qui avait mon âge. Ma mère ne survivait qu'en se dévouant. Nous avions trop de jardinage — à cause du concours haineux dans lequel étaient engagés mon grand-père paternel et ma grand-mère maternelle. La collègue en manquait sans doute. Nous remplissions de choux cabus, de haricots verts, de carottes, la voiture d'enfant, haute sur roues, qui avait été mon landau. C'était un moyen de transport et vaguement un moyen de défense. Nous poussions la cargaison devant nous, nos quatre mains alignées sur le guidon, comme à l'abri d'un bouclier. Il fallait d'abord franchir le « Trou du curé », affreusement noir, interminable. Ma mère chantait. Elle chantait faux, mais vaillamment.

Et pourquoi pas la Carmagnole?

LA CARMAGNOLE

Madame Véto avait promis
De faire égorger tout Paris.
Mais son coup a manqué
Grâce à nos canonnié.

Dansons la Carmagnole,
Vive le son, vive le son.
Dansons la Carmagnole,
Vive le son du canon!

Monsieur Véto avait promis
D'être fidèle à son pays.
Mais il y a manqué,
Ne faisons plus d'quartiés.

(Refrain)

Antoinette avait résolu
De nous fair' tomber sur le ...
Mais son coup a manqué,
Elle a le nez cassé.

(Refrain)

Son mari, se croyant vainqueur,
Connaissait peu notre valeur.
Va, Louis, gros paour,
Du Temple dans la tour.

(Refrain)

Quand Antoinette vit la tour,
Elle voulut fair' demi-tour.
Elle avait mal au cœur
De se voir sans honneur.

(Refrain)

Oui, je suis sans-culotte, moi,

En dépit des amis du roi,
Vivent les Marseillois,
Les Bretons et nos lois!

(Refrain)

Ensuite la route, taillée en encorbellement dans le roc, continue à ciel ouvert. A ciel ouvert si l'on peut dire, car les parois des gorges se rejoignaient presque, au-dessus de nos têtes, ne laissant passer qu'un sinueux filet de bleu qui suivait les caprices de la rivière. Parfois, dans l'à-pic d'en face s'ouvraient de mystérieuses galeries en arcades; c'était par où le tunnel prenait l'air. Et. longtemps après le passage du train, ces fenêtres sinistres fumaient à lentes volutes jaunes. La terreur nous accompagnait tout au long. Car le tunnel était miné. Non loin de ces fenêtres de l'enfer, on le savait, il y avait une chambre bourrée de dynamite que gardait un territorial moustachu, la ceinture rouge à la taille, le lebel en bandoulière. On risquait l'accident, ou l'espion. A l'aplomb de la route une autre épée de Damoclès (c'est là que j'ai appris l'expression) était suspendue : celle des éboulements. Les gros rochers tombés dans le lit du torrent, et par-dessus lesquels il bondissait, donnaient la taille du danger. Récemment des cantonniers avaient été écrasés sous une avalanche de rochers. Nous avions entendu le bruit de la catastrophe depuis l'école; un peu après, accourus au parapet, nous avions vu passer les secours qui montaient de Quillan à une vitesse infernale sous les espèces d'une grande automobile décapotée, dite « la voiture des ingénieurs ». Longtemps elle fut la seule automobile qui ait existé sur cette route que fréquentait encore, je le jure, une patache, une diligence à bâche de cuir qui essayait, attelée de quatre chevaux blancs, de concurrencer le chemin de fer avec lequel, tout au long des gorges, elle faisait la course — une course à mort. A la fin de l'après-midi, rappelés par le teuf-teuf, nous avions vu redescendre la grande automobile verte. Elle roulait doucement. Aux places arrière, raides, il y avait trois morts enveloppés de blanc.

Ces images, des bruits lugubres, l'appel déchirant d'une locomotive en détresse nous poursuivaient jusqu'à l'école de Saint-Martin-Lys. Nous aurions dû y avoir un moment de répit. Mais c'était une école hantée. Ses murs étaient noirs. L'instituteur précédent s'y était pendu, probablement désespéré par le site. Et, malgré la douceur de la fillette qui s'appelait Suzanne et que j'appelais Tisane, la peur ne me lâchait pas. Le pire était si un orage éclatait au retour. Le tonnerre répercuté par les échos des gorges nous tombait littéralement sur la tête. Nous courions à perdre haleine, cramponnés au landau emballé qui nous entraînait, et nous arrivions enfin à l'orée du « Trou du curé », échevelés, livides, avides de ce dernier rayon de soleil qui s'accrochait aux tilleuls de l'école là-haut et nous paraissait de miel après les affres du défilé.

A part la dynamite, les éboulements, les grondements du torrent et de l'orage, ces gorges d'où je suis sorti voulaient dire quelque chose d'autre. Ces lieux d'épouvante sont comme la bouche d'ombre chère à Victor Hugo. Un souffle prophétique, difficile à interpréter, s'y fait parfois entendre au-dessus de la terreur. Ainsi me montrait-on, tout en haut de la paroi vertigineuse, au plus étroit des gorges, l'orifice d'une grotte inaccessible. Là aurait vécu un proscrit, un ermite, un prophète.

Son souvenir confus, son message inintelligible ont fait durer jusqu'à nous l'ancêtre de toutes les Révolutions : « le Vieux de la Montagne ».

Je ne connaissais pas alors d'autre passage à niveau que celui qui menait au jardin de Font-Maure. Je ne suis pas certain que la garde-barrière ne s'appelait pas Victoire. C'est là en tout cas que se situe pour moi, sculpté à même la paroi.rocheuse de la Pierre Lys, l'admirable bas-relief de Rude. C'est là que j'ai cru entendre pour la première fois les prodigieuses paroles de l'hymne de la République : « La victoire en chantant nous ouvre la barrière! ». Il est vrai que c'est là que nous allions aussi, avec de petits drapeaux d'étamine empesée, fêter ces trains de marchandises marqués de la croix rouge qui ramenaient des blessés du front. Ils ressemblaient à Guillaume Apollinaire avec d'énormes pansements autour de la tête d'où suintait un peu de rose. Je les vois passer en contrepoint du Chant du départ.

LE CHANT DU DÉPART

UN REPRÉSENTANT DU PEUPLE

La victoire en chantant nous ouvre la barrière,
La liberté guide nos pas,
Et du Nord au Midi la trompette guerrière
A sonné l'heure des combats.

Tremblez, ennemis de la France!
Rois ivres de sang et d'orgueil,
Le peuple souverain s'avance,
Tyrans, descendez au cercueil!

La République nous appelle,
Sachons vaincre ou sachons périr
Un Français doit vivre pour elle,
Pour elle un Français doit mourir.

UNE MÈRE DE FAMILLE

De nos yeux maternels ne craignez point les larmes;
Loin de nous de lâches douleurs!
Nous devons triompher quand vous prenez les armes,
C'est aux rois à verser des pleurs.
Nous vous avons donné la vie,
Guerriers, elle n'est plus à vous;
Tous vos jours sont à la patrie,
Elle est votre mère avant nous.

La République nous appelle,
Sachons vaincre ou sachons périr;
Un Français doit vivre pour elle,
Pour elle un Français doit mourir.

Que le fer paternel arme la main des braves;
Songez à nous aux champs de Mars;
Consacrez dans le sang des rois et des esclaves
Le fer béni par vos vieillards.
Et, rapportant sous la chaumière
Des blessures et des vertus,
Venez fermer notre paupière
Quand les tyrans ne seront plus.

La République nous appelle,
Sachons vaincre ou sachons périr;
Un Français doit vivre pour elle,
Pour elle un Français doit mourir.

UN ENFANT

De Barra, de Viala, le sort nous fait envie :
Ils sont morts, mais ils ont vaincu,
Le lâche accablé d'ans n'a point connu la vie;
Qui meurt pour le peuple a vécu.

Vous êtes vaillants, nous le sommes;
Guidez-nous contre les tyrans :
Les républicains sont des hommes,
Les esclaves sont des enfants.

La République nous appelle,
Sachons vaincre ou sachons périr;
Un Français doit vivre pour elle,
Pour elle un Français doit mourir.

UNE ÉPOUSE

Partez, vaillants époux! Les combats sont vos fêtes.
Partez, modèles des guerriers!
Nous cueillerons des fleurs pour en ceindre vos têtes,
Nos mains tresseront vos lauriers.
Et, si le Temple de Mémoire
S'ouvrait à vos mânes vainqueurs,
Nos voix chanteront votre gloire,
Nos flancs porteront vos vengeurs.

La République nous appelle,
Sachons vaincre ou sachons périr;
Un Français doit vivre pour elle,
Pour elle un Français doit mourir.

UNE JEUNE FILLE

Et nous, sœurs des héros, nous, qui de l'hyménée
Ignorons les aimables nœuds,
Si, pour s'unir un jour à notre destinée,
Les citoyens forment des vœux,
Qu'ils reviennent dans nos murailles
Beaux de gloire et de liberté,
Et que leur sang dans les batailles
Ait coulé pour l'égalité!

La République nous appelle,
Sachons vaincre ou sachons périr;
Un Français doit vivre pour elle,
Pour elle un Français doit mourir.

TROIS GUERRIERS

Sur le fer, devant Dieu, nous jurons à nos pères,
A nos épouses, à nos sœurs,
A nos représentants, à nos fils, à nos mères,
D'anéantir les oppresseurs.
En tous lieux, dans la nuit profonde
Plongeant l'infâme royauté,
Les Français donneront au monde
Et la paix et la liberté!

La République nous appelle,
Sachons vaincre ou sachons périr;
Un Français doit vivre pour elle,
Pour elle un Français doit mourir.

Marie-Joseph Chénier, et son frère le pauvre André, appartiennent, enfants, au monde de mon enfance. Par leur père, le consul, ils étaient de Montfort, un village de l'Aude. C'est là, bien plus que par le lait maternel, qu'ils prirent le goût de l'Antique, le sens de la lamentation et de la proclamation. Si je faisais une anthologie poétique, je donnerais la meilleure place à André. Ici, c'est Marie-Joseph qui m'intéresse. Carcassonne a dédié sa grande école des filles à André. Il est injuste que la grande école des garçons ne soit pas dédiée à Marie-Joseph, auteur du Chant du départ.

Ils avaient embrassé d'un même cœur la Révolution. Celle-ci, saturnienne, et qui mangea ses fils, commença par l'aîné. A deux jours près il en réchappait. Le surlendemain était le 9 thermidor. Marie-Joseph avait deux ans de moins. Robespierre vivant, il y passait aussi. L'incorruptible avait déjà fait brûler le manuscrit de sa tragédie « Timoléon » ce qui était mauvais signe. Et déjà, dans « Caïus Gracchus, » un de ses alexandrins réclamait « des lois et non du sang ». Aïe! Mais il avait connu la gloire avec son Charles IX, où l'on voit l'archevêque bénir les poignards de la Saint-Barthélemy. Ce fut le grand succès théâtral du Paris révolutionnaire. Et peu d'auteurs ont jamais eu l'occasion comme lui, d'apercevoir, par le petit trou du rideau, au premier rang de l'orchestre, Robespierre, Danton et Marat, « les géants de 93 » en personne. Regardons-les plus avant. Victor Hugo les a rencontrés, en imagination, au café où ils se retrouvèrent peut-être ce soir-là, après la représentation.

MINOS, EAQUE ET RHADAMANTE

Il y avait rue de Paon un cabaret qu'on appelait café. Ce café avait une arrière-chambre, aujourd'hui historique. C'était là que se rencontraient parfois, à peu près secrètement, des hommes tellement puissants et tellement surveillés qu'ils hésitaient à se parler en public.

Le 28 juin 1793, trois hommes étaient réunis autour d'une table dans cette arrière-chambre. Leurs chaises ne se touchaient pas; ils étaient assis chacun à des côtés de la table, laissant vide le quatrième. Il était environ huit heures du soir; il faisait jour encore dans la rue, mais il faisait nuit dans l'arrière-chambre, et un quinquet accroché au plafond, luxe d'alors, éclairait la table.

Le premier de ces trois hommes était pâle, jeune, grave, avec les lèvres minces et le regard froid. Il avait dans la joue un tic nerveux qui devait le gêner pour sourire. Il était poudré, ganté, brossé, boutonné; son habit bleu clair ne faisait pas un pli. Il avait une culotte de nankin, des bas blancs, une haute cravate, un jabot plissé, des souliers à boucles d'argent. Les deux autres hommes étaient, l'un, une espèce de géant, l'autre, une espèce de nain. Le grand, débraillé dans un vaste habit de drap écarlate, le col nu dans une cravate dénouée tombant plus bas que le jabot, la veste ouverte avec des boutons arrachés, était botté de bottes à revers et avait les cheveux tout hérissés, quoiqu'on y vît un reste de coiffure et d'apprêt; il avait de la crinière dans sa perruque. Il avait la petite vérole sur la face, une ride de colère entre les sourcils, le pli de la bonté au coin de la bouche, les lèvres épaisses, les dents grandes, un poing de portefaix, l'œil éclatant. Le petit était un homme jaune, qui, assis, semblait difforme; il avait la tête renversée en arrière, les yeux injectés de sang, des plaques livides sur le visage, un mouchoir noué sur ses cheveux gras et plats, pas de front, une bouche énorme et terrible. Il avait un pantalon à pied, de larges souliers, un gilet qui semblait avoir été de satin blanc, et par-dessus ce gilet une roupe dans les plis de laquelle une ligne dure et droite laissait deviner un poignard.

Le premier de ces hommes s'appelait Robespierre, le second Danton, le troisième Marat.

Victor Hugo a peint les costumes, composé le tableau des trois juges des enfers. Il nous faut Michelet pour avoir vue sur leurs âmes. La Révolution selon Hugo et la Révolution selon Michelet étaient les évangiles de notre école. Le sang de l'écha-

faud était à peine séché quand Michelet naquit, et Napoléon s'appelait encore Bona-
parte quand Hugo vint au monde. Celui-ci est marqué par Brumaire, celui-là par
Thermidor. Avec Michelet, les géants sont ramenés à l'espèce humaine, raccourcis.
Les voici dans leur tremblement.

ROBESPIERRE

Sa constante tension de muscles et de voix, l'effort monotone de son débit,
son air un peu myope donnaient une impression laborieuse, fatigante;
on s'en tirait en s'en moquant. Pour comble, on ne lui laissait jamais la
consolation de se voir au moins imprimé. Les journalistes mutilaient cruellement ses discours les plus travaillés. Ils s'obstinaient à ne pas savoir son
nom, l'appelant toujours : un membre, ou M. N. ou trois étoiles. Persécuté
ainsi, il n'en saisissait que plus avidement toute occasion d'élever la voix,
et cette résolution invariable de parler toujours le rendait parfois vraiment
ridicule.

Pour oublier ces mortifications, prodigieusement sensibles à sa vanité,
Robespierre n'avait nulle ressource, ni la famille, ni le monde. Il était seul,
il était pauvre. Il rapportait ses déboires dans son désert du Marais, dans
son triste appartement de la triste rue de Saintonge. Froid logis, pauvre,
démeublé. Il vivait petitement et fort serré de son salaire de député.

Il était très frugal, dînait à trente sols et encore il lui restait à peine pour se
vêtir. L'Assemblée ayant ordonné le deuil pour la mort de Franklin, ce
fut un grand embarras. Robespierre emprunta un habit de tricot noir à un
homme beaucoup plus grand : l'habit traînait de quatre pouces.

DANTON

Trois choses restent aux dantonistes : ils ont renversé le trône et créé la
République; ils ont voulu la sauver en organisant la seule chose qui fait
vivre : la justice, une justice efficace, parce qu'elle eût été humaine. Ils
n'ont haï personne, et entre eux ils s'aimèrent jusqu'à la mort.

Quand on arriva, rue Saint-Honoré, devant la maison de Robespierre,
fermée, portes et fenêtres, muette comme un tombeau, le prétendu peuple
qui suivait redoubla ses cris frénétiques, clameur de lâche abdication,
sinistre salut à César au nom de la guillotine. On assure que Robespierre,
enfermé chez lui, pâlit à ces cris sauvages, et sentit au cœur le mot de
Danton : « J'entraîne Robespierre, Robespierre me suit! »

Hérault descendit le premier, et d'un mouvement aimable et tendre, se
tourna pour embrasser Danton. Le bourreau les sépara : « Imbécile! dit
Danton, tu n'empêcheras pas nos têtes de se baiser dans le panier. »

Danton mourut simplement, royalement. Il regarda en pitié le peuple à
droite et à gauche, et parlant à l'exécuteur avec autorité, lui dit : « Tu mon-
treras ma tête au peuple; elle en vaut la peine. »

L'exécuteur obéissant la releva en effet, la promena sur l'échafaud, la
montra des quatre côtés.

Il y eut un moment de silence... Chacun ne respirait plus... Puis, par-dessus la voix grêle de la petite bande payée, un cri énorme s'éleva, et profondément arraché...

Cri confus des royalistes soulagés et délivrés, simulant l'applaudissement : « Qu'ainsi vive la République! » Cri sincère et désespéré des patriotes atteints au cœur : « Ils ont décapité la France! »

MARAT

Marat, pour le tempérament, était femme et plus que femme, très nerveux et très sanguin. Son médecin, M. Bourdier, lisait son journal, et, quand il le voyait plus sanguinaire qu'à l'ordinaire, « et tourner au rouge », il allait saigner Marat.

Le passage violent, subit, de la vie d'étude au mouvement révolutionnaire, lui avait porté au cerveau et l'avait rendu comme ivre.

En présence de la nature et de la douleur, Marat devenait très faible; il ne pouvait, disait-il, voir souffrir un insecte; mais seul, avec son écritoire, il eût anéanti le monde.

Quoi! c'est là Marat? cette chose jaune, verte d'habit, les yeux gris-jaune, si saillants!... C'est au genre batracien qu'elle appartient à coup sûr, plutôt qu'à l'espèce humaine. De quel marais arrive cette choquante créature? Ses yeux pourtant sont plutôt doux. Leur brillant, leur transparence, l'étrange façon dont ils errent, regardant sans regarder, feraient croire qu'il y a là un visionnaire, à la fois charlatan et dupe, s'attribuant la seconde vue, un prophète de carrefour, vaniteux, surtout crédule, croyant tout, croyant surtout ses propres mensonges, toutes les fictions involontaires auxquelles le porte sans cesse l'esprit d'exagération.

N'empêche que Marie-Joseph a poussé un énorme « ouf » au lendemain du Neuf Thermidor. Un « ouf » à la manière antique, naturellement. Il fut composé pour le 10 août 1794, dans les jours qui suivirent l'exécution de Rosbepierre. J'aime ce style absolument délirant, éclairé comme d'un zigzag au plus noir de l'orage, et qui semble de la même plume que mon quatrain du « Trou du curé ». En huit vers, tout y est, tout ce que la République exalte, de Brutus aux Gaulois.

LE CHANT DES VICTOIRES

De Brutus éveillons la cendre.
O Gracques, sortez du cercueil!
La liberté, dans Rome en deuil,
Du haut des Alpes va descendre!
Disparaissez, prêtres impurs;
Fuyez, impuissantes cohortes;
Camille n'est plus dans vos murs,
Et les Gaulois sont à vos portes.

Gloire au peuple français! il sait venger ses droits.
Vive la République et périssent les Rois!

Malheureux Marie-Joseph qui avait risqué sa tête en vain sans sauver celle de son frère. La terreur se fût arrêtée deux charrettes plus tôt, nous avions, au pied de la guillotine déjouée, la plus émouvante des images d'Epinal, l'embrassade par excellence. Au lieu de cela, un voile de sang défigure à jamais le plus grand poète de la République.

Ses ennemis triomphants le traquent jusqu'à la misère, jusqu'à la mort. Il reçoit tous les matins une lettre anonyme avec ces simples mots :

« Caïn, qu'as-tu fait de ton frère? »

Il connaît la plus grande misère de l'âme, le désespoir; il voit la République, trahie par Bonaparte, descendre au tombeau plus tôt que lui. Avant que ne retombe sur sa pauvre tête, enivrée de versions latines, la pierre de l'oubli, relisons ces doux vers qu'il écrivit en pleurant et qui le lavent d'un injuste opprobre.

DISCOURS SUR LA CALOMNIE

Auprès d'André Chénier, avant que de descendre,
J'élèverai la tombe où manquera sa cendre,
Mais où vivront du moins et son doux souvenir,
Et sa gloire, et ses vers dictés pour l'avenir.
Là, quand de Thermidor la septième journée

Sous les feux du Lion ramènera l'année,
O mon frère! je veux, relisant tes écrits,
Chanter l'hymne funèbre à tes mânes proscrits.
Là, souvent tu verras près de ton mausolée
Tes frères gémissants, ta mère désolée,
Quelques amis des arts, un peu d'ombre, et des fleurs;
Et ton jeune laurier grandira sous mes pleurs.

Il fallait un astronome pour annoncer l'étoile d'une ère nouvelle. Ce fut Bailly, premier député de Paris, un homme à la face plate et blafarde. Il eut droit à un cérémonial particulier pour son exécution. En son honneur la guillotine se déplaça jusqu'au Champ-de-Mars où il avait eu le front de tenir tête à l'émeute. Mais sa tête était encore sur ses épaules, et sa perruque sur sa tête, ce 20 juin 89 où il jouait les Jean-Baptiste.

Je suis heureux que cette scène soit racontée par un homme dont j'ai porté le nom en lettres d'or sur un béret de marin dans mon enfance : Edgar Quinet. Il participa à la naissance de la IIe et de la IIIe République. Il eut l'honneur de compter parmi les proscrits sous Napoléon III. Enfin, ce qui n'arrive pas tous les jours, sa femme s'appelait Hermione.

LE SERMENT DU JEU DE PAUME

Le président Bailly gardait mieux que personne la gravité dans l'enthousiasme; il entraîne ses collègues vers une enceinte servant à un jeu de paume. L'indignité du lieu fit éclater les plus patients. Voilà donc ce que l'on avait à espérer de tant de promesses du roi! Les États Généraux ne dataient que d'hier : déjà ils étaient relégués comme un objet de dérision pour l'amusement des princes. A quels outrages fallait-il s'attendre, et que voulaient les ennemis de la patrie? Car le mot de patrie, si inconnu ou si oublié jusquelà, reprit sa place, dès cette heure, dans la langue des Français.
On avait vu chez les gens de cour le plaisir d'humilier. La résolution de se soustraire à l'ancien abaissement entra dans tous les cœurs. De là le serment de ne pas se séparer que la Constitution fût établie. Le lieu était absolument nu. Ces six cents hommes étaient debout, la main levée. On apporte une table, Bailly y monte, il reçoit l'un après l'autre le serment de chacun d'eux. Une seule voix s'y opposa; celle-là servit à constater la pleine liberté des autres.
Premier serment d'être libre! Combien de fois il sera répété! mais jamais avec plus de sincérité et de force. La majesté, la sainteté de la parole jurée existait tout entière. Bientôt les serments useront les serments.
La simplicité des choses, des formes, des objets ajouta à la grandeur du moment. Les vides murailles s'illuminèrent; la liberté naquit dans la nudité du Jeu de Paume comme l'Enfant Dieu sur la paille de l'étable.

C'est probablement sous les remparts de ma vieille cité ou sur les bords de ma chère Aude, si douce aux romanichels, qu'ils s'étaient connus. Ils échangeaient alors leurs premiers poèmes. Ils s'étaient retrouvés plus tard à Paris pour faire carrière au théâtre, l'un nourri de Corneille, l'autre frotté de Molière. Je parle de Marie-Joseph Chénier et de Fabre d'Églantine. Celui-ci était de Carcassonne même. Il avait ajouté à son nom, assez commun, cette Églantine gagnée aux jeux Floraux, comme on pique un panache dans un vieux feutre. Il était le type même de ces poètes de la République chez lesquels la flûte persiste, entre deux roulements de tambour. Comment oublier que Fabre est l'auteur de notre plus tendre pastorale?

> *Il pleut, il pleut, bergère,*
> *Rentre tes blancs moutons,*
> *Allons à la chaumière,*
> *Bergère, vite, allons!*
> *J'entends sous le feuillage*
> *L'eau qui coule à grand bruit,*
> *Voici venir l'orage,*
> *Voilà l'éclair qui luit.*

Seulement, un beau jour, le berger coiffe le bonnet phyrygien. Cet orage qui vient, cet éclair qui luit, c'est la Révolution. Pauvre petite églantine cueillie sur mes talus audois et que personne n'a ramassée dans la sciure sous le couperet fatal. Mais d'ici là le conventionnel Fabre d'Églantine nous a légué la chose la plus précieuse et la plus fragile du monde : un calendrier. Qu'il dut s'enchanter à ce jeu grisant : nommer autrement le temps qui passe; donner une couleur nouvelle au jour que nous vivons. Par la grâce d'un poète bucolique, officiellement pendant treize ans, secrètement depuis cent soixante ans, la France républicaine vit sous le ciel des laboureurs. Il y eut une tentative pendant la Commune pour remettre en usage le calendrier météorologique, et quelques rares débris noircis de ventôse an 79 ont échappé aux flammes.

Je suis personnellement très touché, sur le plan local, de la priorité accordée aux vendanges par le système républicain. L'année commence, on le sait, le 22, le 23, ou au pire le 24 septembre, en même temps que s'égaillent sur nos coteaux les bandes rieuses des vendangeuses. Le 1er vendémiaire an I (ci-devant 22 septembre 1792), fut le jour J de la République.

« L'idée première qui nous a servi de base, écrivait Fabre d'Églantine dans son rapport devant la Convention, est de consacrer, par le calendrier, le système agricole et d'y ramener la nation. » Cher fou qui avait gardé l'amour de sa Phrygie natale où je me plais à revenir avec lui.

Je veux laisser la joie à Louis Blanc de raconter le calendrier des cœurs tendres. Il a les mêmes droits qu'Edgar Quinet. Lui aussi fut de 48 et de 70, lui aussi fut proscrit entre-temps. En y ajoutant Michelet et Victor Hugo (les quatre sont nés « dans un mouchoir de poche » sous Bonaparte ou Napoléon), on obtient le carré sacré des chantres de la Révolution.

LE CALENDRIER RÉPUBLICAIN

Le 24 octobre 1793, Fabre d'Églantine vint proposer à l'Assemblée l'adoption de ce calendrier charmant où l'histoire de l'année est racontée par les grains, les pâturages, les plantes, les fruits et les fleurs, le ciel et la terre. Fabre d'Églantine proposait donc de nommer :
« Vendémiaire », le mois des vendanges qui ont lieu de septembre en octobre ; « Brumaire », celui des brouillards et des brumes basses qui sont d'octobre à novembre et « Frimaire », celui du froid qui se fait sentir de novembre en décembre ;
« Nivôse », le mois des neiges, qui blanchit la terre de décembre en janvier, « Pluviôse », celui des pluies, qui tombent généralement avec plus d'abondance de janvier en février, et « Ventôse » celui du vent, qui vient sécher la terre de février en mars ;
« Germinal », le mois de la germination et du développement de la sève, de mars en avril ; « Floréal », celui de l'épanouissement des fleurs, d'avril en mai ; et « Prairial », celui de la récolte des prairies, de mai en juin ;
« Messidor », le mois des ondoyantes moissons qui dorent les champs de juin en juillet ; « Thermidor », celui de la chaleur, à la fois solaire et terrestre, qui embrase l'air de juillet en août, et enfin « Fructidor », celui des fruits que le soleil mûrit d'août en septembre.
Le projet de Fabre d'Églantine fut adopté par la Convention et l'ère nouvelle commença le 21 septembre 1792, date de la proclamation de la République.

Les Carnot ne lésinaient pas sur les prénoms. Ils nous en ont laissé trois (un à chaque République), qui ne courent pas les rues : Lazare, Hippolyte et Sadi. Ils représentent d'une manière exemplaire ce qu'il faut bien appeler une dynastie de

républicains. Le flambeau se transmet de père en fils. Le Panthéon est leur caveau de famille.

La République aime jouer sur les mots. Sur les mots du catéchisme. Le poète du Chant du départ s'appelait Marie-Joseph. Camille Desmoulins, condamné à la guillotine, disait : « Je meurs à trente-trois ans, comme le sans-culotte Jésus. » L'émeute avait son *Dies irae* qu'elle prononçait « ça ira ». Quand la patrie fut en danger, on entendit le fameux commandement : « Lazare, lève-toi ». Il fit miracle. Nous l'imaginions, ce Lazare, travaillant la nuit, pâle comme un mort, puis à la tête de quatorze armées à la fois, archange terrible, embouchant la trompette du jugement dernier. On l'appela « l'organisateur de la victoire. » Il n'est pas une préfecture qui n'ait donné son nom à une rue, à un boulevard, à une place.

Il est pourtant responsable d'une grande confusion. Cet homme d'état-major a brouillé les cartes. Avec lui l'idée de République et l'idée de Patrie n'en font plus qu'une, où une chatte ne reconnaîtrait plus ses petits.

La République, est-ce Valmy ? ou est-ce la prise des Tuileries ? Est-ce Sambre-et-Meuse ? ou les Noyades de la Loire ? Carnot a enveloppé le tout dans du tricolore. En ce sens il est le premier d'une longue lignée de radicaux-socialistes. Pour ma part, c'est le lieu de l'avouer, j'ai versé les mêmes larmes, à vingt ans d'intervalle, pour la fin de deux villes où mon cœur s'était engagé. Quand Madrid se rendit et quand Alger se tut. Pourtant l'une était rouge et l'autre pied-noir. Cela prouve au moins la complexité, pour ne pas dire le désordre, d'un cœur jacobin.

S'il fallait désigner quelqu'un de vraiment sérieux dans le personnel abracadabrant de la Révolution française, l'unanimité se ferait sur Lazare Carnot, homme austère nourri de brouet frugal et de sciences exactes. C'est la dernière illusion. Tous les révolutionnaires, de Robespierre à Mao Tsé-toung, cachent sous leur masque de marbre un poète élégiaque, un Hamlet éperdu qui compose des vers sur du papier à en tête du Comité de Salut public. La terreur appartient aux âmes tendres. Lazare ne fait pas exception. J'ai la chance de savoir de lui un petit poème paru dans le journal pour enfants-de-gauche auquel ma mère m'avait abonné : « Les petits bonshommes. » On va voir que c'est une fable sans grande méchanceté, mais non sans intérêt, si l'on veut bien se rappeler que l'auteur inventa la mobilisation générale.

LES DEUX MÉTIERS

Une vieille de qui le fils
Pour soldat avait été pris,
Dans l'espoir d'obtenir sa délivrance,
Sollicitait avec instance
Le Roi, qui passait au pays ;
— Je ne saurais, dit-il, ma bonne dame,
Il faut bien défendre l'État ;
Et moi-même, je suis soldat.
— Je le crois, dit la pauvre femme,
Sire, vous n'avez pas appris d'autre métier,
Mais mon garçon est cordonnier.

A Lazare Carnot, pour vaincre l'Europe coalisée, il fallait une arme secrète. Ce fut la Marseillaise. Elle s'appelle ainsi, on le sait, encore que née à Strasbourg, parce qu'elle fut adoptée par les bataillons criards montés de la Canebière aux Tuileries, qui la chantaient avec l'accent. Les autres grandes villes, jalouses, essayèrent plus tard de composer « la Parisienne » ou « la Toulousaine », mais le souffle n'y était plus.

La Marseillaise appartient à la patrie, comme le Chant du départ appartient à la République. On les confond volontiers dans un même élan qu'illustre parfaitement le bas-relief de Rude.

On disait couramment de la Marseillaise, qu'elle avait un « pouvoir », comme on le dit d'une formule magique. Qu'un général l'entonne, l'espoir change de camp, le combat change d'âme : c'est Jemmapes, c'est Fleurus. Les auteurs de « Mme Thérèse » (Erckmann-Chatrian) prétendent que dans un village d'Alsace où des patriotes étaient cernés, il ne leur restait plus que la Marseillaise : dès le premier couplet les uhlans s'enfuirent, épouvantés. Quand on a entendu des Français chanter en chœur, et qu'on sait que les Allemands ont l'oreille sensible, on reste perplexe sur les raisons de ce « sauve-qui-peut ».

C'est un communard officiel, qui avait fait le coup de feu en 1830 et tenu la barricade en 48, Félix Pyat, qui analyse le mieux la composition détonante de notre chant national.

DES STROPHES FÉCONDES

Les hommes l'entonnent, les femmes le balbutient; ceux-ci le commencent, ceux-là l'achèvent sans l'avoir appris. On dirait qu'ils s'en souviennent tous la première fois qu'ils l'entendent. Et, dès qu'on le chante, nos légions triomphent et les hordes s'enfuient. Il y a dans cette poésie, brune de poudre, je ne sais quel cliquetis d'armes, quelle odeur de salpêtre, qui enivre les uns et terrifie les autres. Il y a dans ces strophes fécondes des munitions, du fer, des forts, des soldats, des généraux, les Alpes et le Rhin, la victoire, la France !

Au salpêtre et à la poudre, parmi les ingrédients décisifs de la mixture, il faut ajouter un peu de vin d'Alsace, si l'on en croit Lamartine. Le cher Alphonse a bien mérité une place d'honneur dans notre anthologie. Nous le retrouverons au premier rang en 48. Son « Histoire des Girondins », d'où ce récit célèbre est extrait, fut un des livres sacrés de la religion républicaine, au XIXe siècle.

Où Michelet entassait les ombres, il laissa filtrer un peu de lumière.

Le livre parut en 1847, comme pour servir de frontispice à la Seconde République. Il mobilisait les « grands ancêtres », qui allaient reprendre la tête. Dans cette page célèbre, Lamartine a su mêler un peu d'amour à tant de gloire.

L'INSPIRATION SUBLIME

Il y avait alors un jeune officier du génie en garnison à Strasbourg. Son nom était Rouget de Lisle. Il était né à Lons-le-Saulnier, dans ce Jura, pays de rêveries et d'énergie, comme le sont toujours les montagnes. Ce jeune homme aimait la guerre comme soldat, la Révolution comme penseur; il charmait par les vers et par la musique les lentes impatiences de la garnison. Recherché pour son double talent de musicien et de poète, il fréquentait familièrement la maison du baron de Dietrich, maire de Strasbourg. La femme et les jeunes filles de Dietrich partageaient l'enthousiasme du patriotisme et de la Révolution qui palpitait surtout aux frontières, comme les crispations du corps menacé sont plus sensibles aux extrémités. Elles aimaient le jeune officier; elles inspiraient son cœur, sa poésie, sa musique. Elles exécutaient les premières pensées à peine écloses, confidentes des balbutiements de son génie.

C'était dans l'hiver de 1792, la disette régnait à Strasbourg. La maison de Dietrich était pauvre, la table frugale, mais hospitalière pour Rouget de Lisle. Le jeune officier s'y asseyait, le soir et le matin, comme un fils ou comme un frère.

Un jour qu'il n'y avait eu que du pain de munition et quelques tranches de jambon fumé sur la table, Dietrich regarda Rouget de Lisle avec une sérénité triste et lui dit : « L'abondance manque à nos festins; mais qu'importe si le courage ne manque pas au cœur de nos soldats! J'ai encore une dernière bouteille de vin dans mon cellier : qu'on l'apporte, dit-il à une de ses filles, et buvons-la à la liberté et à la patrie! Strasbourg doit avoir bientôt une cérémonie patriotique; il faut que de Lisle puise dans ces dernières gouttes un de ces hymnes qui portent dans l'âme du peuple l'ivresse d'où ils ont jailli! »

Les jeunes filles applaudirent, apportèrent le vin, remplirent le verre de leur vieux père et du jeune officier jusqu'à ce que la liqueur fût épuisée. Il était minuit. La nuit était froide. De Lisle était rêveur, son cœur était ému. Le froid le saisit; il rentra chancelant dans sa chambre solitaire, chercha lentement l'inspiration tantôt dans les palpitations de son âme de citoyen, tantôt sur le clavier de son instrument d'artiste, composant tantôt l'air avant les paroles, tantôt les paroles avant l'air, et les associant tellement dans sa pensée qu'il ne pouvait savoir lui-même lequel de la note ou du vers était né le premier, et qu'il était impossible de séparer la poésie de la musique et le sentiment de son expression. Il chantait tout et n'écrivait rien.

Accablé de cette inspiration sublime, il s'endormit la tête sur son clavecin et ne s'éveilla qu'au jour. Les chants de la nuit lui remontèrent avec peine dans la mémoire, comme les impressions d'un rêve. Il les écrivit, les nota, et courut chez Dietrich. Il le trouva dans son jardin, bêchant de ses propres mains les laitues d'hiver. La femme et les filles du vieux patriote n'étaient pas encore levées. Dietrich les éveilla, il appela quelques amis, tous passionnés comme lui pour la musique.

La fille aînée de Dietrich accompagna, Rouget chanta. A la première strophe, les visages pâlirent; à la seconde, les larmes coulèrent; aux dernières, le délire de l'enthousiasme éclata. La femme de Dietrich, ses filles, le père, le jeune officier se jetèrent en pleurant dans les bras les uns des autres. L'hymne de la patrie était trouvé!...

C'est par le décret du 28 messidor an III, que la Marseillaise fut proclamée chant national. Ce jour-là l'auteur était en prison à Saint-Germain-en-Laye. Incarcéré comme suspect parce qu'il n'avait pas aimé la tournure prise par les événements le 10 août de l'année dernière, il toucha comme droits d'auteur le pain et l'eau du régime pénitencier jusqu'à la chute de Robespierre. Il eut dix-neuf mois pour méditer sur la paille humide, pendant qu'à travers le soupirail il respirait souvent des bouffées de sa chanson, puisque la Convention avait donné l'ordre à toutes les musiques militaires de la jouer en tête des régiments. « Sept couplets qui valaient quatorze armées », disait-on. Les voici, pour le meilleur et pour le pire.

LA MARSEILLAISE

Allons, enfants de la patrie,
Le jour de gloire est arrivé;
Contre nous de la tyrannie
L'étendard sanglant est levé. *(bis)*
Entendez-vous, dans ces campagnes,
Mugir ces féroces soldats?
Ils viennent jusque dans vos bras
Égorger vos fils, vos compagnes.

Aux armes, citoyens! Formez vos bataillons!
Marchons! *(bis)* qu'un sang impur abreuve nos sillons!

Que veut cette horde d'esclaves,
De traîtres, de rois conjurés?
Pour qui ces ignobles entraves,
Ces fers dès longtemps préparés? *(bis)*
Français, pour nous, ah! quel outrage!
Quels transports il doit exciter!
C'est nous qu'on ose méditer
De rendre à l'antique esclavage!

Aux armes, citoyens! etc.

Quoi! ces cohortes étrangères
Feraient la loi dans nos foyers?
Quoi! ces phalanges mercenaires
Terrasseraient nos fiers guerriers? *(bis)*
Grand Dieu! par des mains enchaînées

Nos fronts sous le joug se ploieraient!
De vils despotes deviendraient
Les maîtres de nos destinées!

Aux armes, citoyens! etc.

Français, en guerriers magnanimes
Portez ou retenez vos coups;
Épargnez ces tristes victimes
A regret s'armant contre vous. *(bis)*
Mais ces despotes sanguinaires,
Mais les complices de Bouillé,
Tous ces tigres qui sans pitié
Déchirent le sein de leur mère!...

Aux armes, citoyens! etc.

Tremblez, tyrans, et vous perfides,
L'opprobre de tous les partis!
Tremblez! vos projets parricides
Vont enfin recevoir leur prix. *(bis)*
Tout est soldat pour vous combattre;
S'ils tombent, nos jeunes héros,
La France en produit de nouveaux,
Contre vous tout prêts à se battre.

Aux armes, citoyens! etc.

Nous entrerons dans la carrière
Quand nos aînés ne seront plus;
Nous y trouverons leur poussière
Et la trace de leurs vertus. *(bis)*
Bien moins jaloux de leur survivre
Que de partager leur cercueil,
Nous aurons le sublime orgueil
De les venger ou de les suivre.

Aux armes, citoyens! etc.

Amour sacré de la patrie,
Conduis, soutiens nos bras vengeurs!
Liberté, liberté chérie,
Combats avec tes défenseurs! *(bis)*
Sous nos drapeaux que la victoire
Accoure à tes mâles accents,
Que tes ennemis expirants
Voient ton triomphe et notre gloire!

Aux armes, citoyens! etc.

Naturellement, les roulements du tambour ont couvert le murmure des pipeaux. Car Rouget de Lisle, comme tous les autres, caressait en secret la muse champêtre. Il était resté le doux enfant de Montaigu (Jura). Je ne résiste pas au plaisir de citer une strophe de l'élégie qu'il dédia à son village natal.

MONTAIGU

Que j'aime le calme qui règne
Sous ce beau ciel d'or et d'azur!
Qu'avec délices je me baigne
Dans cet air balsamique et pur!
Qu'avec délices je m'éveille
Aux sons rustiques et connus
Qui font renaître à mon oreille
Les temps qui ne reviendront plus!

La Marseillaise ailée qui volait dans les balles, personne ne l'a mieux entendue que Victor Hugo dans ses longues extases sur le rocher de l'exil.

Elle lui sortait littéralement de la tête, comme un ectoplasme. Dès l'école de Belvianes j'ai entendu réciter par les grands, et aussitôt retenu, ce poème des « Châtiments » qui est le plus bel hommage des fils à leurs pères.

O SOLDATS DE L'AN II

O soldats de l'An II! ô guerres! épopées!
Contre les rois tirant ensemble leurs épées
Prussiens, Autrichiens,
Contre toutes les Tyrs et toutes les Sodomes
Contre le czar du nord, contre ce chasseur d'hommes
Suivi de tous ses chiens.

Contre l'Europe armée avec ses capitaines
Avec ses fantassins couvrant au loin les plaines
Avec ses cavaliers
Tout entière debout comme une hydre vivante
Ils chantaient, ils allaient, l'âme sans épouvante
Et les pieds sans souliers!

Au levant, au couchant, partout, au sud, au pôle
Avec de vieux fusils sonnant sur leur épaule
Passant torrents et monts,

Sans repos, sans sommeil, coudes percés, sans vivres
Ils allaient, fiers, joyeux, et soufflant dans les cuivres
Ainsi que des démons !

La Liberté sublime emplissait leurs pensées
Flottes prises d'assaut, frontières effacées
Sous leurs pas souverains,
O France, tous les jours, c'était quelque prodige
Chocs, rencontres, combats ; et Joubert sur l'Adige
Et Marceau sur le Rhin.

On battait l'avant-garde, on culbutait le centre
Dans la pluie et la neige et de l'eau jusqu'au ventre
On allait ! en avant !
Et l'un offrait la paix, et l'autre ouvrait ses portes,
Et les trônes roulant comme des feuilles mortes
Se dispersaient au vent !

Oh ! que vous étiez grands au milieu des mêlées
Soldats ! L'œil plein d'éclairs, faces échevelées
Dans le noir tourbillon
Ils rayonnaient, debout, ardents, dressant la tête
Et comme les lions aspirant la tempête
Quand souffle l'aquilon.

Eux, dans l'emportement de leurs luttes épiques,
Ivres, ils savouraient tous les bruits héroïques,
Le fer heurtant le fer,
La Marseillaise ailée et volant dans les balles,
Les tambours, les obus, les bombes, les cymbales,
Et ton rire, ô Kléber !

La Révolution leur criait : — Volontaires
Mourez pour délivrer tous les peuples vos frères !
Contents, ils disaient oui.
— Allez, mes vieux soldats, mes généraux imberbes !
Et l'on voyait marcher ces va-nu-pieds superbes
Sur le monde ébloui !

La tristesse et la peur leur étaient inconnues.
Ils eussent, sans nul doute, escaladé les nues
Si ces audacieux,
En retournant les yeux dans leur course olympique
Avaient vu derrière eux la grande République
Montrant du doigt les cieux !

Ma mère tenait pour les Girondins. Je les trouvais un peu mollassons. Je préférais les Montagnards, avec leur barbe de trois jours, leur bonnet rouge, leur pantalon rayé. J'ai regardé jusqu'au vertige une lithographie en couleurs intitulée : « Le départ des Girondins pour l'échafaud ». Elle était épinglée juste entre les deux lits dans la chambre mansardée que nous occupions, mon frère et moi, pendant les grandes vacances, dans la petite maison de Barbaira, au-dessus de l'atelier de menuiserie abandonné. La scène se passait à la Conciergerie. Les Girondins portaient des habits à l'ancienne, aux couleurs tendres, rose, mauve, vert tilleul, des culottes blanches et des bas qui moulaient leurs mollets. Ils s'embrassaient, se tenaient les mains, levaient les yeux au ciel, dans un ensemble touchant, qui ne me touchait pas. Dans l'encadrement d'une porte voûtée, à gauche, surgissaient de farouches citoyens mal rasés qui étaient, à mes yeux, « les Montagnards ».

Sur une grosse pierre du mur, on pouvait lire ces mots, gravés en guise d'adieu : « Mourons pour la patrie, c'est le sort le plus beau, le plus digne d'envie ». La même devise était écrite au fond d'une assiette à dessert de ma grand-mère dans laquelle je mangeais, à la fin des vacances, la confiture de figues. Cette chanson qui ne devait venir au monde qu'en 1848, sous son titre définitif « Le chant des Girondins », comment avaient-ils pu la connaître? C'est que le refrain, lui, existait déjà. Et il était déjà de Rouget de Lisle. Celui-ci, entre deux airs de flûte, avait toujours eu cette idée d'écrire un chant national. Sa première tentative, sans lendemain, est inspirée de Roland à Roncevaux. Elle comporte le fameux refrain, et cette strophe exquise qui me semble appartenir à la poésie pure.

ROLAND A RONCEVAUX

Quel est ce vaillant Sarrasin,
Qui, seul, arrêtant notre armée,
Balance encore le destin?
C'est Altamor, c'est lui qu'en vain
Je combattis dans l'Idumée;
Mon bonheur me l'amène enfin.

Mourons pour la patrie, *(bis)*
C'est le sort le plus beau, le plus digne d'envie.

La suite de ma litho, ce qui se passa au-delà de la voûte de la Conciergerie, c'est Michelet qui l'a raconté. Admirablement. Il ne faisait pas beau, ce jour-là.

LA MORT DES GIRONDINS

Le 30 octobre se leva pâle et pluvieux, un de ces jours blafards qui ont l'ennui de l'hiver et n'en ont pas le nerf, la salutaire austérité. Dans ces tristes jours détrempés, la fibre mollit; beaucoup sont au-dessous d'eux-mêmes. Et l'on avait eu soin de défendre qu'on donnât désormais aucun cordial aux condamnés. Le cadavre, déjà livide, de Valazé, mis dans les mêmes charrettes, la tête pendante, sur un banc, était là pour énerver les cœurs, réveiller l'horreur de la mort; ballotté misérablement à tous les cahots du pavé, il avait l'air de dire : « Tel je suis, et tel tu vas être. »

Au moment où le funèbre cortège des cinq charrettes sortit de la sombre arcade de la Conciergerie, un chœur ardent et fort commença en même temps, une seule voix de vingt voix d'hommes qui fit taire le bruissement de la foule, les cris des insulteurs gagés. Ils chantaient l'hymne sacré : « Allons, enfants de la Patrie!... »

Cette patrie victorieuse les soutenait de son indestructible vie, de son immortalité. Elle rayonnait pour eux dans ce jour obscur d'hiver, où les autres ne voyaient que la boue et le brouillard.

Ils allaient, forts de leur foi, d'une foi simple, où tant de questions obscures qui devaient surgir depuis, ne se mêlaient pas encore.

Forts de leur ignorance aussi sur nos destinées futures, sur nos malheurs et sur nos fautes.

Forts de leur amitié, la plupart allaient deux à deux et se réjouissaient de mourir ensemble. Fonfrède et Ducos, couple jeune, innocent, frères par l'hymen de deux sœurs, n'auraient pas voulu de la vie pour survivre séparés. Mainvielle et Duprat, couple souillé, voué à la fatalité, frères dans l'amour d'une femme, frères dans ce frénétique amour de la France, qui les précipita au crime, embrassaient cette commune guérison de la vie qui allait les unir encore. Ils chantaient en furieux et sur la triste voiture, et descendant sur la place, et remontant sur l'échafaud; la pesante masse de fer put seule étouffer leurs voix.

Le chœur allait diminuant à mesure que la faux tombait. Rien n'arrêtait les survivants. On entendait de moins en moins dans l'immensité de la place. Quand la voix grave et sainte de Vergniaud chanta la dernière, on eût cru entendre la voix défaillante de la République et de la Loi, mortellement atteintes, et qui devaient survivre peu.

Admirable decrescendo de ces voix qui s'éteignent comme on souffle les bougies quand la fête est finie. Robespierre, pris au piège de sa logique implacable, n'aurait bientôt plus qu'une tête à fournir pour vérifier ses calculs : la sienne. Mais elle tiendrait encore quelques mois sur ses épaules étroites à quoi l'arrimait une cravate serrée comme un pansement, mortellement pâle, étourdie de pensées, épuisée d'orgueil. Son truc, sa machine, « la veuve », coupait court à toute objection, à tout attendrissement.

Dans cette affaire des Girondins, il a gardé pour la bonne bouche l'exquise Girondine, Madame Roland. Elle va monter à son tour à la tribune de sang, et Michelet fera un sort à ses derniers mots.

Sa tête étonnée, suspendue à ses beaux cheveux que le bourreau tient à pleine main se vide lentement de son sang ardent et de son regard langoureux. A la nouvelle de cette mort, son mari, qui a vingt ans de plus qu'elle, se suicidera.

MADAME ROLAND SUR L'ÉCHAFAUD

Cette reine de la Gironde était venue à son tour loger à la Conciergerie, près du cachot de la Reine, sous ces voûtes veuves à peine de Vergniaud, de Brissot, et pleines de leurs ombres. Elle y venait royalement, héroïquement, ayant, comme Vergniaud, jeté le poison qu'elle avait, et voulu mourir au grand jour. Elle croyait honorer la République par son courage au tribunal et la fermeté de sa mort. Ceux qui la virent à la Conciergerie disent qu'elle était toujours belle, pleine de charme, jeune à trente-neuf ans : une jeunesse entière et puissante, un trésor de vie réservé jaillissait de ses beaux yeux. Sa force paraissait surtout dans sa douceur raisonneuse, dans l'irréprochable harmonie de sa personne et de sa parole. Elle s'était amusée en prison à écrire à Robespierre, non pour lui demander rien, mais pour lui faire la leçon. Elle la faisait au tribunal, lorsqu'on lui ferma la bouche. Le 8, où elle mourut, était un jour froid de novembre. La nature, dépouillée et morne, exprimait l'état des cœurs; la Révolution aussi s'enfonçait dans son hiver, dans la mort des illusions. Entre les deux jardins sans feuilles, la nuit tombant (cinq heures et demie du soir), elle arriva au pied de la Liberté colossale, assise près de l'échafaud, à la place où est l'obélisque, monta légèrement les degrés, et, se tournant vers la statue, lui dit avec une grave douceur, sans reproche : « O Liberté, que de crimes commis en ton nom! »

La belle Pauline, héroïne préférée de ma mère, faisait écho à Brutus. C'était là une assez bonne traduction française de la version latine dont toute une génération s'était délectée.

La mémoire républicaine est meublée de toutes ces références antiques, sans lesquelles on ne saurait faire un bon discours électoral. « Que les consuls ouvrent l'œil ». « César a franchi le Rubicon ». « Les ides de mars approchent ». « Tes jours sont comptés, César ». « Voici les conjurés ». « Hommes par le cœur, enfants par la tête », ou bien « Hommes pâles et maigres dont la vue me trouble ». « Il ne manquera pas un poignard ». « Et toi aussi, mon fils? ». « Pleure, Porcia, ton époux est vaincu, c'était le dernier des Romains ». Et lui, Brutus, avant de se jeter sur l'épée du rhéteur Straton, pendant que le rideau tombe sur son suicide : « O vertu, tu n'es qu'un nom, une vile esclave de la fortune ».

Les géants de 93 étaient enfermés dans leur rhétorique comme les gladiateurs dans l'arène, jusqu'au dernier.

> *Alors dans Besançon, vieille ville espagnole,*
> *Jeté comme la graine au gré de l'air qui vole,*
> *Naquit d'un sang breton et lorrain à la fois*
> *Un enfant sans couleur, sans regard et sans voix,*
> *Si débile qu'il fut, ainsi qu'une chimère,*
> *Abandonné de tous excepté de sa mère,*

Et qui, son cou ployé comme un frêle roseau,
Fit faire en même temps sa bière et son berceau.

Le berceau servit tout de suite. La bière attendit quatre-vingts ans. Car ce « rien du tout » allait être un colosse aux appétits infatigables qui, avec ou sans barbe, devait dominer le nouveau siècle. Ses vers nous le disent : il était le fruit monstrueux d'un mariage contre nature, celui d'un sans-culotte lorrain et d'une chouanne bretonne. Il lui revenait, à ce titre, de rendre les honneurs posthumes à l'ennemi ancestral, au paysan nocturne dont les hululements soulevaient la Vendée, en un mot au « cul-blanc ».

Ce n'était pas pour rire, la Vendée. Les bataillons de Parisiens avaient beau chanter « ça ira », ça n'allait pas du tout. Eux aussi avaient des généraux de vingt ans et « ces messieurs » étaient très forts pour chasser la perdrix. Il y avait en particulier celui qui portait un mouchoir de Cholet noué sur le front. Avec son fusil, sa gourde pour boire, sa vierge d'ivoire et son Sacré Cœur brodé sur la poitrine, Grégoire tenait bon. La province, à la fin succomba. On sait que, comme la mule du pape, elle remâcha sa vengeance pendant presque cent ans, mais ce fut une ruade terrible : la répression de la Commune de Paris, en 1871.

Surtout ne croyez pas que c'étaient des enfants de chœur. Michelet, petit Parisien par excellence, né dans une imprimerie, imprégné d'encre fraîche et de sang mal séché, témoigne de leur férocité, en quelques tableaux qui sont le chemin de croix des sans-culottes.

Il nous peint le martyre d'un certain Sauveur qui cria Vive la République jusqu'au bout. « On ne lui imposa silence qu'en l'écrasant à coups de crosse de fusil ». C'était l'officier municipal de La Roche-Bernard. Cette ville est le passage entre Nantes et Vannes. Michelet réclame en vain qu'on change son nom en celui de Roche-Sauveur.

Dans un autre tableautin du même genre, il nous montre jusqu'où le fanatisme peut pousser la bonté.

LE DERNIER SCRUPULE

Cette dévotion extrême avait des effets contraires, fort bizarres à observer. D'abord, ils ne volaient pas, ils tuaient plutôt. Ils ne firent pas de désordres dans les maisons. Ils demandaient peu ou rien, se contentaient des vivres qu'on leur donnait.

Dès qu'un prisonnier était bien confessé, les paysans n'hésitaient pas à le tuer, bien sûrs qu'il était sauvé. Plusieurs évitèrent la mort en refusant la confession, et disant qu'ils n'étaient pas encore en état de grâce. L'un d'eux fut épargné, parce qu'il était protestant, et ne pouvait se confesser. Ils craignirent de le damner.

Enfin, Michelet nous emmène à Machecoul, dernière station du calvaire des bleus.

L'HALLALI DES PATRIOTES

C'était dimanche; on venait se venger et s'amuser. Pour amusement on crucifia de cent façons le curé constitutionnel. On le tua, à petits coups, ne le frappant qu'au visage. Cela fait, on organisa la chasse aux patriotes. En tête des masses joyeuses, marchait un sonneur de cor. Ceux qui entraient dans les maisons pour faire sortir le gibier, de temps à autre, jetaient dans la rue un malheureux patriote. Le sonneur sonnait la vue, et l'on courait sus. La victime abattue par terre, on sonnait l'hallali. En l'assommant, on donnait le signal de la curée. Les femmes alors accouraient avec leurs ciseaux, leurs ongles; les enfants achevaient à coups de pierre.

Mystérieuse complexité du cœur jacobin. Son véritable ennemi n'est pas celui qu'il a combattu, il le sait. Son véritable ennemi ne peut pas être « du peuple ». Le « cul-blanc » est respectable, il ne lui a manqué que l'école laïque pour qu'il soit républicain. La guerre de Vendée sera gagnée par les instituteurs. En attendant, on s'entre-tue, mais on se respecte. C'est Hugo, quand il était proscrit, qui a écrit l'épitaphe du dernier Vendéen, un cousin, sans doute, du côté de sa mère.

ÉPITAPHE DE JEAN CHOUAN

Jean Chouan murmura : C'est bien! et tomba mort.
Paysans! paysans! hélas! vous aviez tort,
Mais votre souvenir n'amoindrit pas la France;
Vous fûtes grands dans l'âpre et sinistre ignorance;
Vous que vos rois, vos loups, vos prêtres, vos halliers
Faisaient bandits, souvent vous fûtes chevaliers;
A travers l'affreux joug et sous l'erreur infâme
Vous avez eu l'éclair mystérieux de l'âme;
Des rayons jaillissaient de votre aveuglement;
Salut! Moi le banni, je suis pour vous clément;
L'exil n'est pas sévère aux pauvres toits de chaumes;
Nous sommes des proscrits, vous êtes des fantômes;
Frères, nous avons tous combattu; nous voulions
L'avenir; vous vouliez le passé, noirs lions;
L'effort que nous faisions pour gravir sur la cime,
Hélas! vous l'avez fait pour rentrer dans l'abîme;
Nous avons tous lutté, diversement martyrs,
Tous sans ambitions et tous sans repentirs,
Nous pour fermer l'enfer, vous pour rouvrir la tombe;
Mais sur vos tristes fronts la blancheur d'en haut tombe,

> La pitié fraternelle et sublime conduit
> Les fils de la clarté vers les fils de la nuit,
> Et je pleure en chantant cet hymne tendre et sombre,
> Moi, soldat de l'aurore, à toi, héros de l'ombre.

Je reviens à mes souvenirs de Belvianes. Il me semble que c'est là que tout s'est accompli. Cette grande histoire de la Révolution française, comme je l'ai apprise dans les évangiles laïques, c'est là qu'elle se situe. Elle m'a laissé des marques indélébiles, celles de la terreur et celles de la lumière. Je ne peux pas évoquer sans frissonner le cauchemar des gorges, mais à la fin, toujours, le noir tunnel débouche sur une vallée heureuse, sur le jardin, sur le coteau et sur cette école blanche et rose au-dessus des tilleuls, où s'attarde le soleil.

Ma mère y fit le dur apprentissage du veuvage et du civisme. Je viens à peine de comprendre que c'était alors une femme de trente ans, l'âge de ma fille aînée aujourd'hui. Sous ses voiles de deuil, elle me fut toujours proche et lointaine, vivante et comme morte, enjouée et éplorée, ma mère, certes, mais aussi une allégorie; et sans doute la confondais-je avec la République elle-même. Je n'aimais pas la part d'elle qui avait appartenu à ce monde, sa petite part de bonheur ici-bas, ces bouffées de faiblesse qui lui faisaient relire, rangées dans un vieux carton à chaussures, les lettres de mon père, ou qui la ramenaient, si triste, à Quillan, sur les lieux de ses dernières fêtes.

La gare de Quillan était deux fois tête de ligne. De là montait le train de Rivesaltes que nous avons vu passer dans les gorges de la Pierre-Lys; de là descendait le train de Carcassonne, vers le chef-lieu, vers la plaine, vers une vie plus facile. Ma mère était tentée. Elle avait tenu bon au-delà de tout espoir. Elle avait fait la classe aux garçons à la place de son mari. Elle avait assuré le fonctionnement de la mairie (bons de sucre, bons de pain, logement des réfugiés, télégrammes de décès, certificats d'indigence). Elle avait attendu encore deux ans après l'armistice. Raisonnablement, mon père, disparu en septembre 14, ne reviendrait plus. Le dernier prisonnier de Haute-Silésie était rentré depuis longtemps, le dernier amnésique avait déjà retrouvé sa mémoire. Il fallait abdiquer. L'épouse n'avait plus rien à espérer; elle redevenait doucement la petite fille d'avant; son enfance la rappelait au village natal; sa mère qui était de nouveau maîtresse à la cuisine la reprenait par la main : que faisait-on à Belvianes, perdus dans la montagne?

Ma mère résistait encore. Il lui semblait trahir. Si elle restait, il reviendrait peut-être. La foi fait des miracles. Si elle partait, c'était fini. Ce serait accepter le veuvage, perdre une ombre, après avoir perdu un mari.

En revenant de Quillan elle chantonnait doucement une chanson idiote — quelque chose, sans doute, à quoi elle se raccrochait, l'écho d'un dernier bal. Cette chanson parlait d'une jolie petite bourgade, par où passe le train Carcassonne-Quillan et où sont les ruines d'un vieil évêché célèbre : Alet.

> *Au-delà de Limoux,*
> *Sur la ligne de Rivesalte,*
> *On trouve un tunnel, deux ponts, une halte :*
> *C'est le rendez-vous de tous les mondains,*
> *C'est la station chic, c'est Alet-les-bains.*

Enfin, un jour, elle céda; elle écrivit à l'inspecteur. Elle demandait son changement; elle « postulait » pour l'école la plus proche possible de son village natal.

Quand nous sûmes que c'était fait, que nous déménagerions aux vacances, tout devint soudain plus précieux, la terrasse ombragée, le jardin de Font-Maure et même les lugubres visites à Tisane, l'orpheline de l'école noire.

La classe des garçons est dédiée à mon père. Nous allions partir, mais il resterait. Sa photographie a été suspendue au-dessus de la chaire, dans un cadre doré. Il a l'air grave. Il est très jeune. Il enseigne à jamais.

Cinquante ans après, sa photo est toujours là. Ma mère est morte, vieille. Il n'a pas vieilli. Un jour vint où après avoir tant voulu son retour, elle en eut peur. « Il était si jeune; il me trouverait laide. » Le village ne l'a pas oublié. C'est prodigieux, la mémoire d'un village. Il ne fit que passer, pourtant. On me parle encore de lui, du fagot qu'il porta sur ses épaules, de l'école du soir après la classe, où il forma les hommes d'aujourd'hui. C'est une sorte de culte.

L'école des garçons, en ces derniers jours, retentissait d'exaltation républicaine. L'histoire était enfin sortie de l'ancien régime. Il faisait beau. On apprenait les grandes journées. Et c'est presque sous forme de litanies que sont restées dans ma mémoire ces anciennes leçons. Mon père lui-même semblait faire l'appel des ombres. Et chaque ombre se levait de son banc et répondait par la « phrase historique » qui l'immortalisa.

— Bailly?

— Nous jurons de ne point nous séparer.

— Lakanal?

— Un peuple ignorant ne peut être libre.

— Camille Desmoulins?

— La clémence est la vertu révolutionnaire par excellence.

— Danton?

— Mon nom est Danton; mon âge, trente-cinq ans; ma demeure sera demain le néant; mon nom restera au Panthéon de l'Histoire.

— Carnot?

— Niebuhr, l'historien allemand, a dit : « S'il ne me restait au monde qu'un morceau de pain, je serais fier de le partager avec Carnot. »

— Marceau?

— J'ai assez vécu, puisque je meurs pour la patrie.

Et, au nom de Marceau, la classe entière, debout, répétait en chœur ce qui est gravé sur sa tombe. « Ses cendres sont ici; son nom est dans l'univers. »

— Hoche?

— Des actes, non des paroles. Quand j'aurai sauvé la patrie, je briserai mon épée.

— Kléber?

— Personne n'est beau comme Kléber un jour de combat.

L'appel imaginaire revenait à la réalité sans le moindre à-coup, puisque le plus virginal des révolutionnaires était vraiment parmi nous.

— Saint-Just?

— Présent.

En effet, parmi les grands garçons, il en était un plus grand, plus fort, plus brave, que nous appelions Saint-Just, car il venait d'un petit hameau de la montagne ainsi nommé. Il portait en bandoulière un cartable rustique fait de quelques planches assemblées. Le trajet était si long qu'il n'avait pas le temps de rentrer chez lui à midi. Il restait dans la classe et mangeait, comme un soldat, les provisions qu'il tirait de son cartable. Il était noble et silencieux. Il veillait sur mes jeux, me faisait partager ses vivres, offrait des fleurs sauvages à ma mère. Il était le Grand Meaulnes de notre école, car il y en avait un, en ce temps-là, dans chaque école.

Le soir, quand les ombres descendaient de la montagne, il repartait courageusement, un bâton à la main, vers son hameau perdu où je ne suis jamais allé. Il n'était pas tout à fait de ce monde. Un matin, sa place au fond de la classe est restée vide. On ne l'a plus jamais revu.

Peut-être avait-il appris que ma mère abandonnait son poste, qu'elle ne serait plus là à la rentrée prochaine?

La mairie que nous allons quitter, je veux lui faire mes adieux. Ma naissance y est inscrite, ma première enfance lui appartient. Elle m'est sacrée comme si elle détenait, à elle seule, tout le legs de la Révolution, les poids et mesures, le système métrique, les trois couleurs, le bonnet phrygien, le tambour de Bara. Je la voyais, agrandie aux dimensions d'un temple, comme la succursale de la Convention. J'ai gardé en son honneur le morceau de bravoure de cette anthologie, une des meilleures pages du père Hugo.

LA CONVENTION

Le 14 juillet avait délivré.
Le 10 août avait foudroyé.
Le 21 septembre fonda.
Le 21 septembre, l'équinoxe, l'équilibre. « Libra ». La balance. Ce fut, suivant la remarque de Romme, sous ce signe de l'Égalité et de la Justice que la République fut proclamée. Une constellation fit l'annonce.
La Convention est le premier avatar du peuple. C'est par la Convention que s'ouvrit la grande page nouvelle et que l'avenir d'aujourd'hui commença. A toute idée il faut une enveloppe visible, à tout principe il faut une habitation; une église, c'est Dieu entre quatre murs; à tout dogme, il faut un temple. Quand la Convention fut, il y eut un premier problème à résoudre, loger la Convention.
On prit d'abord le Manège, puis les Tuileries. On y dressa un châssis, un décor, une grande grisaille peinte par David, des bancs symétriques, une tribune carrée, des pilastres parallèles, des socles pareils à des billots, de longues étraves rectilignes, des alvéoles rectangulaires où se pressaient la multitude et qu'on appelait les tribunes publiques, un vélarium romain, des draperies grecques, et dans ces angles droits et dans ces lignes droites on installa la Convention; dans cette géométrie on mit la tempête. Sur la tribune le bonnet rouge était peint en gris. Les royalistes commencèrent par rire de ce bonnet rouge-gris, de cette salle postiche, de ce monument de carton, de ce sanctuaire de papier mâché, de ce panthéon de boue et de crachat. Comme cela devait disparaître vite! Les colonnes étaient en douves de tonneau, les voûtes étaient en volige, les bas-reliefs étaient en sapin, les statues étaient en plâtre, les marbres étaient en peinture, les murailles étaient en toile; et dans ce provisoire la France a fait de l'éternel.

En dehors de toute émotion politique, et à ne voir que l'architecture, un certain frisson se dégageait de cette salle. On se rappelait confusément l'ancien théâtre, les loges enguirlandées, le plafond d'azur et de pourpre, le lustre à facettes, les girandoles à reflets de diamants, les tentures gorge de pigeon, la profusion d'amours et de nymphes sur le rideau et sur les draperies, toute l'idylle royale et galante, peinte, sculptée et dorée, qui avait empli de son sourire ce lieu sévère, et l'on regardait partout autour de soi ces durs angles rectilignes, froids et tranchants comme l'acier; c'était quelque chose comme Boucher guillotiné par David.

En même temps qu'elle dégageait de la révolution, cette assemblée produisait de la civilisation. Fournaise, mais forge. Dans cette cuve où bouillonnait la terreur, le progrès fermentait. De ce chaos d'ombre et de cette tumultueuse fuite de nuages, sortaient d'immenses rayons de lumière parallèles aux lois éternelles. Rayons restés sur l'horizon, visibles à jamais dans le ciel des peuples, et qui sont l'un la justice, l'autre la tolérance, l'autre la bonté, l'autre la raison, l'autre la vérité, l'autre l'amour. La Convention promulguait ce grand axiome : « La liberté du citoyen finit où la liberté d'un autre citoyen commence »; ce qui résume en deux lignes toute la sociabilité humaine. Elle déclarait l'indigence sacrée; elle déclarait l'infirmité sacrée dans l'aveugle et dans le sourd-muet devenus pupilles de l'État, la maternité sacrée dans la fille-mère qu'elle consolait et relevait, l'enfance sacrée dans l'orphelin qu'elle faisait adopter par la patrie, l'innocence sacrée dans l'accusé acquitté qu'elle indemnisait. Elle flétrissait la traite des Noirs; elle abolissait l'esclavage. Elle proclamait la solidarité civique. Elle décrétait l'éducation gratuite. Elle organisait l'éducation nationale par l'école normale à Paris, l'école centrale au chef-lieu, et l'école primaire dans la commune. Elle créait les conservatoires et les musées. Elle décrétait l'unité de code, l'unité de poids et mesures, et l'unité de calcul par le système décimal. Elle fondait les finances de la France, et à la longue banqueroute monarchique elle faisait succéder le crédit public. Elle donnait à la circulation le télégraphe, à la vieillesse les hospices dotés, à la maladie les hôpitaux purifiés, à l'enseignement l'École polytechnique, à la science le bureau des longitudes, à l'esprit humain l'Institut. En même temps que nationale, elle était cosmopolite. Des onze mille deux cent dix décrets qui sont sortis de la Convention, un tiers a un but politique, les deux tiers ont un but humain. Elle déclarait la morale universelle base de la société et la conscience universelle base de la loi. Et tout cela, servitude abolie, fraternité proclamée, humanité protégée, conscience humaine rectifiée, loi du travail transformée en droit et d'onéreuse devenue secourable, richesse nationale consolidée, enfance éclairée et assistée, lettres et sciences propagées, lumière allumée sur tous les sommets, aide à toutes les misères, promulgation de tous les principes, la Convention le faisait, ayant dans les entrailles cette hydre, la Vendée, et sur les épaules ce tas de tigres, les rois.

Ma grand-mère était heureuse. Ma mère pleurait. La nouvelle nomination était arrivée. Nous serions à quinze kilomètres à peine de Barbaira. Nous allions retrouver la douceur du pays bas, les soirées qui s'étirent à l'infini sans l'écran des

LA
CONVENTION.

montagnes, les vols de moucherons qui annoncent les vendanges. Le mobilier de la maîtresse, emporté par les déménageurs, retournait à ses origines. Il défilait sous nos yeux désemparés : le buffet, la commode, le lit. Nous nous sentions dépossédés. Dans la salle à manger vide où la tapisserie, aux endroits où elle n'était pas fanée, gardait l'image des meubles enlevés, il ne restait plus que la photographie de mon père. Ma mère voulut la décrocher elle-même. Ce fut une scène déchirante.

L'histoire aussi tournait la page. La Première République, comme toutes les autres depuis, finissait par un coup d'État. Le mauvais pli, hélas! était pris. Rien ne résume mieux la situation que ces quelques lignes que l'on trouve à l'article « Bonaparte » dans le vieux dictionnaire de Pierre Larousse, tohu-bohu fabuleux où l'on voit cet instituteur de l'Yonne, animé par le souffle républicain, soulever les montagnes du savoir, de A à Z, en dix-huit volumes.

« Bonaparte, général de la République française, né à Ajaccio (île de Corse) le 15 août 1769, mort au château de Saint-Cloud, près de Paris, le 18 brumaire, an VIII de la République française une et indivisible.

Pour le reste, voir le tyran Napoléon. »

Une bataille.

MARIANNE II

*A la Seconde République
nous devons le suffrage universel*

JULES FERRY

CHAPITRE III

La Fête-Dieu

TEXTES CHOISIS

1 ▪ LE COLLÉGIEN MICHELET (MICHELET).

2 ▪ LES SOUVENIRS DU PEUPLE (BÉRANGER).

3 ▪ LE VIEUX DRAPEAU (BÉRANGER).

4 ▪ LA LISETTE DU CHANSONNIER (FRÉDÉRIC BÉRAT).

5 ▪ UNE GÉNÉRATION CHÉTIVE (ALFRED DE MUSSET).

6 ▪ ASSASSINAT DU MARÉCHAL BRUNE (LAMARTINE).

7 ▪ ASSASSINAT DU DUC DE BERRY (LAMARTINE).

8 ▪ LES QUATRE SERGENTS DE LA ROCHELLE (LAMARTINE).

9 ▪ PROCLAMATION POUR RIRE (PAUL-LOUIS COURIER).

10 ▪ L'ENFANT GREC (VICTOR HUGO).

11 ▪ EUROTAS (CASIMIR DELAVIGNE).

12 ▪ L'APPARITION (LOUIS BLANC).

13 ▪ UN LAMBEAU D'ÉTOFFE (CAMILLE PELLETAN).

14 ▪ GLOIRE AUX ÉCOLIERS (ÉTIENNE ARAGO).

15 ▪ POLYTECHNIQUE SUR LE PAVÉ (LOUIS BLANC).

16 ▪ « JE ME NOMME D'ARCOLE » (LOUIS BLANC).

17 ▪ LA PARISIENNE (CASIMIR DELAVIGNE).

18 ▪ L'INSURRECTION (AUGUSTE BARTHÉLEMY).

19 ▪ LA CURÉE (AUGUSTE BARBIER).

20 ▪ MIMI PINSON (ALFRED DE MUSSET).

LOUIS BLANC

RÉVOLUTION FRANÇAISE

1830

HISTOIRE de DIX ANS

Règne de Louis Philippe

La liberté fera le tour du monde !!

L'EMPIRE ÉCROULÉ, LE TYRAN RÉDUIT A MERCI, elle allait donc revenir au jour, pâle, un peu éblouie, amaigrie, émouvante, la jeune République? Non. On l'oubliait dans ses fers. On faisait semblant de la croire morte, la séquestrée du 18 brumaire. Où étaient donc les Républicains? Qu'étaient-ils devenus, les soldats de l'An II? Que restait-il de la levée en masse? A vrai dire, les têtes ne repoussent pas. Et Robespierre avait fauché ras tout ce qui pensait. A la fin, la faulx s'était retournée contre lui, et de la grande Convention d'où surgissaient l'éclair et la foudre, il ne restait qu'un tas de crânes, le dernier reconnaissable à sa mâchoire fracassée. Bonaparte n'avait eu qu'à venir. Personne désormais ne pouvait lui barrer la route. La Révolution s'était décapitée pour hisser un tyran sur ses épaules nivelées. Et nous avons raté ce spectacle sublime : Danton montant à la tribune pour dénoncer le fuyard d'Égypte, le vaniteux traîneur de sabre, le chouchou de la Joséphine. Dans ce débat posthume qui oppose le pur Robespierre au douteux Danton, il reste une chose sûre : Robespierre a fait place nette à l'Empereur. Danton, avec ses outrances, ses faiblesses, son excès de tripes, son goût du dépoitraillé eût peut-être installé la République à jamais. C'est la faute de Robespierre si désormais les Républiques meurent et s'il faut les compter une à une, comme les Rois.

Quinze ans après, il semblait qu'il n'y ait plus un seul républicain en France. Le bonnet rouge, la souquenille, et le pantalon rayé du sans-culotte avaient disparu comme par enchantement. Brûlés au fond du jardin? Cachés en haut de l'armoire?

Le pouvoir est à ramasser dans les rues de Paris. Parmi ceux qui prennent l'affaire en main, il y a pourtant Carnot et Fouché, deux anciens conventionnels. Et La Fayette compte au nombre des survivants, lui qui donna un peu de sa liberté à l'Amérique et la cocarde tricolore à la France. Mais le cœur manque. Carnot n'est plus que la statue de lui-même, une chose encombrante qu'on expédie en exil. Fouché rampe trop bas, La Fayette plane trop haut. Sur les décombres de l'Empire, par-dessus le cachot où la République agonise, on hisse le drapeau blanc d'avant le déluge.

Notre nouveau village portait un nom un peu ridicule : Bagnoles. Nous nous empressions d'expliquer que ce n'était qu'une courte étape. En attendant que Madame Naudy, la vieille institutrice de Barbaira qui avait fait l'école à ma mère, prenne sa retraite. Alors ma mère lui succéderait. Dans deux ans au plus tard. Simplement nous avions fait mouvement. Nous nous rapprochions du village natal.

Pour ma mère, ce serait un temps de réflexion; elle s'était arrachée à ses souvenirs d'épouse; elle n'était pas encore retombée dans les chaînes de l'enfance.

Le hasard des nominations lui accordait un répit, un poste sans passé et sans avenir où elle oserait peut être raccourcir ses voiles et passer du noir au violet. Il n'était peut-être pas trop tard pour tenter de vivre. L'inspecteur d'Académie, refusant son abdication, ne désespérait pas d'en faire une directrice d'école au chef-lieu, et lui avait ménagé exprès cette espèce de villégiature.

Bagnoles, à vol d'oiseau, n'était pas loin de Carcassonne. Le soir du 14 juillet, du haut d'une éminence où les ruines d'un moulin à vent tiennent encore debout, on voyait dans la nuit s'embraser les remparts peints en rouge par les feux de bengale. Et pourtant, c'était encore une expédition, chaque jeudi, pour aller faire les courses. L'automobile restait une curiosité. L'autobus n'était pas inventé. La liaison était assurée par un chemin de fer à voie étroite, baptisé le « balandran », qui se dandinait sur les talus de la route Minervoise, grinçait dans les virages, haletait à la moindre rampe et menaçait de tomber dans le canal, au bas d'une courte descente vers le Pont Rouge, avant de devenir parallèle au chemin de halage jusqu'à son terminus du Jardin des Plantes, où il arrivait dans une gloire excessive de coups de sifflet et de jets de vapeur. Les petits wagons verts étaient dotés de balcons à chaque extrémité et de stores rayés qui volaient joyeusement de part et d'autre. Ils ressemblaient un peu à des roulottes de bohémiens. On partait le matin. On ne pouvait rentrer que le soir. Ma mère emportait quelques provisions dans un somptueux sac de cuir qu'elle avait eu en cadeau de noces et qui lui fit toute la vie. Nous mangions sur un banc de square ou dans un coin du parloir du lycée, en attendant mon frère aîné, pensionnaire et revêtu de l'uniforme à boutons d'or que je trouvais prestigieux.

Carcassonne, visible à l'œil nu le soir du 14 juillet, n'en était pas moins une ville lointaine le reste de l'année. Le voyage tenait un peu de l'expédition, car la gare (une petite baraque perdue à un carrefour) se trouvait à près d'un kilomètre du village et il faisait nuit à l'aller comme au retour, l'hiver. La locomotive surgissait au tournant avec un panache d'étincelles, et les wagons éclairés au pétrole promenaient des ombres sur la route étroite.

Dans la géographie de mon enfance, Bagnoles tient une place à part, une place un peu secrète. Belvianes, c'était la haute vallée, son pittoresque évident, ses entrailles prophétiques. Barbaira, ce sera la douceur des vignes étalées. Bagnoles appartient au genre mineur; ni l'austérité, ni l'opulence, mais les doux vallonnements; ni le torrent, ni la rivière, mais le charmant ruisseau; ni debout, ni couché, mais comme assis sous les ombrages.

En aval de Carcassonne, le département s'ouvre vers la mer entre le Massif Central et les Pyrénées dont les derniers gradins s'appellent d'un côté la Montagne Noire, de l'autre les Corbières. Aude court désormais au-devant du soleil, vers la Méditerranée où elle se jettera. Le canal du Midi l'accompagne paresseusement. Deux routes suivent le mouvement, longeant les rives, l'une au nord, la route Miner-

voise, l'autre au sud, celle qui traverse Barbaira. Ici elles ne sont séparées que par une dizaine de kilomètres. Mais c'est assez pour ménager, dans l'entre-deux, une contrée presque inconnue que laissent de côté les grands charrois, les inondations, les invasions, le progrès. On s'y contente de chemins vicinaux et de petits jardins; on s'y fait oublier. Cela s'appelle un « pays », au sens modeste du mot. Bagnoles était au cœur de ce pays-là, sur les bords d'un sous-affluent, la Clamoux, qui ne se jette dans Aude que par l'intermédiaire de l'Orbiel. On ne fait pas plus discret. J'ai gardé de ce village en marge une impression de reposoir, une entêtante odeur de genêts trop mûrs et de Fête-Dieu.

Certains mots de mon vocabulaire me ramènent toujours à Bagnoles où je les ai appris. Les mots reposoir, lilas, harmonium, angélus, ces mots qui font défaillir les jeunes âmes. C'est à Bagnoles que le curé m'a révélé, le jour de mes sept ans, que j'avais désormais l'âge de raison. J'ai été très impressionné et je suis revenu lentement de l'église à l'école, plein de gravité, jetant un nouveau regard sur les choses et les gens — celui de la connaissance. Il m'arrivait d'être soudain un petit homme. C'est ce petit homme que je retrouve ici au détour de la Restauration, sous le drapeau blanc, à la saison des lys. Car je mettais volontiers mes pas dans les pas de l'Histoire et elle semblait me rejoindre ici, bucolique, apaisée, garée des grands remous qui la bouleversent, à l'unisson de ce petit village où l'ancien régime s'attardait.

L'école où nous venions d'aménager ne ressemblait pas à celle que nous quittions, à celle vers où nous allions, pareilles, dans la montagne et dans la plaine, par leur fronton arrogant, leurs ailes dominatrices, leur horloge pointilleuse. Ici, on n'aurait même pas dit une école. Plutôt une villa, un peu isolée au bout du village, sur le chemin de Villarzel, au bas d'une montée assez raide. Elle se cachait en retrait derrière les lilas d'un jardin fleuri, à l'abri d'une grille bourgeoise. Le grand architecte n'était pas passé par Bagnoles où ma mère remplaçait un vieux « régent » d'avant la République qui portait encore, nous disait-on, la petite calotte de velours noir et apprenait à lire avec un long roseau sur le sempiternel B.A. BA. La seule horloge du village était celle de l'église qui marchait avec le soleil, et ma mère, assez radicale-socialiste, dut transiger sur les horaires. Elle adopta la demie qui n'était ni l'heure ancienne, ni l'heure nouvelle. Ce fut une mesure appréciée de tous.

Une allée de graviers menait de la grille à la porte d'entrée. En bas, à gauche, c'était la classe unique où filles et garçons, une vingtaine en tout, s'asseyaient côte à côte. A droite, c'était la mairie. On eût dit un salon, avec un véritable fauteuil pour le maire, une tapisserie à fleurs et une Marianne très discrète, sur la tablette de la cheminée, en marbre blanc veiné, du style tendre bergère. Nous avions notre logement à l'étage. Après les vastes appartements de Belvianes, nous nous sentions à l'étroit. Il y avait trop de meubles. Le palier donnait en plein midi par une grande fenêtre d'où l'on apercevait, au bout de l'horizon, reconnaissable entre tous avec sa douce échine mauve, le mont Alaric au pied duquel est bâti Barbaira. Ma grand-mère passait de longs moments à cette fenêtre, tout entière en pensée dans l'atelier de menuiserie abandonné là-bas, ou dans les vignes, sans doute mal soignées. Elle poussait de longs soupirs, à fendre l'âme.

Sur ce palier s'ouvrait, en face, la salle à manger ensoleillée, et, à gauche, une grande cuisine par où l'on accédait à deux chambres en enfilade sur la façade nord : la chambre de ma grand-mère que je partageais, et la chambre de ma mère, plus vaste, dans laquelle il y avait un lit de secours pour les congés de mon frère.

Pour aller en classe, je n'avais qu'à descendre l'escalier. Je retrouvais ma mère installée sur la chaire où désormais je devais l'appeler Madame. L'école ne suffisait pas à mon appétit de savoir, à ma bonne volonté sans bornes, à mon application infinie. Je résolus de devenir, en plus, un enfant de chœur modèle et si possible un musicien.

L'église était sur la place et formait un angle droit avec le mur du presbytère, dont elle n'était séparée que par un jardin plein de lys et de roses dans lequel l'abbé Gazel lisait son bréviaire. Je me levais à la nuit noire pour aller servir la première messe. J'aimais la sacristie et ses grands placards de chêne ciré. Je revêtais l'aube et nouais à la taille une ceinture rouge à franges; je me préoccupais des burettes, des hosties, du calice; j'allais allumer les bougies avec une mèche au bout d'un roseau; je sonnais l'angélus en me suspendant à la grosse corde; je revenais aider monsieur le curé à enfiler sa chasuble. Enfin nous entrions en scène, moi le premier, mains jointes, yeux baissés.

L'abbé Gazel m'avait pris en affection. C'était un homme grand, maigre, dressé sur ses pieds plats, avec un nombre incroyable de petits boutons noirs sur toute la hauteur de sa soutane. Il me surveillait d'un œil mobile, attentif. L'autre œil, au cristallin opaque, était mort. On racontait qu'une étincelle de phosphore malencontreusement jaillie l'avait rendu borgne. Je le retrouvais à midi et demi, sitôt avalée ma soupe, pour des leçons d'harmonium. Sa vieille bonne m'ouvrait la porte. L'abbé Gazel m'attendait dans son salon encombré de belles images pieuses. La porte-fenêtre était entrebâillée sur le jardin embaumé. La fenêtre donnait sur la place et je pouvais entendre jouer les autres écoliers. Je ne les enviais pas. Depuis que j'avais atteint l'âge de raison, je ne touchais plus terre. J'étais porté par l'encens, par la musique, par la poésie. Je m'instruisais avec délices.

Il me semble que si Belvianes est dédié à la chère ombre de mon père, si je voue Barbaira au souvenir de ma mère, Bagnoles, en revanche, m'appartient en propre. Les grandes personnes existaient à peine. Ce fut le village dont le prince était un enfant. J'étais ce prince et j'y régnais, me semble-t-il, aussi bien à la mairie qu'à l'église, éperdu de responsabilité, veillant sur deux veuves, sur mes devoirs, sur

l'angélus, et sur la grande nuit d'été qui faisait une immense voûte, au-dessus du moulin à vent démantelé, pendant qu'assis dans l'herbe je me redisais le nom des étoiles. J'y connus des triomphes. A Pâques, étrennant une marinière blanche et un pantalon long, je tins l'harmonium. Au 11 novembre, à l'inauguration d'une plaque aux morts de la guerre, c'est moi qui récitai : « Ceux qui pieusement... ». Le style édifiant ramené par Louis XVIII avait imprégné ce village jusqu'à la moelle du sureau. Au presbytère tout était bon : les bonnes œuvres, les bons livres, la bonne presse, la bonne du curé. Si jamais la République vint jusqu'ici, elle n'avait fait que passer. La congrégation en avait lavé la moindre trace à l'eau bénite. Chaque fois que je vois, à l'entrée d'une ville, un monument de pierre molle commémorant une mission, je pense à cette France d'après Waterloo, condamnée à l'expiation du régicide, repentante, pénitente, promenant ses bannières et ses cantiques, retombée dans les extases de Marie Alacoque, enfumée d'encens, grisée de fadeur, agenouillée devant le sacré viscère. Bagnoles s'était plu, sans doute, à ce trouble repentir et y restait fidèle. L'abbé Gazel parlait le langage ineffable de la piété. Il appelait Joseph « le très chaste époux », Marie « la bienheureuse vierge » et Jésus « doux Jésus ».

Était-ce vraiment la même histoire? Était-ce vraiment la même France? Qu'étaient-ils devenus, les loups au bonnet rouge? Les voici, tête basse, démobilisés, traînant la jambe derrière le Saint Sacrement et chantant d'une voix sucrée : « Sauvez, sauvez la France, au nom du Sacré-Cœur. »

Mais leurs enfants gardent la mémoire des anciens jours. Ils ont retrouvé la trompette guerrière rangée au grenier. Ils l'emportent sous leur blouse pour s'y essayer à l'abri d'un talus. Leur petite bouche maladroite collée à l'embouchure, ils cherchent à se rappeler. Pour si fort que dorme un village, par un après-midi de juillet, on y entend toujours dans le lointain le taratata d'un clairon qui s'exerce.

Le jeune Jules — qui devait devenir le grand Michelet — n'était encore qu'un collégien pauvre. Il allait sur ses dix-sept ans en cette année 1815 où la royauté prenait ses aises. Il était né de justesse sous le calendrier républicain, l'an VII. Si peu que ce soit, ce serait le trait d'union entre les géants décapités et la postérité. De terribles ombres sans tête lui donnaient la main. La pauvreté lui a servi d'aiguillon. Il me fut toujours un exemple. Il évoque ici ses jeunes années.

LE COLLÉGIEN MICHELET

Le plus souvent, je partais pour le collège à jeun, l'estomac et la tête vides. Quand ma grand'mère venait nous voir, c'étaient les bons jours; elle m'enrichissait de quelque petite monnaie. Je calculais alors sur la route ce que je pourrais bien acheter pour tromper ma faim. Le plus sage eût été d'entrer chez le boulanger; mais comment trahir ma pauvreté en mangeant mon pain sec devant mes camarades? D'avance, je me voyais exposé à leurs rires et j'en frémissais. Cet âge est sans pitié...
Aujourd'hui, cette indigence née de la persécution, fièrement, noblement supportée par les miens, fait ma gloire. Alors, elle me semblait une honte et je la cachais de mon mieux. Terrible respect humain.
Pour échapper aux railleries, j'imaginai d'acheter quelque chose d'assez substantiel pour me soutenir et qui ressemblât pourtant à une friandise. Le plus souvent, c'était le pain d'épice qui faisait les frais de mon déjeuner.

Il ne manquait pas de boutiques en ce genre sur mon chemin. Pour deux sous on avait un morceau magnifique, un homme superbe, un géant par la hauteur de la taille ; en revanche, il était si plat que je le glissais dans mon carton, et il ne le gonflait guère.

Pendant la classe, quand je sentais le vertige me saisir et que mes yeux voyaient trouble par l'effet de l'inanition, je lui cassais un bras, une jambe que je grignotais à la dérobée. Mes voisins ne tardaient guère à surprendre mon petit manège. « Que manges-tu là ? » me disait Révol, ou Poret. Je répondais, non sans rougir : « Mon dessert ».

En toute saison, je portais un petit habit tête de nègre. Par les temps de gelée, il devenait fort sec. La bise me transperçait jusqu'à la moelle des os. N'importe, malgré l'hiver, les engelures qui s'étaient ouvertes et me faisaient cruellement souffrir, je me levais avant le jour pour relire la volumineuse « Histoire ancienne » de Rollin. Je m'enfonçais dans mes chères études, y cherchant un secours, espérant oublier. Il me semblait que c'était anéantir la misère que d'y moins songer.

Je pense à un autre collégien qui aida la République à se survivre. Il lui était arrivé la chose la plus extraordinaire qui puisse arriver à un petit pensionnaire. Il avait alors neuf ans. Il faisait chaud. Il étouffait sous sa lourde vareuse d'uniforme. Soudain la classe fut interrompue par un grand vacarme qui montait de la rue. C'était si violent, si énorme, que le maître décida de monter voir ce qui se passait. Les élèves grimpèrent à sa suite. Et c'est du haut des toits de son collège que le petit Béranger assista ainsi à la prise de la Bastille. C'était le 14 juillet 1789. On oublie toujours qu'il y a un enfant dans un coin qui témoignera plus tard.

Le moment était venu.

Béranger fut le premier à confondre Napoléon et la Révolution. Ses souvenirs d'enfance démêlaient mal la vertu de la gloire. Et puis, force était d'en passer par là. La République gisait écrasée sous l'empereur. Pour l'aider à respirer, il fallait d'abord relever la statue du tyran. Il était encore de ce monde, si peu, dans un îlot perdu, mais assez pour faire reprendre le feu éteint. Béranger souffla dessus.

Chaque fois qu'une porte d'auberge s'ouvrait sur la nuit et qu'un voyageur emmitouflé apparaissait, les cœurs tressaillaient. Si c'était lui...? Mais en 1821 son îlot devint sa tombe. N'empêche, l'étincelle avait passé, la flamme s'avivait sous la cendre. On ne l'oublierait plus. On vendait son buste en contrebande. Il était désormais dans chaque foyer, comme un revenant se chauffant les bottes. A cause de cette chanson, j'ai toujours cru que ma grand-mère avait connu Napoléon..

LES SOUVENIRS DU PEUPLE

On parlera de sa gloire
Sous le chaume bien longtemps.
L'humble toit, dans cinquante ans,
Ne connaîtra plus d'autre histoire.

Là viendront les villageois
Dire alors à quelque vieille :
« Par des récits d'autrefois,
Mère, abrégez notre veille.
Bien, dit-on, qu'il nous ait nui,
Le peuple encor le révère.
Parlez-nous de lui, grand'mère ;
Parlez-nous de lui.

— Mes enfants, dans ce village,
Suivi de rois, il passa.
Voilà bien longtemps de ça :
Je venais d'entrer en ménage.
A pied grimpant le coteau
Où pour voir je m'étais mise,
Il avait petit chapeau
Avec redingote grise.
Près de lui je me troublai ;
Il me dit : « Bonjour, ma chère ».
— Il vous a parlé, grand'mère !
Il vous a parlé !

— L'an d'après, moi, pauvre femme,
A Paris étant un jour,
Je le vis avec sa cour :
Il se rendait à Notre-Dame.
Tous les cœurs étaient contents ;
On admirait son cortège.
Chacun disait : « Quel beau temps !
Le ciel toujours le protège ».
Son sourire était bien doux ;
D'un fils Dieu le rendait père.
— Quel beau jour pour vous, grand'mère !
Quel beau jour pour vous !

— Mais quand la pauvre Champagne
Fut en proie aux étrangers,
Lui, bravant tous les dangers,
Semblait seul tenir la campagne !
Un soir, tout comme aujourd'hui,
J'entends frapper à la porte :
J'ouvre. Bon Dieu ! c'était lui,
Suivi d'une faible escorte.
Il s'asseoit où me voilà,
S'écriant : « Oh ! quelle guerre ! »
— Il s'est assis là, grand'mère !
Il s'est assis là !

« J'ai faim », dit-il ; et bien vite

Je sers piquette et pain bis;
Puis il sèche ses habits.
Même à dormir le feu l'invite.
Au réveil, voyant mes pleurs,
Il me dit : « Bonne espérance!
Je cours de tous ses malheurs,
Sous Paris, venger la France ».
Il part; et comme un trésor
J'ai depuis gardé son verre.
— Vous l'avez encor, grand'mère!
Vous l'avez encor!

— Le voici. Mais à sa perte
Le héros fut entraîné.
Lui, qu'un pape a couronné,
Est mort dans une île déserte.
Longtemps aucun ne l'a cru;
On disait : « Il va paraître.
Par mer il est accouru;
L'étranger va voir son maître ».
Quand d'erreur on nous tira,
Ma douleur fut bien amère!
— Dieu vous bénira, grand'mère,
Dieu vous bénira ».

On allait oublier le sinistre Empire pour ne se souvenir que de ses trois couleurs. La France eût volontiers avalé son roi, qui était plutôt brave homme, mais le drapeau blanc restait en travers. Béranger faisait feu de tout bois. Et pourquoi pas d'une hampe? De cabaret en cabaret sa chanson réchauffait les joues pâles. Il en profitait pour nous débarrasser de l'aigle et inventer le coq. Ce coq devait bientôt devenir officiel. Mais secouons d'abord la poussière « qui ternit les nobles couleurs ».

LE VIEUX DRAPEAU

De mes vieux compagnons de gloire
Je viens de me voir entouré;
Nos souvenirs m'ont enivré,
Le vin m'a rendu la mémoire.
Fier de mes exploits et des leurs,
J'ai mon Drapeau dans ma chaumière...
Quand secourai-je la poussière
Qui ternit ses nobles couleurs?

Il est caché sous l'humble paille

Où je dors pauvre et mutilé,
Lui qui, sûr de vaincre, a volé
Vingt ans de bataille en bataille!
Chargé de lauriers et de fleurs,
Il brilla sur l'Europe entière...
Quand secourai-je la poussière
Qui ternit ses nobles couleurs?

Ce Drapeau payait à la France
Tout le sang qu'il nous a coûté.
Sur le sein de la Liberté,
Nos fils jouaient avec sa lance.
Qu'il prouve encore aux oppresseurs
Combien la gloire est roturière...
Quand secourai-je la poussière
Qui ternit ses nobles couleurs?

Son aigle est restée dans la poudre
Fatiguée de lointains exploits.
Rendons-lui le coq des Gaulois,
Il sut aussi lancer la foudre.
La France, oubliant ses douleurs,
Le rebénira, libre et fière...
Quand secourai-je la poussière
Qui ternit ses nobles couleurs?

Las d'errer avec la Victoire,
Des lois il deviendra l'appui.
Chaque soldat fut, grâce à lui,
Citoyen aux bords de la Loire.
Seul il peut voiler nos malheurs.
Déployons-le sur la frontière...
Quand secourai-je la poussière
Qui ternit ses nobles couleurs?

Mais, il est là, près de mes armes;
Un instant osons l'entrevoir
Viens, mon Drapeau! Viens, mon espoir!
C'est à toi d'essuyer mes larmes.
D'un guerrier qui verse des pleurs
Le Ciel entendra la prière...
Oui, je secourai la poussière
Qui ternit ses nobles couleurs.

On imagine mal ce que fut la gloire de Béranger. Mon vieux Larousse en dix-huit volumes dit de lui : « l'homme du siècle le plus célèbre après Napoléon ». Que les chansons montent haut, et passent vite! Il ne reste plus rien de Béranger. Pas même un monument, car le sien fut aussi une chanson, composée par un de ses disciples, encore plus oublié, Frédéric Bérat. Mais j'aime cette Lisette qui se croyait immortelle et qui n'est qu'une fleur séchée dans les pages d'un vieux bouquin.

LA LISETTE DU CHANSONNIER

Enfants, c'est moi qui suis Lisette,
La Lisette du chansonnier
Dont vous chantez plus d'une chansonnette
Matin et soir sous le vieux marronnier.
Ce chansonnier dont le pays s'honore,
Oui, mes enfants, m'aima d'un tendre amour;
Son souvenir m'enorgueillit encore,
Et charmera jusqu'à mon dernier jour.

Lui qui d'un beau ciel d'ombrages
Avait besoin pour ses chansons,
Fidèle au peuple il vengea ses outrages
Et respira l'air impur des prisons.
Des insensés qu'aveuglait leur puissance
Juraient alors d'étouffer ses accents;
Mais, dans les fers, son luth chantait la France,
La liberté, Lisette et le Printemps.

Un jour, enfants, dans ce village
Un marchand d'images passant,
Me proposa — Dieu l'envoyait, je gage! —
De Béranger un portrait ressemblant.
J'aurais donné jusqu'à mes tourterelles!
Ses traits chéris, je les vois tous les jours.
Hier encor, de pervenches nouvelles,
De frais lilas, j'ai fleuri mes amours.

De frais lilas, j'ai fleuri mes amours.

Décidément, c'est le lilas qui parfume les souvenirs de Bagnoles. Alfred de Musset avait juste vingt ans quand revint le drapeau tricolore que Béranger avait épousseté. En attendant, Alfred fut un adolescent pâle et fiévreux, vêtu de deuil, se retournant tristement vers ce qui venait de finir et dont le ciel était encore empourpré. Des bouffées de gloire, parfois, sortaient d'une taverne mal famée, avec des chansons à boire. Mais tout semblait enseveli sous les fleurs, sous des jonchées de pétales qui dessinaient l'interminable chemin des processions. Petit page shakespearien, velours noir et soie blanche, regardant derrière lui les grandes ombres qui s'effacent, il a témoigné pour toute cette jeunesse orpheline, enivrée de lys jusqu'à l'écœurement.

UNE GÉNÉRATION CHÉTIVE

Pendant les guerres de l'Empire, tandis que les maris et les frères étaient en Allemagne, les mères inquiètes avaient mis au monde une génération ardente, pâle, nerveuse. Élevés dans les collèges au roulement des tambours, des milliers d'enfants se regardaient entre eux d'un œil sombre, en essayant leurs muscles chétifs. De temps en temps leurs pères ensanglantés apparaissaient, les soulevaient sur leurs poitrines chamarrées d'or, puis les posaient à terre et remontaient à cheval.

Un seul homme était en vie alors en Europe; le reste des êtres tâchait de se remplir les poumons de l'air qu'il avait respiré. Chaque année, la France faisait présent à cet homme de trois cent mille jeunes gens; c'était l'impôt payé à César, et, s'il n'avait ce troupeau derrière lui, il ne pouvait suivre sa fortune. C'était l'escorte qu'il lui fallait pour qu'il pût traverser le monde, et s'en aller tomber dans une petite vallée d'une île déserte, sous un saule pleureur.

Jamais il n'y eut tant de nuits sans sommeil que du temps de cet homme; jamais on ne vit se pencher sur les remparts des villes un tel peuple de mères désolées; jamais il n'y eut un tel silence autour de ceux qui parlaient de mort. Et pourtant jamais il n'y eut tant de joie, tant de vie, tant de fanfares guerrières, dans tous les cœurs. Jamais il n'y eut de soleils si purs que ceux qui séchèrent tout ce sang. On disait que Dieu les faisait pour cet homme, et on les appelait ses soleils d'Austerlitz. Mais il les faisait bien lui-même avec ses canons toujours tonnants, et qui ne laissaient des nuages qu'aux lendemains de ses batailles.

C'était l'air de ce ciel sans tache, où brillait tant de gloire, où resplendissait tant d'acier, que les enfants respiraient alors. Ils savaient qu'ils étaient destinés aux hécatombes; mais ils croyaient Murat invulnérable, et on avait vu passer l'empereur sur un pont où sifflaient tant de balles, qu'on ne savait s'il pouvait mourir. Et quand on aurait dû mourir, qu'était-ce que cela? La mort elle-même était si belle alors, si grande, si magnifique dans sa pourpre fumante! elle ressemblait si bien à l'espérance, elle fauchait de si verts épis, qu'elle était comme devenue jeune, et qu'on ne croyait plus à la vieillesse. Tous les berceaux de France étaient des boucliers, tous les cercueils en étaient aussi; il n'y avait vraiment plus de vieillards, il n'y avait que des cadavres ou des demi-dieux.

Cependant l'immortel empereur était un jour sur une colline à regarder sept peuples s'égorger; comme il ne savait pas encore s'il serait le maître du monde ou seulement de la moitié, Azraël passa sur la route, il l'effleura du bout de l'aile et le poussa dans l'Océan. Au bruit de sa chute, les puissances moribondes se dressèrent sur leurs lits de douleur, et avançant leurs pattes crochues, toutes les royales araignées découpèrent l'Europe, et de la pourpre de César se firent un habit d'Arlequin.

De même un voyageur, tant qu'il est sur le chemin, court nuit et jour par la pluie et par le soleil, sans s'apercevoir de ses veilles ni des dangers; mais dès qu'il est arrivé au milieu de sa famille et qu'il s'asseoit devant le feu, il éprouve une lassitude sans bornes et peut à peine se traîner à son lit : ainsi la France, veuve de César, sentit tout à coup sa blessure. Elle tomba en défaillance, et s'endormit d'un si profond sommeil que ses vieux rois, la croyant morte, l'enveloppèrent d'un linceul blanc. La vieille armée en cheveux gris rentra épuisée de fatigue, et les foyers des châteaux déserts se rallumèrent tristement.

Alors ces hommes de l'Empire, qui avaient tant couru et tant égorgé, embrassèrent leurs femmes amaigries, et parlèrent de leurs premières amours; ils se regardèrent dans les fontaines de leurs prairies natales, et ils s'y virent si vieux, si mutilés, qu'ils se souvinrent de leurs fils, afin qu'on leur fermât les yeux. Ils demandèrent où ils étaient; les enfants sortirent des collèges, et, ne voyant plus ni sabres, ni cuirasses, ni fantassins, ni cavaliers, ils demandèrent à leur tour où étaient leurs pères. Mais on leur répondit que la guerre était finie, que César était mort, et que les portraits de Wellington et de Blücher étaient suspendus dans les antichambres des consulats et des ambassades, avec ces deux mots au bas : *Salvatoribus mundi* (Aux sauveurs du monde).

Alors s'assit sur un monde en ruines une jeunesse soucieuse. Tous ces enfants étaient des gouttes d'un sang brûlant qui avait inondé la terre; ils étaient nés au sein de la guerre, pour la guerre. Ils avaient rêvé pendant quinze ans des neiges de Moscou et du soleil des Pyramides. Ils n'étaient pas sortis de leurs villes; mais on leur avait dit que, par chaque barrière de ces villes, on allait à une capitale d'Europe. Ils avaient dans la tête tout un monde; ils regardaient la terre, le ciel, les rues, les chemins. Or tout cela maintenant était vide, et les cloches de leurs paroisses résonnaient seules dans le lointain.

Bagnoles était par excellence une paroisse. Et non pas une commune, comme Belvianes ou, plus tard, Barbaira. Les cloches y étaient patronnes. La République y faisait à peine son entrée, avec ma mère. Une entrée discrète et émouvante, l'entrée d'une veuve donnant la main à deux petits garçons. Une paroisse se distingue facilement d'une commune; on la reconnaît à coup sûr à ceci : c'est l'habitant le plus riche qui en est maire. A Bagnoles il s'appelait Monsieur Miailhe; il portait des leggins, la vareuse de velours côtelé, le fusil en bandoulière. Honnête et « réac ». Le village l'appelait « monsieur » tout court. Il possédait une belle maison, de grandes terres à céréales, un parc ténébreux séparé des communs par les eaux calmes d'un « béal » avec lequel il irriguait ses prairies et ses jardins. Il s'inclina devant notre deuil, ne voulant retenir que le sacrifice de mon père « mort pour la France ». Il confia le secrétariat de mairie à ma mère. Et c'est ainsi que, dissimulée sous les crêpes de la patrie, la République prit possession de ce salon municipal qui n'avait été, jusqu'ici, qu'une succursale du château. Désormais, sur le tapis vert à lourdes franges de soie, on vit à côté de l'Éclair, royaliste, imprimé en bistre, la Dépêche, républicaine, à laquelle ma mère était abonnée.

Le corridor d'entrée donnait par la porte de derrière sur un petit jardin clos, où ma grand-mère installa aussitôt ses choux et ses tomates. (La récréation avait lieu en dehors de l'école, sur un terrain voisin).

Un jour, au-dessus du mur mitoyen, apparut la tête d'un vieux curé. Il était monté sur une échelle pour faire la connaissance de ma mère. Il se présenta. C'était l'abbé Beychères, professeur de philosophie en retraite. « Une sorte de monsieur Bergeret d'en face », disait ma mère qui savait tout Anatole France. Suivant ses travaux rustiques, le voisin en rabat apparaissait nu-tête, ses cheveux blancs hérissés de brindilles, ou coiffé d'un chapeau de paille d'où débordaient des feuilles de figuier qui entretenaient de la fraîcheur sur son front, ou encore masqué d'une étamine noire les jours où il s'occupait de ses abeilles. L'abbé Beychères surgissait vers une heure l'hiver, vers cinq heures l'été. Son neveu unique était mort soldat dans un hôpital de Rhénanie, et l'institutrice et le curé communiaient par-dessus le mur dans un même deuil. L'abbé philosophait doucement du haut de son échelle et sa parole consolante devenait précieuse à ma mère. Ils échangeaient des livres, des fleurs. Bientôt, de notre côté, il y eut aussi une échelle appuyée en permanence contre le mur mitoyen. Quand le vieil abbé était malade, où s'il pleuvait plusieurs jours à la suite, une vraie tristesse tombait sur le jardin.

Jamais le mur ne fut franchi; aux yeux du village l'Eglise et la République s'ignoraient. Mais, par-derrière, elles bavardaient familièrement. L'histoire locale était un sujet inépuisable et moins brûlant que les souvenirs de l'affaire Dreyfus. Le curé philosophe était aussi archéologue. Il avait mis au jour les ruines d'une fontaine romaine, dans une sienne prairie, sur quoi il communiquait avec la Société Savante de Carcassonne. Ma mère le questionnait sur des débris de poterie ramassés au cours de nos promenades. Elle s'aidait de lui pour accéder à la sérénité. Quand il redescendait de son échelle, nous essayions d'imaginer son jardin, sa brouette, sa maison, ses veillées. Monsieur Miailhe, le maire, nous seconda pour reconstituer la vie du personnage. Il jouissait à l'évêché, paraît-il, d'une grande réputation de théologien et de latiniste. Il aimait les antiquités, les abeilles, la logique formelle. Il partageait sa retraite avec ses deux vieilles sœurs dont l'une, restée demoiselle, s'occupait de sa chapelle, et l'autre, veuve, de son ordinaire. Il les avait exercées à son passe-temps favori qui était l'art du procès. Ils y jouaient tous les soirs. On puisait le thème au hasard dans une collection d'annales judiciaires. Puis on tirait au sort les trois rôles : avocat, procureur, juge. Et l'on plaidait à perdre haleine. Les trois vieux enfants se disputaient ainsi, passionnément, à propos de bornages, de servitudes, d'adultères, parfois de crimes, en d'interminables veillées.

Grâce à ses deux abbés, le philosophe en retraite et le curé en exercice, Bagnoles vivait dans une espèce de bénédiction dont j'éprouve encore le charme, si longtemps après. Je comprends que la France succombe si souvent à la tentation des reposoirs. J'ai gardé de ce village à l'heure ancienne, protégé par ses saints en sabots, un souvenir délicieux — quelque chose comme le mythe de Domremy. J'ai aimé sa petite église. Je lui dois sans doute de donner un sens aux cinq mots clés dont Baudelaire a fait sa profession de foi : ordre, beauté, luxe, calme, volupté. Ceux qui s'indignent des profusions saint-sulpiciennes et qui réclament des temples nus, n'ont sans doute pas connu l'austérité d'une enfance pauvre. Pour moi, malgré ce que représentait de confort le traitement d'une institutrice, le mobilier d'un grand-père menuisier, les infinies ressources culinaires d'une grand-mère fourmi, je dois toute la grâce du monde à l'église de Bagnoles. Elle était ma richesse. Elle m'a prêté tout ce que les châteaux gardent jalousement pour eux : ses tapis, ses chandeliers, ses broderies d'or, ses damas, ses bois sculptés, ses brassées de lys, sa vaisselle d'argent. Et sans son autel, jamais je n'aurais pu mettre la table avec une nappe de dentelle.

Bref, je succombais. Je m'amuse de ce que l'Histoire telle que je l'apprenais alors, si intimement mêlée à ma vie d'écolier, épouse désormais mes souvenirs d'enfance. J'aime me confondre, dans le décor de Bagnoles, avec ces orphelins du siècle, exsangues, défaillants, un peu filles, mais qui se savaient frustrés de la grande Révolution; comme parfois, avec un pincement au cœur, je me remémorais la photographie sévère de mon père. Leur tuteur, aussi, manquait un peu de fermeté. Je veux dire Lamartine. Il faut pourtant lui savoir gré d'avoir su forcer son souffle, surmontant sa mélancolie. La Restauration ne fut pas qu'un lit de roses. Elle commença par la terreur blanche. Les choses ne se tassèrent que quand les émigrés eurent repris leurs terres, ou du moins leurs récoltes. Les dépossédés, rejetés aux forêts, se firent alors charbonniers, c'est-à-dire « carbonari ». On s'exerça au complot; la République, comme en hibernation, prit la forme d'une société secrète. Si secrète qu'on pouvait la croire disparue.

Dès le lendemain de Waterloo, bien des sans-culottes s'étaient retrouvés chouans. On commença par faire un très mauvais parti aux généraux chamarrés qui avaient tant laissé de morts sur les champs de bataille. De quoi les punissait-on? D'avoir trahi la Révolution? décapité le roi? renié l'Empereur? De toute façon, on ne se trompait pas beaucoup en les punissant. Le maréchal Brune sert d'exemple en tête de ces pages de Lamartine qui racontent quinze ans de Restauration.

ASSASSINAT DU MARÉCHAL BRUNE

Arrivé le 2 août au matin à Avignon, le maréchal s'arrêta dans une hôtellerie de la ville, voisine du Rhône. Le bruit de sa présence se répandit à l'instant parmi cette population oisive qui couvre les quais, les rues, les places dans ce climat où l'on vit en plein air. La moindre rumeur produit une émotion et un rassemblement parmi ce peuple debout et mobile. Le nom du maréchal Brune, victime d'une odieuse calomnie, était resté synonyme d'un grand crime dans l'imagination du Midi. On avait répandu que ce maréchal, alors artisan et féroce révolutionnaire, avait participé aux massacres de septembre 1792 dans les prisons de Paris, et qu'il avait promené à travers les rues la tête sanglante de la belle et innocente princesse de Lamballe.

Ce bruit sinistre, démenti en vain par toute sa vie de soldat et par son absence même de Paris au moment du crime, circule dans la foule. On ajoute que ce séide de Bonaparte se rend non à Paris auprès du roi, mais à l'armée de la Loire pour en prendre le commandement et pour revenir châtier le Midi. A ces rumeurs fomentées par des voix accréditées dans le peuple, l'hôtel où le maréchal était descendu est assailli par une foule immense. En vain on ferme les portes et on les barricade.

Au moment où le calme se rétablit sur la place, une détonation mortelle retentit dans l'intérieur de l'hôtel, et la fumée de plusieurs coups de feu sort par la fenêtre de la chambre où le maréchal attendait son sort.

Une poignée d'assaillants, renonçant à pénétrer par la porte, avaient escaladé les toits des maisons voisines sans être aperçus, et, rampant de là jusqu'aux lucarnes de l'hôtel, ils étaient entrés dans la chambre où Brune se croyait délivré. Il lisait en ce moment, pour se raffermir et se consoler de tant de haine, une lettre affectueuse et tendre de sa femme. Debout devant ses assassins, il ne pâlit pas et ne s'abaissa pas aux supplications.
— Que me voulez-vous? leur dit-il d'une voix calme.
Un premier coup de pistolet lui répondit, mais d'un geste il a détourné le canon, et la balle se perd. Un deuxième coup de carabine le frappe à la tête et l'étend mort aux pieds de ses meurtriers. Des hurlements de joie célèbrent le crime dans les rangs de la multitude.

On remarquera que, quand la foule agit mal, elle ne s'appelle plus « le peuple », mais « la multitude ». Elle en voulait surtout au maréchal Brune d'être un « parvenu ». Bientôt, au contraire, elle s'indignerait qu'on puisse être « né ». Après un fils du peuple, ce fut le fils du roi qui paya. Les Bourbons avaient pavoisé trop tôt. L'arme de la colère nationale, c'est la francisque; elle frappe des deux côtés; elle n'est pas borgne mais aveugle. Lamartine met ici en scène un orphelin de la Révolution, tout à fait ressemblant, qui se fait régicide.

ASSASSINAT DU DUC DE BERRY

Louvel, né quatre ans avant la République, avait reçu cette espèce d'éducation romaine que la Convention et le Directoire faisaient donner alors en commun aux enfants du peuple, au milieu des cérémonies populaires et des fêtes patriotiques. Là, des spectacles, des discours, des hymnes enlevaient l'âme des enfants au vieux culte, et s'efforçaient de les enflammer pour la raison, pour la patrie et pour la liberté. Il en était resté en lui un long et fort retentissement. Il avait suivi plus tard par un besoin de foi inhérent à sa nature réfléchie, le culte des théophilanthropes, sorte de déisme populaire, mis en morale et en spectacle par le directeur Larreveillère-Lépaux. Les sources de ses idées paraissent avoir surgi de ces deux impressions de son enfance : le dévouement fanatique à la Révolution et le zèle aveugle pour la patrie.
Il se renfermait en lui-même, lisant et ruminant les livres, les journaux, les chants populaires, dans lesquels les publicistes de la Révolution, les pamphlétaires libéraux et les poètes napoléoniens s'associaient alors dans une ligue hétérogène, pour exalter à la fois la République, l'Empire, la liberté, et pour tourner contre les Bourbons tous les cœurs, tous les esprits, toutes les haines et tous les mépris du peuple.

A l'appel des écuyers du Prince, la voiture de la duchesse s'avance vers la porte. La jeune princesse soutenue d'un côté par la main de son mari, de l'autre par celle de son écuyer, s'élance dans son carrosse; sa dame d'honneur monte après elle. « Adieu », s'écrie en leur souriant son mari, « nous nous reverrons tout à l'heure ». Les valets de pied relèvent le marchepied, et le Prince se retourne pour rentrer de la rue dans le vestibule. A ce moment, Louvel, qui s'était rapproché comme un curieux inoffensif ou comme un serviteur attendant son maître, s'élance de toute la force de sa résolution entre la sentinelle qui présentait les armes et le valet de pied qui fermait la portière, et saisissant d'une main l'épaule du duc de Berry, comme pour fixer sa victime sous son couteau, il le frappe de la main droite dans le flanc d'un coup de son poignard qui laissa le fer dans la blessure. La promptitude du mouvement, la confusion du groupe, les ténèbres mal éclairées par les torches, le chancellement du prince sous le coup, empêchent au premier moment de discerner le geste et l'acte meurtrier d'un inconnu. Il s'enfuit sans être poursuivi et, après avoir tourné l'angle de la rue, il marche à pas indifférents vers le boulevard.

Enfin, l'échafaud reprend du service. C'est pour trancher quatre têtes d'affilée et décapiter, d'un coup si possible, l'hydre révolutionnaire qui bouge à nouveau.

La République de l'ombre, il faut bien le constater, n'est pas montée en grade. Ceux qui furent ses généraux imberbes ne sont plus que sergents. Le peuple doit savoir se contenter des sardines de sous-officier. Un si modeste galon a laissé dans l'anonymat ces héroïques « carbonari » pour lesquels Lamartine tresse une couronne. Ils sont passés à la postérité sous un nom collectif.

LES QUATRE SERGENTS DE LA ROCHELLE

Les quatre condamnés adolescents dont l'enthousiasme, la séduction, la jeunesse sont tout le crime, se jettent dans les bras les uns des autres et s'entre-consolent de mourir en envoyant des regrets à leurs mères et en jetant leur sang à la liberté! La nuit, les flambeaux, les sanglots des spectateurs ajoutent à l'horreur et à la pitié de cette tragédie. Le tribunal prononce, entouré à son insu des complices des quatre victimes. Douze mille Carbonari des ventes de Paris jurent aux condamnés de les enlever au supplice en se rangeant derrière la haie des gendarmes qui doivent border les rues, et en poignardant chacun un des exécuteurs de la sentence. D'autres tentent de corrompre le directeur de leur prison et de les faire évader à prix d'or. Le directeur, qui veut assurer, en fuyant avec ses prisonniers, le sort de sa famille, demande 70 000 francs pour leur rançon. On porte ces conditions à Monsieur de La Fayette; elle sont acceptées. Les carbonari se cotisent, les 70 000 francs sont portés en or à celui qui répond des portes du cachot. La police, avertie, surprend les libérateurs au moment où ils comptent l'or au geôlier.

Les Carbonari de la capitale en reviennent au plan de délivrance à force ouverte; ils conviennent de se grouper en masse irrésistible aux abords de la place de Grève, d'entourer les chars, de couper les liens, de disperser les soldats, de noyer les quatre martyrs dans la foule, de les déguiser sous des costumes d'emprunt, de leur préparer, de leur assurer des moyens de fuite hors de France.

On transporte Bories et ses compagnons de supplice à la Conciergerie. On les enferme dans des cachots séparés, témoins de l'agonie civique des Girondins. Ils s'entretiennent ensemble à haute voix à travers les murs. L'un d'eux s'endort; son voisin de cachot le réveille : « Tu es bien pressé », lui crie-t-il, « dans deux heures ne dormirons-nous pas tous ensemble? Entretenons-nous du moins jusque-là ».

Les deux heures écoulées, ils montèrent chacun dans une des charrettes qui devaient les porter à l'échafaud. Une foule immense encombrait, derrière la haie des troupes, les rues, les ponts, les places que le cortège avait à traverser. Les condamnés pleins d'une espèce d'espérance, promenaient leurs regards sur cette foule, ne doutant pas qu'elle fût pleine de leurs complices, et que des milliers de cœurs n'y battissent de pitié, d'indignation, de vengeance pour eux. Ils croyaient à chaque mouvement de ce peuple voir des milliers de bras se lever pour leur délivrance. Aucun ne se leva. Ces sociétés secrètes subirent, immobiles en impuissance et en lâcheté, le contre-coup de la hache qui trancha quatre têtes de leurs jeunes martyrs.

La France était réduite à la prison des charmes. Ce sera le cas d'autres fois encore. L'odeur des lys et le son des cloches agissent puissamment. Tout le monde était à la procession, sauf quelques gentilhommes boudeurs, réfugiés dans leurs manoirs humides où ils veillaient obstinément sur les dernières braises d'un feu qui avait illuminé leur enfance. Parmi ces hobereaux grognons, auxquels la République doit tant, il faut faire place, à côté de Lamartine, à Paul-Louis Courier. L'un moisit en Bourgogne, l'autre ronchonne en Touraine. Le vin du souvenir alimente leurs songes. L'un soupire, l'autre fouette. Il est étonnant, ce demi-solde féru de grec qui cache une belle Hélène dans ses bocages d'Indre-et-Loire. Il publie des pamphlets de contrebande qui s'apprennent facilement par cœur, et que des colporteurs récitent de cabaret en cabaret. Cependant sa femme est une espèce de préfiguration de lady Chatterley. Ses gardes-chasses se mettent à deux pour fusiller l'époux gênant. Il finit dans le fait divers avant d'avoir vu revenir cette République vertueuse dont il rêvait. Contre l'expédition royaliste qui allait nous valoir l'encombrant Trocadéro, il écrivit cette volée de bois vert.

PROCLAMATION POUR RIRE

Soldats, vous allez rétablir en Espagne l'ancien régime et défaire la révolution. Les Espagnols ont fait chez eux la révolution ; ils ont détruit l'ancien régime, et à cause de cela on vous envoie contre eux ; et quand vous aurez rétabli l'ancien régime en ce pays-là, on vous ramènera ici pour en faire autant. Or, l'ancien régime, savez-vous ce que c'est, mes amis? C'est, pour le peuple, des impôts ; pour les soldats, c'est du pain noir et des coups de bâton ; des coups de bâton et du pain noir, voilà l'ancien régime pour vous. Voilà ce que vous allez rétablir, là d'abord, et ensuite chez vous. Les soldats espagnols ont fait en Espagne la révolution. Ils étaient las de l'ancien régime, et ne voulaient plus ni pain noir, ni coups de bâton ; ils voulaient autre chose, de l'avancement, des grades ; ils en ont maintenant, et deviennent officiers à leur tour, selon la loi. Sous l'ancien régime, les soldats ne peuvent jamais être officiers ; sous la révolution, au contraire, les soldats deviennent officiers. Vous entendez ; c'est là ce que les Espagnols ont établi chez eux, et qu'on veut empêcher. On vous envoie exprès, de peur que la même chose ne s'établisse ici, et que vous ne soyez quelque jour officiers. Partez donc, battez-vous contre les Espagnols ; allez, faites-vous estropier, afin de n'être pas officiers et d'avoir des coups de bâton.
Soldats, volez à la victoire, et quand la bataille sera gagnée, vous savez ce qui vous attend : les nobles auront de l'avancement, vous aurez des coups de bâton. Entrez en Espagne, marchez tambour battant, mèche allumée, au nom des puissances étrangères : vive la schlague ; vive le bâton ; point d'avancement pour les soldats, point de grades, que pour les nobles. Au retour de l'expédition, vous recevrez tout l'arriéré des coups de bâton qui vous sont dus depuis 1789. Ensuite, on aura soin de vous tenir au courant.

Voilà pourquoi les sergents de La Rochelle étaient restés sergents. Point de grades : des coups de bâton. Mieux encore : l'échafaud. L'essentiel est de veiller à l'imagerie. La Restauration s'y entendait. Elle remit en selle le bon roi Henri, sur

le Pont-Neuf. Elle prit pour hymne « La Belle Gabrielle ». Elle fit réchauffer la poule au pot et amusa la France avec des devinettes bébêtes du genre : « De quelle couleur est le cheval blanc d'Henri IV? ». Il fallait gauloiser en chœur, bon feu, bon gîte et le reste. Ce sont toujours les mêmes recettes. On redoutait par-dessus tout une revenante, une proscrite. On avait cassé sa statue, effacé sa trace, martelé son profil de Minerve. Son signalement était porté à l'attention de toutes les polices : une forte femme à la poitrine opulente, au cou puissant, aux lourdes cuisses, vêtue d'une longue tunique à l'athénienne, chaussée de spartiates, coiffée d'un bonnet phrygien : la République. On craignait son retour clandestin. Elle rentra tête haute, à visage découvert, sous son nom de jeune fille : la Grèce.

Il y eut comme un frémissement profond. La monarchie s'y trompait et envoyait sa flotte à Navarin. Mais le peuple l'avait reconnue tout de suite. C'était elle, rompant ses fers, échevelée, débordante, piaffante, la puissante poulinière resurgie de la litière où elle avait trop dormi.

Le soleil qui s'était couché dans l'Océan se levait en Morée. L'intruse avait déjoué les policiers. Son image, à nouveau, envahissait les chaumières. Sous ses voiles transparents, drapés à l'antique, elle éveillait les désirs inassouvis. Elle réclamait son socle favori : une barricade. Des chaînes brisées pendaient à ses poignets, en guise de bijoux. Et, comme pour donner le change à ses fureurs, elle se montrait accompagnée d'un petit garçon triste, que j'apprenais par cœur, l'enfant grec dont Victor Hugo a fait notre petit frère.

L'ENFANT GREC

Les Turcs ont passé là : tout est ruine et deuil.
Chio, l'île des vins, n'est plus qu'un sombre écueil,
Chio, qu'ombrageaient les charmilles,
Chio, qui, dans les flots, reflétait ses grands bois,
Ses coteaux, ses palais, et le soir quelquefois
Un chœur dansant de jeunes filles.

Tout est désert : mais non; seul, près des murs noircis,
Un enfant aux yeux bleus, un enfant grec, assis,
Courbait sa tête humiliée.
Il avait pour asile, il avait pour appui
Une blanche aubépine, une fleur, comme lui,
Dans le grand ravage oubliée.

— Ah! pauvre enfant, pieds nus sur les rocs anguleux!
Hélas! pour essuyer les pleurs de tes yeux bleus
Comme le ciel et comme l'onde,
Pour que, dans leur azur, de larmes orageux,
Passe le vif éclair de la joie et des jeux,
Pour relever ta tête blonde.

Que veux-tu, bel enfant? que faut-il tè donner,

Pour rattacher gaîment et gaîment ramener
En boucles sur ta blanche épaule
Ces cheveux qui, du fer, n'ont pas subi l'affront,
Et qui pleurent épars autour de ton beau front
Comme les feuilles sur le saule?

Veux-tu, pour me sourire, un bel oiseau des bois
Qui chante avec un chant plus doux que le hautbois,
Plus éclatant que les cymbales?
Que veux-tu? Fleur, beau fruit ou l'oiseau merveilleux?
— Ami, dit l'enfant grec, dit l'enfant aux yeux bleus,
Je veux de la poudre et des balles.

Ce n'est pas encore l'heure de Hugo. Elle sonnera bientôt. Mais il est là, déjà, dès le premier ébranlement des lents rouages rouillés. Il a vingt-sept ans, un gilet rouge, un génie désordonné, une outrance presque comique mais, dans ce fatras, le sens prophétique. Le grand poète, pourtant, ce n'est pas encore lui, c'est Casimir Delavigne. Au théâtre déjà, avec ses Vêpres Siciliennes, il a lancé le carbonarisme. L'antiquité va lui monter à la tête et lui inspirera les Messéniennes. Cela tient du messie, de la moisson, de messidor; un cœur républicain ne se trompe pas à cette messe-là.

Ce qui me plaît le plus, dans l'exercice de ce livre, c'est de réhabiliter les poètes officiels de la République. On ne sait trop pourquoi ils sont voués à la fosse commune. Leur métrique austère, leur souffle bruyant indisposent les commentateurs. Il n'y en a que pour les poètes de cour, dont on resuce les diphtongues à la Sorbonne, comme des pastilles contre la toux. Mais Marie-Joseph Chénier, Fabre d'Églantine, Béranger, Casimir Delavigne et tous ceux que vous allez trouver dans les pages suivantes, on les laisse à la voirie. Je suis heureux de les rétablir. Ce livre sera doux à leurs mânes.

Leurs vers, appris à l'école primaire, chantent souvent dans ma tête. En particulier le début de ce chant admirable que Casimir entonna pour la liberté retrouvée. Il nous a dotés à jamais d'un affluent salubre — celui où Sparte retrempait ses âmes fortes.

EUROTAS

Eurotas, Eurotas, que font ces lauriers-roses
Sur ton visage en deuil, par la mort habité
Est-ce pour faire outrage à ta captivité
Que ces nobles fleurs sont écloses?

Non, ta gloire n'est plus; non, d'un peuple puissant,
Tu ne reverras plus la jeunesse héroïque
Laver parmi tes lis ses bras couverts de sang,
Secouer la poudre olympique.

C'en est fait; et ces jours, que sont-ils devenus
Où le cygne argenté, tout fier de sa parure,
Des vierges dans ses jeux caressait les pieds nus,
Où tes roseaux divins rendaient un doux murmure,

Où, réchauffant Léda, pâle de volupté
Froide et tremblante encore au sortir de tes ondes,
Dans le sein qu'il couvait de ses ailes fécondes,
Un dieu versait la vie et l'immortalité?
C'en est fait; et le cygne, exilé d'une terre
Ou l'on enchaîne la beauté
Devant l'éclat du cimeterre
A fui comme la Liberté.

O sommet du Taygète, ô rives du Pénée
De la sombre Tempé les vallons silencieux
O campagnes d'Athène, ô Grèce infortunée,
Où sont pour t'affranchir tes guerriers et tes dieux?

Ils sont sur tes débris! Aux armes! voici l'heure
Où le fer te rendra les beaux jours que je pleure!
Voici la Liberté : tu renais à son nom :
Vierge comme Minerve, elle aura pour demeure
Ce qui reste du Parthénon.

Venait la Fête-Dieu. C'était la gloire de l'été. La veille tous les enfants étaient mobilisés pour aller aux genêts. Deux grandes filles m'avaient emmené avec elles vers les talus perdus tout fleuris d'or. La récolte est facile : on prend la tige lisse entre l'index et le majeur, on tire à soi, et l'on se retrouve la main pleine de pétales. Tige après tige on remplissait la corbeille. Il faisait doux, la soirée était si longue qu'il semblait que la nuit ne viendrait jamais. Nous étions saouls d'un si violent parfum. Je ne comprenais pas pourquoi mes compagnes énervées se roulaient dans l'herbe, sans souci de leurs jupes. J'en ai gardé un profond étonnement.

Le lendemain les grandes corbeilles servaient à remplir de petits paniers que les enfants de Marie, vêtues de mousseline blanche, portaient en sautoir, accrochés à leur cou par un ruban de soie. Et pendant que nous passions sous le dais en forme d'ombrelle, l'abbé Gazel portant l'ostensoir, et moi tenant un pan de sa lourde chape brodée, elles jetaient sous nos pas des poignées de pétales, comme tirés de leurs corsages. A chaque coin de rue il y avait un reposoir où les villageoises exposaient, autour d'une statuette de plâtre, tout ce qu'elles avaient de plus beau : leur table de toilette, leur châle de cachemire, leurs chandeliers d'étain, leur miroir ovale, leur boîte à gants en velours grenat.

La procession s'avançait vers les champs où le soleil était accablant. On n'oubliait pas une seule croix des alentours. On suait à grosses gouttes. Mais quel bonheur de retrouver les frais ombrages du village, avant de repartir vers une nouvelle dévotion. Soudain, à la sortie sud, sur la route de Malves, il y eut un incident que je n'oublierai jamais. Là, à la dernière maison, habitait un républicain farouche que tous ces encens irritaient à l'extrême. Il s'appelait, je crois, Ouradou. On l'appelait le communard.

Il possédait un harmonium puissant, hérité on ne sait d'où, dont il fit l'instrument du défi. Il l'avait poussé devant sa fenêtre ouverte et, dès le premier cantique, toutes souffleries déchaînées, pédalant comme un forcené, tapant comme un sourd, il attaqua les premières mesures de l' « Internationale. » L'abbé Gazel chanta plus fort. L'harmonium redoubla. Le Saint Sacrement tremblait d'indignation dans les mains du curé. Toute l'assistance n'avait d'yeux que pour le protestataire dont on apercevait seulement le chapeau, qu'il gardait sur sa tête, au-dessus de l'harmonium. On se montrait du doigt les inscriptions à la craie dont il avait couvert sa porte. On y voyait des escargots très bien dessinés, à la queue leu leu, avec ces mots : « bigots, cagots, escargots, tous à la procession. A bas la calotte. Vive la sociale ». Tout cela est gravé dans mon souvenir. Il me semblait que je vivais un moment d'histoire.

Ainsi surgit soudain, au détour de la Fête-Dieu, la révolution de juillet.

Nous allons retrouver notre cher Louis Blanc. Il a dix-neuf ans, l'âge moyen des « orphelins de la Révolution », en cette année 1830 où ils font renaître leur plus beau souvenir d'enfance, le drapeau tricolore. Car il a suffi de cela pour que Paris s'insurge et reparte à l'assaut des Tuileries — comme une mécanique qui, soudain remontée, refait les mêmes gestes. Mais le ressort s'est avachi, la musiquette tourne court, trois petits tours et puis s'en vont. Trois folles journées de juillet, un mercredi 27, un jeudi 28, un vendredi 29, qui nous ont laissé un joli nom, « les Trois Glorieuses », une colonne en trois parties surmontée d'un chapiteau de bronze servant d'appui à « la liberté qui s'envole en brisant des fers et en semant la lumière », une grande peinture de Delacroix, une grande musique de Berlioz.

Il avait suffi d'un drapeau. Le voici, sur les bords de la Seine, tout près du Louvre, mystérieusement apparu, sans tambour ni trompette, tel que l'a vu Louis Blanc. C'était le mercredi soir.

L'APPARITION

Aux dernières lueurs du jour, un homme parut sur le quai de l'école tenant à la main ce drapeau tricolore qu'on n'avait pas vu pendant quinze ans.

Aucun cri ne fut poussé, aucun mouvement ne se fit dans la foule rangée le long des parapets du fleuve. Étonnée, et comme recueillie dans ses souvenirs, elle regarda passer, en le suivant longtemps des yeux, cet étendard, évocation inattendue de glorieux fantômes! Quelques vieillards se découvrirent, d'autres versaient des pleurs : tout visage avait pâli!

Longtemps après, Camille Pelletan, dont la nuance se portait encore au café de mon enfance, s'interrogeait sur cette apparition muette, sur ce petit éclair violet. lourd d'un si gros tonnerre, qui allait balayer à jamais la vieille race des Bourbons,

UN LAMBEAU D'ÉTOFFE

Les derniers rayons du soleil éclairèrent un spectacle oublié : un inconnu parcourait les quais agitant un lambeau d'étoffe bleu blanc et rouge. C'était le drapeau proscrit qui, dans toute l'Europe, restait au fond des souvenirs comme le symbole des nations écrasées et des libertés détruites.
Quel que fût l'homme ignoré qui le premier le fit briller au soleil, celui-là eut le génie de la situation. Il ne s'agissait plus d'une constitution royale à maintenir, d'un ministère à renverser, et d'un roi à regagner : au-dessus de ces idées restreintes se dressait la cause populaire : la revanche de la patrie envahie et de la Révolution vaincue. La question se posait entre le peuple et les Bourbons.

Le lendemain les trois couleurs flottaient sur Notre-Dame et sur l'Hôtel de Ville. C'était jeudi. Ce fut le jour des écoliers. On allait les voir à l'œuvre. Et, chose remarquable, non pas les lettres, non pas le droit, mais les sciences. Ce fut le grand jour de Polytechnique. Il est remarquable, tout au cours de ce siècle, que la République, quand la littérature lui fait défaut, trouve son soutien du côté des savants. La chose s'est récemment reproduite avec les Perrin, les Langevin, les Joliot-Curie. C'étaient alors, dans le sillage de l'ancêtre Condorcet, un Fresnel, un Ampère, un Gay-Lussac, un Cuvier. Quant à nous, Méridionaux, nous étions bien représentés par les bouillants enfants d'Estagel, les frères Arago. Côté sciences avec François, côté poésie avec Étienne, si l'on peut appeler poésie ces quelques vers qu'il fait dire à un polytechnicien, dans une pièce de circonstance, « Les trois journées ».

GLOIRE AUX ÉCOLIERS

Toutes les Écoles de France
Ont rivalisé de valeur.
O mon pays, il faut qu'on t'en informe.
Quel sang, quels soins n'ont-ils pas prodigués!

> S'ils ont été moins distingués,
> C'est qu'ils n'avaient pas d'uniforme.

Cinq mois plus tôt, un premier polytechnicien avait donné le branle en entonnant la Marseillaise à la fin d'un banquet — ce pourquoi on l'avait expulsé de l'école. Il s'appelait Charras. Il a laissé son nom à une caserne de Courbevoie où j'ai fait mon service militaire. Il fut un des bicornes de l'insurrection. Et sait-on assez que la rue Vaneau perpétue le souvenir d'un autre polytechnicien qui se fit tuer à l'assaut de la caserne Babylone? Laissons Louis Blanc évoquer la révolte des grosses têtes.

POLYTECHNIQUE SUR LE PAVÉ

Les simples élèves n'avaient pu sortir en ville, les jours de sortie étant le mercredi et le samedi de chaque semaine; mais les élèves gradés, les sergents et les sergents-majors, qui jouissaient du privilège de sortir tous les jours, de deux à cinq heures, allèrent parcourir Paris, et, en rentrant, ils racontèrent que la troupe avait chargé, qu'il y avait eu des victimes, que tout semblait se préparer pour une lutte terrible. Vers six heures, en effet, les élèves entendent distinctement le bruit des feux de peloton exécutés de l'autre côté de la Seine. Aussitôt l'effervescence la plus vive se manifeste parmi eux; les études sont interrompues; les élèves méprisent les menaces d'abord, puis les remontrances des officiers et de l'inspecteur général des études, M. Binet; ils se réunissent dans les salles de billard et se mettent à délibérer sur le parti à prendre. L'agitation était extrême. A l'entrée du faubourg Saint-Denis on commençait une barricade avec une grosse charrette de moellons. Les ouvriers imprimeurs se réunissaient dans le passage Dauphine, où M. Joubert avait transformé en arsenal son magasin de librairie. Dans le faubourg Saint-Jacques les étudiants passaient leurs pistolets à leur ceinture et s'armaient de leur fusil de chasse. Sur la place de la Bourse parurent, conduites par M. Étienne Arago, deux longues mannes remplies d'armes et d'uniformes impériaux. Elles venaient du théâtre du Vaudeville, où l'on avait joué, quelques jours auparavant, *le Sergent Mathieu*, pièce qui avait exigé l'armement d'une compagnie d'acteurs.
Les élèves de l'École Polytechnique de leur côté, avaient, pendant la nuit, forcé les salles d'escrime et enlevé les fleurets, dont ils firent sauter les boutons et aiguisèrent les lames sur les dalles du corridor. Ayant appris vers dix heures du matin l'ordonnance qui licenciait l'École, ils en étaient sortis, portant pour la plupart l'uniforme de grande sortie. Des cris de « Vive l'École Polytechnique! » les accueillirent dans la rue de la Montagne-Sainte-Geneviève. Ils répondirent par les cris de « Vive la Liberté! Vive la Charte! ». Il y en eut un qui, élevant son chapeau en l'air, en arracha la cocarde blanche, la foula aux pieds et fit retentir ce cri terrible : « A bas les Bourbons! »

Quelqu'un sait-il encore que le pont d'Arcole, sur la Seine, n'appartient pas à la mémoire de Napoléon, mais à celle d'un jeune républicain des Trois Glorieuses? Louis Blanc nous le raconte.

« JE ME NOMME D'ARCOLE »

Le tocsin sonnait à l'église de Saint-Séverin et le bourdon de Notre-Dame répondait à ce bruit de deuil par un bruit plus formidable encore. Le tambour retentissait dans la rue Planche-Mibray qui fait face au pont Notre-Dame, et la foule se précipitait vers le quai.

La garde s'avança sur le pont, et, s'ouvrant tout à coup, démasqua deux pièces d'artillerie. Le bruit du tambour cessa; sur le pavé de la rue il ne resta que les morts.

Le 15e léger était resté de l'autre côté du pont et couvrait le marché aux fleurs. Immobiles, l'arme au pied, les soldats du 15e assistaient au combat sans y prendre part.

Des tirailleurs venus du passage Dauphine et du faubourg Saint-Jacques s'entassaient peu à peu, sans que rien pût les retenir, sur le quai de la cité. Telle était du reste l'ardeur des hommes du peuple, que beaucoup d'entre eux s'élancèrent sur le pont suspendu qui conduit à la place au milieu de laquelle une pièce de canon était en batterie. Plusieurs coups furent tirés à la mitraille, et plusieurs fois de suite le pont fut horriblement balayé. Un élève de l'École Polytechnique, M. Charras, était sur la rive gauche, l'épée à la main. Il hérita du fusil d'un ouvrier qui venait de recevoir, à ses côtés, une balle dans la poitrine; mais les munitions manquaient. Un enfant de quinze ou seize ans s'approcha de M. Charras, et lui montrant un paquet de cartouches : « Nous partageons, si vous voulez, mais à condition que vous me prêterez votre fusil pour que je tire ma part. »

Ce fut sur ce même champ de bataille que fut poussé par un jeune homme qui portait un drapeau tricolore, ce cri héroïque : « Mes amis, si je meurs souvenez-vous que je me nomme d'Arcole. » Il tomba mort en effet, mais le pont qui reçut son cadavre, a du moins gardé son nom.

L'enfant de la République — toujours le même sous de nouveaux noms, hier Bara ou Viala, demain Gavroche — est au Panthéon. Non pas dans un caveau, mais sur le fronton. Le brave David d'Angers, qui ne portait pas la noblesse d'un duché mais celle des carrières paternelles, et qui faisait volontiers le coup de feu ces jours-là, l'immortalisa à grands coups de maillet au ciel des grands hommes. Grâce à d'Arcole, pour la première fois le quartier Latin et le faubourg Saint-Antoine, ayant franchi les ponts, se donnaient la main sous le balcon de l'Hôtel de Ville, pendant que, dessus, La Fayette et d'Orléans se donnaient l'accolade. Car les jeux étaient faits d'avance, et la folle jeunesse insurgée venait de tirer les marrons du feu pour un roi de cartes, hier volontaire à Jemmapes, demain massacreur à la

Croix-Rousse, hier Philippe Égalité, demain Louis-Philippe. Ce n'est pas la dernière fois qu'une barricade servira de tremplin au pouvoir personnel.

A cette révolution truquée, il fallait un hymne de paille. Casimir Delavigne, pensionné du Palais-Royal, en écrivit les paroles. Certes la ville était plus grande, mais la Parisienne ne vaut pas, tant s'en faut, la Marseillaise. La voici, sans la musique d'Auber.

LA PARISIENNE

Peuple français, peuple de braves,
La liberté nous rouvre ses bras.
On nous disait : Soyez esclaves!
Nous avons dit : Soyons soldats!
Soudain Paris dans sa mémoire
A retrouvé son cri de gloire :

En avant! marchons
Contre leurs canons!
A travers le fer, le feu des bataillons,
Courons à la victoire!

Serrez vos rangs! qu'on se soutienne!
Marchons, chaque enfant de Paris
De sa cartouche citoyenne
Fait une offrande à son pays.
O jours d'éternelle mémoire,
Paris n'a plus qu'un cri de gloire :

En avant! marchons
Contre leurs canons!
A travers le fer, le feu des bataillons,
Courons à la victoire!

La mitraille en vain nous dévore,
Elle enfante des combattants.
Sous les boulets, voyez éclore
Ces vieux généraux de vingt ans.
O jours d'éternelle mémoire,
Paris n'a plus qu'un cri de gloire :

En avant! marchons
Contre leurs canons!
A travers le fer, le feu des bataillons
Courons à la victoire!

Pour briser leur masse profonde,
Qui conduit nos drapeaux sanglants?
C'est la liberté des deux mondes,
C'est La Fayette en cheveux blancs.
O jours d'éternelle mémoire,
Paris n'a plus qu'un cri de gloire :

En avant! marchons
Contre leurs canons!
A travers le fer, le feu des bataillons,
Courons à la victoire!

Les trois couleurs sont revenues,
Et la colonne, avec fierté,
Fait briller à travers les nues
L'arc-en-ciel de la liberté.
O jours d'éternelle mémoire,
Paris n'a plus qu'un cri de gloire :

En avant! marchons
Contre leurs canons!
A travers le fer, le feu des bataillons,
Courons à la victoire!

Soldat du drapeau tricolore.
D'Orléans, toi qui l'as porté,
Ton sang se mêlerait encore
A celui qu'il nous a coûté.
Comme aux beaux jours de notre gloire.
Tu redirais ce cri de gloire :

En avant! marchons
Contre leurs canons!
A travers le fer, le feu des bataillons,
Courons à la victoire!

Tambours, du convoi de nos frères
Roulez le funèbre signal!
Et nous, de lauriers populaires
Chargeons leur cercueil triomphal!
O temple de deuil et de gloire,
Panthéon, reçois leur mémoire!

Portons-les, marchons,
Découvrons nos fronts!
Soyez immortels, vous tous que nous pleurons,
Martyrs de la victoire!

Pour la gloire de Casimir, il vaut mieux se souvenir de l'Eurotas, où s'abreuva l'espérance sous la Restauration. Nos poètes officiels ont le souffle court. Leur destin est de coïncider avec un seul moment de l'histoire républicaine, après quoi ils flanchent souvent. On vieillit mal sur une barricade. Mais la relève est toujours assurée. Le tocsin secoue les rimes dans les têtes exaltées. Barthélemy entre en scène — pas Saint Barthélemy, mais Auguste Barthélemy, un Marseillais monté de fraîche date et tout disposé à s'émouvoir. J'aime sa lyre laborieuse.

L'INSURRECTION

Un peuple entier, sorti des foyers domestiques
Ondule en murmurant sur les places publiques,
Et partout, sur les murs du splendide bazar
De prophétiques mots menacent Balthazar.
Un cri monte : à ce cri, les fleurs de lis brisées
Tombent en provoquant de sinistres risées.
Ce vieil écu de France, orgueilleux écriteau,
Se disperse en éclats, broyé sous le marteau
Et l'obscur artisan, héroïque Vandale
Arrache à nos palais l'insigne féodale.

Paris se livre en bloc! Au signal assassin
Tout homme dans son cœur sent vibrer le tocsin
Éternelle infamie au lâche qui s'absente!
Parmi les cris de mort de la foule croissante
Le bras, le plomb, le fer, les cailloux anguleux
Déchirent en sifflant les uniformes bleus.
Débris dévastateurs, armes de la colère
Qui jaillissent par flots du volcan populaire.
O vengeance! déjà sur le pavé glissant
Nos ennemis français versent le premier sang!
C'est une femme! eh bien! qu'on porte pour enseigne
Aux yeux de tout Paris ce cadavre qui saigne;
Lentement promené devant le drapeau noir,
Qu'il convoque le peuple aux vengeances du soir.

J'ai gardé pour la bonne bouche le morceau de bravoure d'un poète de vingt-cinq ans. Dommage qu'on l'ait oublié. Il fait déjà penser, dès 1830, à celui qui signera Achille Bava, puis Rimbaud. Il a tout mis dans son premier cri, mais quel cri! Comme il chante « la bouche aux vils jurons », « la liberté à la voix rauque », « Paris si beau dans sa colère ». Il n'est que le poète d'un jour, peut-être, mais un grand poète parce que c'était un grand jour. Comme le jeune d'Arcole, Auguste Barbier a sa place au plus haut fronton. Sa grande machine, bâtie d'un seul souffle et sans qu'on puisse reprendre la respiration, est le pendant en vers de la barricade de Delacroix qui naissait dans un atelier voisin.

LA CURÉE

Oh! lorsqu'un lourd soleil chauffait les grandes dalles
Des ponts et de nos quais déserts,
Que les cloches hurlaient, que la grêle des balles
Sifflait et pleuvait par les airs;

Quand dans Paris entier, comme la mer qui monte,
Le peuple soulevé grondait
Et qu'au lugubre accent des vieux canons de fonte,
La Marseillaise répondait;

Certe on ne voyait pas comme au jour où nous sommes
Tant d'uniformes à la fois;
C'était sous les haillons que battaient les cœurs d'hommes,
C'était alors de sales doigts

Qui chargeaient les mousquets et renvoyaient la foudre,
C'était la bouche aux vils jurons
Qui mâchait la cartouche, et qui, noire de poudre,
Criait aux citoyens : Mourons!

Quant à tous ces beaux fils aux tricolores flammes
Au beau linge, au frac élégant,
Ces hommes en corset, ces visages de femmes,
Héros du boulevard de Gand,

Que faisaient-ils tandis qu'à travers la mitraille,
Et sous le sabre détesté,
La grande populace et la sainte canaille
Se ruaient à l'immortalité?

Tandis que tout Paris se jonchait de merveilles,
Ces messieurs tremblaient dans leur peau,
Pâles, suant la peur, et la main aux oreilles,
Accroupis derrière un rideau.

C'est que la liberté n'est pas une comtesse
Du noble faubourg Saint-Germain.
Une femme qu'un cri fait tomber en faiblesse,
Qui met du blanc et du carmin :

C'est une forte femme aux puissantes mamelles,
A la voix rauque, aux durs appas
Qui, du brun sur la peau, du feu dans les prunelles,
Agile et marchant à grand pas,

Se plaît aux cris du peuple, aux sanglantes mêlées.
Aux longs roulements des tambours,
A l'odeur de la poudre, aux lointaines volées
Des cloches et des canons sourds;

Qui ne prend ses amours que dans la populace,
Qui ne prête son large flanc
Qu'à des gens forts comme elle, et qui veut qu'on l'embrasse
Avec des bras rouges de sang.

C'est la vierge fougueuse, enfant de la Bastille
Qui, jadis, lorsqu'elle apparut,
Avec son air hardi, ses allures de fille,
Cinq ans mit tout le monde en rut;

Qui, plus tard, entonnant une marche guerrière,
Lasse de ses premiers amants,
Jeta là son bonnet et devint vivandière
D'un capitaine de vingt ans.

C'est cette femme, enfin, qui, toujours belle et nue,
Avec l'écharpe aux trois couleurs,
Dans nos murs mitraillés tout à coup reparue,
Vient de sécher nos yeux en pleurs,

Et de mettre en trois jours une haute couronne
Aux mains des Français soulevés
D'écraser une armée et de broyer un trône
Avec quelques tas de pavés.

Mais, ô honte! Paris, si beau dans sa colère,
Paris, si plein de majesté,
Dans ce jour de tempête où le vent populaire
Déracina la royauté,

Paris, si magnifique avec ses funérailles,
Ses débris d'hommes, ses tombeaux,
Ses chemins dépavés et ses pans de murailles
Trouées comme de vieux drapeaux;

Paris, cette cité de lauriers toute ceinte,
Dont le monde entier est jaloux,
Que les peuples émus appellent tous la sainte,
Et qu'ils ne nomment qu'à genoux;

Paris n'est maintenant qu'une sentine impure,
Un égout sordide et bourbeux
Où mille noirs courants de limon et d'ordure
Viennent traîner leurs flots honteux.

Un taudis regorgeant de faquins sans courage,
D'effrontés coureurs de salons,
Qui vont de porte en porte et d'étage en étage
Gueusant quelques bouts de galons,

Une halle cynique aux clameurs insolentes,
Où chacun cherche à déchirer
Un misérable coin des guenilles sanglantes
Du pouvoir qui vient d'expirer.

Allons! nous n'avons plus de valet qui nous fouaille
Et qui se pend à notre cou;
Du sang chaud, de la chair, allons faisons ripaille
Et gorgeons-nous tout notre saoul!

Et tous, comme ouvriers que l'on met à la tâche
Fouillent ses flancs à plein museau,
Et de l'ongle et des dents travaillent sans relâche,
Car chacun en veut un morceau;

Car il faut au chenil que chacun d'eux revienne
Avec un os demi-rongé,
Et que trouvant au seuil son orgueilleuse chienne
Jalouse et le poil allongé,

Il lui montre sa gueule encore rouge et qui grogne,
Son os dans les dents arrêté,
Et lui crie en jetant son quartier de charogne :
« Voici ma part de royauté ».

Mais les choses sont ainsi faites que les grands monuments se ruinent plus vite que les petites chaumières, que le marbre meurt où survit la fleur bleue. On a oublié l'épopée pour ne se souvenir que d'une chanson. Les Trois Glorieuses, dans notre vie d'écolier, coïncidaient avec les trois derniers jours de classe, les 27, 28 et 29 juillet. Demain ce sont les grandes vacances. Mon cousin Adolphe viendra avec son âne et sa charrette. Nous chargerons la chapelière sur laquelle s'assiéra ma grand-mère, radieuse à l'idée de retrouver sa petite maison de Barbaira. J'aurai le droit de prendre en main les rênes et le fouet, debout à l'avant, aussi fier qu'un conducteur de char romain. Et nous partirons majestueusement à l'allure des rois fainéants, sur la route bordée de mûriers.

De la révolution de Juillet, il ne restera que cette jolie strophe montée aux lèvres de Musset et qui ramène la République aux proportions d'une grisette.

MIMI PINSON

Mimi n'a pas l'âme vulgaire
Mais son cœur est républicain.
Aux trois jours elle a fait la guerre,
Landerirette, en casaquin;
A défaut d'une hallebarde
On l'a vue, avec son poinçon,
Monter la garde!
Heureux qui mettra la cocarde
Au bonnet de Mimi Pinson!

Le tombeau
de Barbès

TEXTES CHOISIS

Gavroche

– Plus souvent qu'on tire sur les amis.....

*D*ANS MON SOUVENIR, IL EST COMME UN NID
ce village sous les feuillages, au creux d'un pays vallonné. Toute une année je m'y
étais pelotonné. L'année suivante fut celle des premières escapades. Je passais du
duvet aux plumes. Les chemins rayonnaient en étoile; au bout de chaque chemin
j'avais un monde à découvrir.

La fontaine romaine exhumée par le vieil abbé-philosophe était de l'autre côté
du pont. Des ruines rases alentour suggéraient les anciens bains que hantaient des
fantômes en toge. Le nom de Bagnoles coulait de source.

Au-delà, cap au nord, le chemin gravissait une des sept collines qui cernaient
le village, puis, après une brèche étroite, débouchait sur de grands horizons. On
apercevait en face, sur les premiers contreforts de la Montagne Noire, le gros bourg
de Conques, qui était canton. Il fallait redescendre un peu pour atteindre la gare,
au carrefour de la route Minervoise.

C'était une maisonnette isolée où nous allions chercher les colis de la Samaritaine, ou attendre quelqu'un au petit train départemental.

Pourquoi y reviens-je en pensée? Un drame s'y est joué, dont le sens m'échappait
alors, mais dont je crois respirer encore les effluves. La préposée était une jeune
veuve de guerre au lourd chignon noir.

Et elle allait se remarier.

Pour ma mère, cette seconde année de Bagnoles fut une année cruciale. Bientôt,
il faudrait prendre la grande décision. A la prochaine visite de l'inspecteur, il n'y
aurait plus de dérobade possible. D'un côté, une direction prestigieuse à la ville,
l'avenir de ses fils qui pourraient n'être pas pensionnaires, le théâtre, la vie. De
l'autre côté, le village natal, l'atelier du menuisier, l'école de son enfance, les vignes,
le cimetière. En effet, la vieille institutrice de Barbaira se décidait à prendre sa retraite.

Le poste serait libre aux vacances. C'est une chose qui n'arrive pas deux fois dans une vie.

Ma mère tergiversait. Son débat la ramenait souvent à cette gare perdue à la croisée des chemins. Certes pour fuir ma grand-mère dont le silence farouche était trop éloquent. Mais aussi pour retrouver cette autre veuve qui, de l'omnibus de l'aube à l'omnibus du soir, cousait assise à sa fenêtre, regardant passer les lentes charrettes de foin, derrière lesquelles s'époumonaient les trompes des premières autos.

Tout justifiait le penchant de ma mère pour la pensive employée de gare : sa bonté naturelle, ses fonctions de secrétaire de mairie, la défense des victimes de guerre, les colis de la Samaritaine et enfin leur similaire veuvage. Elles faisaient ensemble des efforts pour raccourcir leurs voiles, égayer le noir d'un petit col blanc, oser quelques rayures grises, essayer en cachette une blouse mauve.

C'était la pente de la complicité. Ma mère, contre les faiblesses féminines, avait recours à ses héroïnes tutélaires, aux matrones de marbre qui la gardaient. Pas l'autre veuve, si jeune, si démunie et dont le chignon pesait si lourd sur la nuque blanche. Un jour elle dut bien avouer que la chemise brodée à laquelle elle travaillait amoureusement était pour ses prochaines noces. J'imagine que ce fut un instant très grave et très trouble. Le morceau d'étoffe sur les pauvres genoux apparaissait d'un blanc plus cru, dans une espèce d'horreur. Ma mère se retenait à moi, pesamment. Elle croyait avoir accompagné sa pareille sur le chemin de la solitude et soudain elle se trouvait au bord d'une couche nuptiale. Comme compromise. Nous rentrâmes très vite. Je trottinais près d'elle qui n'avait pas lâché mon épaule. De grosses larmes coulaient de ses yeux fixes qu'elle n'essuyait même pas, heureuse qu'il fasse déjà nuit.

Au carrefour de la gare, si l'on tourne à droite on va à Villegly, où ma mère avait été autrefois une jeune adjointe. Si l'on tourne à gauche on va à Villalier. Mais ces villages limitrophes étaient aussi accessibles par des chemins plus secrets. Je me souviens d'un jour d'automne où nous partîmes en expédition, toute l'école sous la conduite de ma mère, en direction de Villalier.

Il faisait beau et doux. Les petits fruits rouges des azeroliers jonchaient les talus. Nous avancions en chantant au long des ornières. En tête, les deux garçons les plus forts avaient en charge la corbeille des provisions d'où émergeaient les pains croustillants. Il fallut passer à gué une petite rivière. Filles et garçons portaient la même blouse de satinette noire boutonnée dans le dos. Le but à atteindre était une espèce de promontoire, une colline au profil parfait, comme on en voit sur les géographies enfantines, toute boisée de grands pins parasols. Le sol était tapissé d'aiguilles qui glissaient sous les semelles, à la montée. Nous atteignîmes le sommet vers midi. Là se dressait un grand mausolée blanc bâti en belvédère. C'est le tombeau d'Armand Barbès.

Si longtemps après, j'entends encore l'émouvant murmure des pins au-dessus du monument, les rires étouffés des écolières, la voix grave de ma mère nous enseignant la vie d'un homme de bien. Je revois les ombres et les lumières de cette acropole à l'échelle villageoise et la lente caresse des palmes sur le marbre.

J'ai oublié la suite de la promenade pour ne retenir que ce point culminant et cette douce lamentation des grands pins d'Italie dans le ciel d'automne.

Le tombeau de Barbès, désormais présent au-dessus de l'horizon, domine tout ce chapitre de mon enfance et de notre Histoire. En guise d'épitaphe je propose cette belle page de George Sand.

RAPPELLE-TOI, BARBÈS

Parmi les hommes d'exception qui donnent tout sans vouloir jamais rien recevoir, l'homme dont je parle est un des plus purs, des plus grands, des plus fantastiques si ce mot peut s'appliquer au dévouement et au renoncement. Cet homme est né pour le sacrifice, pour le martyre, et parmi ceux qui le blâment, il n'en est pas un seul qui ne l'aimerait et l'admirerait, s'il le connaissait particulièrement.

Mais qui le connaît? Qui n'a déjà reconnu Barbès à ce que je viens de dire? Barbès qui, du fond de sa prison, n'a point encore d'autre préoccupation, d'autre souci, que la crainte de voir des innocents compromis dans sa cause?

La gloire maintenant court les rues ; la vanité a fait un tel abus du mot gloire ! Mais l'antique honneur, l'honnêteté politique, nous en avons si peu que nous serons bien forcés de nous prosterner devant elle quand elle deviendra l'expression du caractère français.

Quant à toi, Barbès, rappelle-toi le mot de l'enfer, dans Faust : « Pour avoir aimé, tu mourras ! » Oui, pour avoir aimé ton semblable, pour t'être dévoué sans réserve, sans arrière-pensée, sans espoir de compensation à l'humanité, tu seras brisé, calomnié, insulté, déchiré par elle.

Déjà à demi mort dans les cachots de la monarchie, tu recommences ton agonie dans les cachots de la République. Je crois fermement que la justice du pays t'absoudra.

Tu mourras à la peine d'un éternel combat : car les forces humaines ne suffisent pas à la lutte que ces temps-ci ont vu naître, et que ni toi, ni moi ne verrons finir.

Les lignes que l'on vient de lire furent écrites à Nohant le 7 juin 1848. C'est dire que la nuit sera longue d'ici la République, et décevante car ce ne sera encore qu'un faux jour. Le peuple a été frustré de sa révolution de Juillet. En chassant le dernier Bourbon, il croyait en finir avec la royauté. Il n'a fait que laisser le trône vide au gros derrière d'un Orléans qui va s'y asseoir lourdement. On n'aura plus la fleur de lys ; on n'aura pas pour autant le bonnet phrygien ; mais, à sa place, un prince de basse-cour : le coq. Du tricolore et du cocorico pour poules mouillées. La veine populaire le dit dans ce quatrain :

> *Un coq grattant un fumier*
> *En fit sortir Philippe Premier*
> *Ce roi, par reconnaissance*
> *En fit sortir les armes de France.*

Les Trois Glorieuses pourtant n'auront pas été en vain. Une bouffée de liberté est entrée dans le cachot où allait mourir la République. Elle survivra. Dès les barricades de 1830 tous les héros du siècle sont présents. Ils ont vingt ans. Ils en auront près de quarante avant que leur rêve s'accomplisse. Ils vont faire le dur apprentissage de la clandestinité, du coup de main, de la prison, de l'exil. L'avenir appartient aux écoliers et, plus particulièrement, à ces écoliers en bicorne qui se sont fait tuer à la tête des ouvriers. Le peuple ne s'y trompe pas quand, boucheur au défilé des troupes, il acclame soudain Polytechnique. Son triste uniforme n'y change rien : cette école est à jamais rebelle et républicaine. Le mythe de l'étudiant vengeur date de 1830. Il va cheminer dans les chaumières, grandir sur les hauteurs de Ménilmontant, éclairer les cours du soir, nourrir l'émeute et la chimère.

Pour moi, l'étudiant arriva par l'omnibus du soir. C'était un cousin. Je ne me rappelle pas qu'il existât auparavant. Il fit là son entrée dans ma vie. Nous avions en commun un arrière-grand-père, au cimetière de Barbaira. Son père, commandant en retraite, était la plus haute autorité de la famille. Lui-même avait choisi, au contraire, la bohème. Sa sœur aînée, qui était aussi la meilleure amie de ma mère, lui avait enseigné le chemin de Bagnoles. Il y venait maintenant pour préparer quelque session d'octobre de sa licence de philosophie. Le village inclinait aux études, aux songes; il en avait d'emblée éprouvé le charme. Car c'est bel et bien lui que je venais attendre à la gare tout à l'heure, quand un autre souvenir m'a distrait.

Il s'habillait avec négligence, se rasait de très près et poudrait ses joues bleues. Il aimait traîner ses espadrilles dans la poussière des chemins. Il avait des cheveux très noirs, très longs, qu'il portait en désordre et dont une mèche rebelle barrait son front. Ses yeux étaient étrangement fixes, comme ceux d'une chouette. Il ne bougeait jamais ses prunelles mais, s'il voulait regarder à droite ou à gauche, c'est sa tête tout entière qui pivotait. Cela était captivant. Il aimait jouer au sarcastique, au diabolique, mais pour finir c'était toujours pour rire. Il s'appelait Raymond, comme un comte de Toulouse, ville d'où il venait, auréolé de savoir.

Notre maison d'école s'avérait trop petite pour lui offrir un lit. Il logeait chez l'habitant; j'ai oublié chez lequel. Mais, je m'en souviens, c'était une vraie chambre d'étudiant, comme l'eût représentée un illustrateur d'autrefois. Elle était mansardée, proprette avec son pot à eau, douillette avec son édredon rouge, ayant vue sur les champs par le trou du volet, en forme de cœur. Des livres, beaucoup plus gros que ceux dont j'usais couramment, étaient entassés sur la commode. Raymond vint troubler l'enchantement du catéchisme avec ses vues tour à tour stoïciennes ou épicuriennes, selon la leçon qu'il révisait. Je sus dès lors que je serais moi-même, plus tard, étudiant en philosophie. Raymond m'avait soufflé dessus. J'en étais à la nomenclature des étoiles; il m'apprit à y ajouter un peu de méditation.

Certes, il ne venait que de Toulouse, mais Paris lui était familier; il savait le théâtre, la musique; il ouvrait à mes ambitions des perspectives illuminées. Il déclamait des bribes d'Odéon : « Bon appétit, messieurs, ô ministres intègres ». Un lieu brillant, savant, chaleureux s'était mis à exister au-delà des collines : le quartier Latin. J'y avais d'avance rendez-vous, je le savais, avec un jeune homme au gilet rouge, la mèche en bataille, superbe et généreux, Victor Hugo. Je l'imaginais errant dans des rues étroites qui toutes menaient au Panthéon et récitant à haute voix ces vers de jeunesse.

QUARTIER LATIN

Nos jardins étaient un pot de tulipe;
Tu masquais la vitre avec un jupon;
Je prenais le bol de terre de pipe,
Et je te donnais la tasse en japon.

Et ces grands malheurs qui nous faisaient rire!
Ton manchon brûlé, ton boa perdu!
Et ce cher portrait du divin Shakespeare
Qu'un soir pour souper nous avons vendu!

J'étais mendiant, et toi charitable.
Je baisais au vol tes bras frais et ronds.
Dante in-folio nous servait de table
Pour manger gaîment un cent de marrons.

Les Misérables étaient le grand livre d'or dont j'aimais feuilleter les images. Et, même s'il fut écrit rétrospectivement, il témoigne de ces années trente où les conspirateurs se retrouvaient dans des sociétés secrètes qui s'appelaient « Aide-toi, le ciel t'aidera » ou « Les Amis de l'A.B.C. ».

— Qu'était-ce que les amis de l'A.B.C.?

Hugo répond.

— Une société ayant pour but, en apparence, l'éducation des enfants, en réalité le redressement des hommes. On se déclarait les amis de l'A.B.C. — L'Abaissé, c'était le peuple. On voulait le relever.

Et Hugo ajoute, fronçant les sourcils : « Calembour dont on aurait tort de rire ».

Dans le décor enfumé d'une arrière-salle du café Musain où se tenaient les réunions clandestines, Hugo a peint les deux visages de la révolution, l'un sombre, l'autre radieux. Amis inséparables dans la résistance, ils se déchireront dès le pouvoir. A mes yeux d'enfant, le cousin Raymond, ténébreux et souriant, ressemblait tour à tour à l'un et à l'autre.

ENJOLRAS ET COMBEFERRE

Enjolras était un jeune homme charmant, capable d'être terrible. Il était angéliquement beau. C'était Antinoüs, farouche. On eût dit, à voir la réverbération pensive de son regard, qu'il avait déjà, dans quelque existence précédente, traversé l'apocalypse révolutionnaire. Il en avait la tradition comme un témoin. Il savait tous les petits détails de la grande chose. Nature pontificale et guerrière, étrange dans un adolescent. Il était officiant et militant; au point de vue immédiat, soldat de la démocratie; au-dessus du mouvement contemporain, prêtre de l'idéal. Il avait la prunelle profonde, la paupière un peu rouge, la lèvre inférieure épaisse et facilement dédaigneuse, le front haut. Beaucoup de front dans un visage, c'est comme beaucoup de ciel dans un horizon. Ainsi que certains jeunes hommes du commencement de ce siècle et de la fin du siècle dernier qui ont été illustres de bonne heure, il avait une jeunesse excessive, fraîche comme chez les jeunes filles, quoique avec des heures de pâleur. Déjà homme, il semblait encore enfant. Ses vingt-deux ans en paraissaient dix-sept. Il était grave, il ne semblait pas savoir qu'il y eût sur la terre un être appelé la femme. Devant tout ce qui n'était pas la république, il baissait chastement les yeux. C'était l'amoureux de marbre de la Liberté. Sa parole était âprement inspirée et avait un frémissement d'hymne. Il avait des ouvertures d'ailes inattendues. Malheur à l'amourette qui se fût risquée de son côté!

A côté d'Enjolras qui représentait la logique de la révolution, Combeferre en représentait la philosophie. Entre la logique de la révolution et sa philosophie, il y a cette différence que sa logique peut conclure à la guerre, tandis que sa philosophie ne peut aboutir qu'à la paix. Combeferre complétait et rectifiait Enjolras. Il était moins haut et plus large.

Il aimait le mot citoyen, mais il préférait le mot homme. Il eût volontiers dit : « Hombre », comme les Espagnols. Il lisait tout, allait aux théâtres, suivait les cours publics, apprenait d'Arago la polarisation de la lumière, se passionnait pour une leçon où Geoffroy Saint-Hilaire avait expliqué la double fonction de l'artère carotide externe et de l'artère carotide interne, l'une qui fait le visage, l'autre qui fait le cerveau; il était au courant, suivait la science pas à pas, confrontait Saint-Simon avec Fourier, déchiffrait des hiéroglyphes, cassait les cailloux qu'il trouvait et raisonnait géologie, dessinait de mémoire un papillon bombyx, signalait les fautes de français dans le Dictionnaire de l'Académie, étudiait Puységur et Deleuze, n'affirmait rien, pas même les miracles, ne niait rien, pas même les revenants, feuilletait la collection du Moniteur, songeait.

Il croyait à tous ces rêves : les chemins de fer, la suppression de la souffrance dans les opérations chirurgicales, la fixation de l'image de la chambre noire, le télégraphe électrique, la direction des ballons. Il était de ceux qui pensent que la science finira par tourner la position. Enjolras était un chef. Combeferre était un guide. On eût voulu combattre avec l'un et marcher avec l'autre.

Combeferre préférait peut-être la blancheur du beau au flamboiement du sublime. Une clarté troublée par de la fumée, un progrès acheté par de la violence, ne satisfaisaient qu'à demi ce tendre et sérieux esprit. Une précipitation à pic d'un peuple dans la vérité, un 93, l'effarait; cependant la stagnation lui répugnait plus encore, il y sentait la putréfaction et la mort; à tout prendre, il aimait mieux l'écume que le miasme, et il préférait au cloaque le torrent, et la chute du Niagara au lac de Montfaucon. En somme il ne voulait ni halte, ni hâte.

« Il faut que le bien soit innocent », répétait-il sans cesse. Et en effet, si la grandeur de la révolution, c'est de regarder fixement l'éblouissant idéal et d'y voler à travers les foudres, avec du sang et du feu à ses serres, la beauté du progrès, c'est d'être sans tache; et il y a entre Washington qui représente l'un et Danton qui incarne l'autre, la différence qui sépare l'ange aux ailes de cygne de l'ange aux ailes d'aigle.

La fonction de secrétaire de mairie implique la visite intempestive des romanichels. C'est en général vers midi qu'ils grattent à la porte. « Des caraques », dit ma grand-mère, en se saisissant à tout hasard des pincettes. La porte s'ouvre sur un groupe de femmes brunes aux tignasses huileuses, aux longs jupons fleuris. La plus hardie présente un carnet crasseux que nous connaissons bien « le livret de nomade ». Ma mère fait refluer la tribu vers le rez-de-chaussée où est la mairie. L'escalier était déjà plein d'une douzaine d'enfants noirauds qui dégringolent aussitôt, montrant leurs derrières nus. Un coup de tampon sur une page du carnet est toute la formalité exigée par la loi. En lisant les tampons voisins, on reconstitue le voyage de la tribu à travers les villages d'alentour. Ma mère m'a appris à ne pas juger sur la mine et à me conduire honnêtement avec les gitans. J'avais le devoir de les raccompagner jusqu'à leur roulotte, de leur offrir un jouet boiteux. S'ils séjournaient quelque temps au bord de la rivière, j'apprivoisais un compagnon loqueteux ou une compagne sans-culotte. Ils ont joué pour moi sur des flûtes de sureau. J'ai eu accès à leur maison roulante aux lits étagés comme les nids d'un poulailler. J'ai souvent envié leur soupe d'herbes qu'une vieille sorcière faisait mijoter sur trois pierres. La mine farouche des vanniers ne m'effrayait pas. J'avais mission de ramener les enfants à l'école, ne fût-ce que pour quelques leçons. Mais ils n'aimaient pas s'attarder. Un jour, sans crier gare, ils étaient partis. Au lieu de leur campement, il n'y avait plus que trois pierres noircies.

J'ai toujours pensé que Claude Gueux était l'un d'eux.

Si Enjolras et Combeferre sont l'intelligence de l'émeute, Claude Gueux en est la bêtise. Elle ne manque pas de grandeur. Pour lui servir de piédestal, Victor Hugo a remonté la guillotine.

CLAUDE GUEUX

Ce jour-là, à sept heures du matin, le greffier du tribunal entra dans le cachot de Claude, et lui annonça qu'il n'avait plus qu'une heure à vivre. Son pourvoi était rejeté.

— Allons, dit Claude froidement, j'ai bien dormi cette nuit, sans me douter que je dormirais encore mieux la prochaine.

Il paraît que les paroles des hommes forts doivent toujours recevoir de l'approche de la mort une certaine grandeur.

Le prêtre arriva, puis le bourreau. Il fut humble avec le prêtre, doux avec l'autre. Il ne refusa ni son âme, ni son corps.

Il conserva une liberté d'esprit parfaite. Pendant qu'on lui coupait les cheveux, quelqu'un parla, dans un coin du cachot, du choléra qui menaçait Troyes en ce moment.

— Quant à moi, dit Claude avec un sourire, je n'ai pas peur du choléra.

Il écoutait d'ailleurs le prêtre avec une attention extrême, en s'accusant beaucoup et en regrettant de n'avoir pas été instruit dans la religion.

Sur sa demande, on lui avait rendu les ciseaux avec lesquels il s'était frappé. Il y manquait une lame qui s'était brisée dans sa poitrine. Il pria le geôlier de faire porter de sa part ces ciseaux à Albin. Il dit aussi qu'il désirait qu'on ajoutât à ce legs la ration de pain qu'il aurait dû manger ce jour-là. Il pria ceux qui lui lièrent les mains de mettre dans sa main droite la pièce de cinq francs que lui avait donnée la sœur, la seule chose qui lui restât désormais.

A huit heures moins un quart, il sortit de la prison, avec tout le lugubre cortège ordinaire des condamnés. Il était à pied, pâle, l'œil fixé sur le crucifix du prêtre, mais marchant d'un pas ferme.

On avait choisi ce jour-là pour l'exécution, parce que c'était jour de marché, afin qu'il y eût le plus de regards possible sur son passage; car il paraît qu'il y a encore en France des bourgades à demi sauvages où, quand la société tue un homme, elle s'en vante.

Il monta sur l'échafaud gravement, l'œil toujours fixé sur le gibet du Christ. Il voulut embrasser le prêtre, puis le bourreau, remerciant l'un, pardonnant à l'autre. Le bourreau « le repoussa doucement », dit une relation.

Au moment où l'aide le liait sur la hideuse mécanique, il fit signe au prêtre de prendre la pièce de cinq francs qu'il avait dans sa main droite et lui dit :

— Pour les pauvres.

Comme huit heures sonnaient en ce moment, le bruit du beffroi de l'horloge couvrit sa voix, et le confesseur lui répondit qu'il n'entendait pas. Claude attendit l'intervalle de deux coups et répéta avec douceur :
— Pour les pauvres.
Le huitième coup n'était pas encore sonné que cette noble et intelligente tête était tombée.
Admirable effet des exécutions publiques! ce jour-là même, la machine étant encore debout au milieu d'eux et pas lavée, les gens du marché se révoltèrent pour une question de tarif et faillirent massacrer un employé de l'octroi. Le doux peuple que vous font ces lois-là!
La tête de l'homme du peuple, voilà la question. Cette tête est pleine de germes utiles. Employez pour la faire mûrir et venir à bien ce qu'il y a de plus lumineux et de mieux tempéré dans la vertu.
Tel a assassiné sur les grandes routes qui, mieux dirigé, eût été le plus excellent serviteur de la cité.
Cette tête de l'homme du peuple, cultivez-la, défrichez-la, arrosez-la, fécondez-la, éclairez-la, moralisez-la, utilisez-la; vous n'aurez pas besoin de la couper.

Cette année-là, ma mère fit un terrible cauchemar. Si terrible qu'il éclipsa un instant les vraies tristesses de sa vie. Je portais, en ce temps-là, une étrange coiffure de laine violette, une sorte de béret tricoté avec un pompon et qui pouvait, s'il faisait froid, s'enfoncer jusqu'au bas des oreilles. Dans son rêve, ma mère voyait venir un sinistre tombereau qui s'arrêtait juste devant l'école et tournait doucement pour révéler son contenu : il était vide, sauf le béret violet. Cette vision bouleversa ma mère et la hanta longtemps. Elle en fit part à sa mère, aux voisines, au vieil abbé par-dessus le mur. Elle ne pouvait s'empêcher de penser que c'était un autre songe d'Athalie. Elle ne voulut plus que je porte l'atroce coiffure. En fait il n'y eut pas d'autre conséquence que celle-ci qui m'enchanta. Mais, ayant surpris ses confidences, deviné ses alarmes, je crus un certain temps que j'étais voué à la mort de Gavroche. Je m'y préparais consciencieusement, strophe par strophe, telle que la raconte Hugo.

L'émeute en question éclata à l'enterrement du général Lamarque. « Ce noble soldat était mort le mot patrie à la bouche », note Alexandre Dumas. Le char était pavoisé de drapeaux tricolores. On voulut l'amener place Vendôme, pour lui faire faire le tour de la glorieuse colonne.

L'énorme canon vertical, fait du bronze de 1 200 canons pris à l'ennemi, semblait tirer de petits nuages noirs dans le ciel lourd de juin 1832 où rôdait le choléra. Hugo a chanté ce monument inquiétant.

> Ce pilier souverain,
> Ce bronze devant qui tout n'est que poudre et sable,
> Sublime monument deux fois impérissable,
> Fait de gloire et d'airain.

Le crochet dégénéra en insurrection sanglante et fut l'occasion, pour Gavroche, d'entrer dans l'immortalité.

MORT DE GAVROCHE

Une vingtaine de morts gisaient çà et là dans toute la longueur de la rue sur le pavé. Une vingtaine de gibernes pour Gavroche. Une provision de cartouches pour la barricade.

La fumée était dans la rue comme un brouillard. Quiconque a vu un nuage tombé dans une gorge de montagnes entre deux escarpements à pic, peut se figurer cette fumée resserrée et comme épaissie par deux sombres lignes de hautes maisons. Elle montait lentement et se renouvelait sans cesse; de là un obscurcissement graduel qui blêmissait même le plein jour. C'est à peine si, d'un bout à l'autre de la rue, pourtant fort courte, les combattants s'apercevaient.

Cet obscurcissement, probablement voulu et calculé par les chefs qui devaient diriger l'assaut de la barricade, fut utile à Gavroche.

Sous les plis de ce voile de fumée, et grâce à sa petitesse, il put s'avancer assez loin dans la rue sans être vu. Il dévalisa les sept ou huit premières gibernes sans grand danger.

Il rampait à plat ventre, galopait à quatre pattes, prenait son panier aux dents, se tordait, glissait, ondulait, serpentait d'un mort à l'autre, et vidait la giberne ou la cartouchière comme un singe ouvre une noix.

De la barricade, dont il était encore assez près, on n'osait lui crier de revenir, de peur d'appeler l'attention sur lui.

A force d'aller en avant, il parvint au point où le brouillard de la fusillade devenait transparent.

Si bien que les tirailleurs de la ligne rangés et à l'affût derrière leur levée de pavés, et les tirailleurs de la banlieue massés à l'angle de la rue, se montrèrent soudainement quelque chose qui remuait dans la fumée.

Au moment où Gavroche débarrassait de ses cartouches un sergent gisant près d'une borne, une balle frappa le cadavre.

— Fichtre! dit Gavroche. Voilà qu'on me tue mes morts.

Une deuxième balle fit étinceler le pavé à côté de lui. Une troisième renversa son panier.

Gavroche regarda, et vit que cela venait de la banlieue. Il se dressa tout droit, debout, les cheveux au vent, les mains sur les hanches, l'œil fixé sur les gardes nationaux qui tiraient, et il chanta :

> *On est laid à Nanterre,*
> *C'est la faute à Voltaire,*
> *Et bête à Palaiseau,*
> *C'est la faute à Rousseau.*

Puis il ramassa son panier, y remit, sans en perdre une seule, les cartouches qui en étaient tombées, et, avançant vers la fusillade, alla dépouiller une autre giberne. Là une quatrième balle le manqua encore. Gavroche chanta :

> *Je ne suis pas notaire,*
> *C'est la faute à Voltaire,*
> *Je suis petit oiseau,*
> *C'est la faute à Rousseau.*

Une cinquième balle ne réussit qu'à tirer de lui un troisième couplet :

Joie est mon caractère,
C'est la faute à Voltaire,
Misère est mon trousseau,
C'est la faute à Rousseau.

Cela continua ainsi quelque temps.

Le spectacle était épouvantable et charmant. Gavroche, fusillé, taquinait la fusillade. Il avait l'air de s'amuser beaucoup. C'était le moineau becquetant les chasseurs. Il répondait à chaque décharge par un couplet. On le visait sans cesse, on le manquait toujours. Les gardes nationaux et les soldats riaient en l'ajustant. Il se couchait, puis se redressait, s'effaçait dans un coin de porte, puis bondissait, disparaissait, reparaissait, se sauvait, revenait, ripostait à la mitraille par des pieds de nez, et cependant pillait les cartouches, vidait les gibernes et remplissait son panier. Les insurgés, haletants d'anxiété, le suivaient des yeux. La barricade tremblait; lui, il chantait. Ce n'était pas un enfant, ce n'était pas un homme; c'était un étrange gamin fée. On eût dit le nain invulnérable de la mêlée. Les balles couraient après lui, il était plus leste qu'elles. Il jouait on ne sait quel effrayant jeu de cache-cache avec la mort; chaque fois que la face camarde du spectre s'approchait, le gamin lui donnait une pichenette.

Une balle pourtant, mieux ajustée ou plus traître que les autres, finit par atteindre l'enfant feu follet. On vit Gavroche chanceler, puis il s'affaissa. Toute la barricade poussa un cri; mais il y avait de l'Antée dans ce pygmée; pour le gamin toucher le pavé, c'est comme pour le géant toucher la terre; Gavroche n'était tombé que pour se redresser; il resta assis sur son séant, un long filet de sang rayait son visage, il éleva ses deux bras en l'air, regarda du côté d'où était venu le coup, et se mit à chanter :

Je suis tombé par terre,
C'est la faute à Voltaire,
Le nez dans le ruisseau,
C'est la faute à ...

Il n'acheva point. Une seconde balle du même tireur l'arrêta court. Cette fois, il s'abattit la face contre le pavé, et ne remua plus. Cette petite grande âme venait de s'envoler.

Mais qui est Hégésippe Moreau?

Son nom, sinon son œuvre, me poursuit. Il est entré, on ne sait plus comment, dans la litanie des saints laïques. Les républicains s'appellent rarement Pierre ou Paul, ou Charles. Nés avec un nom commun ils s'anoblissent par un prénom rare. L'ensemble compose, le plus souvent, un hémistiche : Victor Considérant, ou Agricole Perdiguier. Dans mon enfance, j'ai encore connu des républicains qui s'appelaient Epaminondas ou Vercingétorix.

Hégésippe Moreau était typographe chez Didot. Venu de l'orphelinat de Provins, il devait mourir à deux pas de là, à la Charité, âgé de vingt-huit ans. La muse de la misère habitait avec lui sous les toits. Ils n'en descendaient que pour les barricades. Hégésippe a écrit la plus belle déclaration d'amour à la liberté.

LIBERTÉ CHÉRIE

La liberté surtout! ce nom plein d'harmonie
Sur mes lèvres de feu n'est pas une ironie;
Car je l'ai confessé, non tout bas, à huis clos,
Dans les refrains qu'on jette à des murs sans échos;

Non, comme l'orateur du banquet populaire
Dont la flamme du punch attise la colère,
Comme un bouffon de club dans ses parades, non!
Mais les pieds dans le sang, en face du canon.

Hégésippe, déjà tout rongé de fièvre, écrivit un chant funèbre pour les morts des 5 et 6 juin 1832. C'est le tombeau de Gavroche. Et c'est son propre tombeau.

CHANT FUNÈBRE

Ces enfants, qu'on croyait bercer
Avec le hochet tricolore,
Disaient tout bas : il faut presser
L'avenir paresseux d'éclore;
Quoi! nous retomberions vainqueurs
Dans les filets de l'esclavage?
Hélas! pour foudroyer trois fleurs
Fallait-il donc trois jours d'orage?

Sous le dôme du Panthéon
Vous qui rêviez au Capitole
Enfants que l'appel du canon
Fit bondir des bancs d'une école,
Au toit qui reçut vos adieux
Que de douleurs seront amères
Lorsque d'un triomphe odieux
Le bruit éveillera vos mères.

Martyrs, à vos hymnes mourants
Je prêtais une oreille avide
Vous périssiez, et dans vos rangs
La place d'un frère était vide.
Mais nous ne formions qu'un concert,
Et nous chantions tous la patrie,
Moi sur la couche de Gilbert
Vous sur l'échafaud de Borie.

Ils sont tous morts, morts en héros
Et le désespoir est sans armes.
Du moins, en face des bourreaux
Ayons le courage des larmes !

En ces années louis-philippardes, l'opposition disposait de deux énormes pièces, deux grosses Berthas bourrées d'explosifs jusqu'à la gueule, la colonne Vendôme et la colonne de Juillet. Elles tonnaient tour à tour. La première pour la mort de l'Aiglon ou pour le retour des cendres. La seconde pour les canuts de Lyon, pour les éventrés de la rue Transnonain. Hugo servait encore chez les canonniers de l'Empire. Blanqui et Barbès ripostaient. Le 18 brumaire n'en avait pas fini de sonner le glas de la République. On le verrait bien en 1851, quand le 18 brumaire, au calendrier grégorien, deviendrait le 2 décembre. On comprend mieux pourquoi, en 1871, les communards, Courbet en tête, s'en prirent à leur plus terrible ennemie : la colonne Vendôme.

L'émeute tenait la rue. Le rêve socialiste s'installa sur les hauteurs. C'est ce qui pouvait arriver de pire. Voici la Révolution coupée en trois. Les soldats suivent l'ombre d'un Bonaparte. Ses théoriciens se réfugient dans les nuages. Pour arracher les pavés, il ne reste plus que des étudiants faméliques.

Victor Considérant fondait ses phalanstères. Les saint-simoniens s'établissaient à Ménilmontant et adoptaient, en même temps que la barbe de capucin, un uniforme étrange, encore que tricolore : blouse bleue, pantalon blanc, toque rouge. Leur supérieur, le Père Enfantin, décrétait :

« L'âge d'or qu'une aveugle tradition a placé dans le passé est devant nous. »

Il devait finir dans la peau d'un administrateur du P.L.M. Son couvent de banlieue était l'attraction du moment :

Oh fuyez les cités ! venez à la campagne,
Vous y savourerez le bonheur des élus !
Saint-Simon vous appelle à la Sainte-Montagne,
On y va par les omnibus.

Partagée entre l'utopie, Sainte-Hélène et la prison de Mazas, l'opposition boitait bas. C'est le moins qu'on puisse dire et Paul Avenel le chanta mieux :

J'ai un pied qui r'mue
Et l'autre qui ne va guère

ÉVÉNEMENTS DE LYON.

BATAILLE DE LA PLACE DES BERNARDINES.

J'ai un pied qui r'mue
Et l'autre qui ne va plus.

Pour se consoler, on revenait aux sources. On réinventait 93. Faute de présent, on faisait beaucoup d'histoire. Tout le monde s'y mettait : Michelet, Edgar Quinet, Lamartine.

On enfourchait le rêve des soldats de l'An II. Enjolras et Combeferre se retrouvaient au club de l'A.B.C. Et qu'y avait-il de plus suspect, dans cette arrière-salle clandestine?

Victor Hugo nous le dit :

« Au mur était clouée, indice suffisant pour éveiller le flair d'un agent de police, une vieille carte de la France sous la République. »

Qu'est-ce à dire? Le Rhin! Il revint soudain en force dans l'actualité. Un poète allemand, Becker, ralluma la querelle. Voici la pièce à conviction.

LE RHIN ALLEMAND
(attaque)

Ils ne l'auront pas, le libre Rhin allemand, bien qu'ils le demandent, dans leurs cris, comme des corbeaux avides;

Aussi longtemps qu'il coulera paisible, portant sa robe verte; aussi long-temps qu'une rame frappera ses flots.

Ils ne l'auront pas, le libre Rhin allemand, aussi longtemps que les cœurs s'abreuveront de son vin de feu;

Aussi longtemps que les rocs s'élèveront au milieu de son courant; aussi longtemps que les hautes cathédrales se refléteront dans son miroir.

Ils ne l'auront pas, le libre Rhin allemand, aussi longtemps que les jeunes gens feront la cour aux jeunes filles élancées.

Ils ne l'auront pas, le libre Rhin allemand, jusqu'à ce que les ossements du dernier homme soient ensevelis sous les vagues.

Alfred de Musset, si pâle, s'enflamma. La cocarde de Mimi Pinson était tou-jours piquée dans son cœur tendre. Le souvenir de sa jeunesse chétive, au temps des pères terribles, l'empourpra.

Il releva le défi.

LE RHIN ALLEMAND
(riposte)

Nous l'avons eu, votre Rhin allemand,
Il a tenu dans notre verre.
Un couplet qu'on s'en va chantant
Efface-t-il la trace altière
Du pied de nos chevaux, marqué dans votre sang?

Nous l'avons eu, votre Rhin allemand,
Son sein porte une plaie ouverte,
Du jour où Condé triomphant
A déchiré sa robe verte...
Où le père a passé passera bien l'enfant.

Nous l'avons eu, votre Rhin allemand,
Que faisaient vos vertus germaines,
Quand notre César tout-puissant
De son ombre couvrait vos plaines?
Où donc est-il tombé ce dernier ossement?

Nous l'avons eu, votre Rhin allemand,
Si vous oubliez votre histoire,
Vos jeunes filles, sûrement,
Ont mieux gardé notre mémoire,
Elles nous ont versé votre petit vin blanc.

S'il est à vous, votre Rhin allemand,
Lavez-y donc votre livrée;
Mais, parlez-en moins fièrement.
Combien, aux jours de la curée,
Étiez-vous de corbeaux contre l'aigle expirant?

Qu'il coule en paix, votre Rhin allemand;
Que vos cathédrales gothiques
S'y reflètent modestement;
Mais craignez que vos airs bachiques
Ne réveillent les morts de leur repos sanglant!

Pour ma mère, l'instant du choix approchait. Les lilas étaient fleuris. D'un jour à l'autre l'inspecteur serait là, avec sa serviette de cuir sous le bras, battant la semelle parmi les écoliers, dès huit heures moins cinq. Le cousin Raymond militait pour l'avenir; pourquoi ne pas préparer le professorat? Ma grand-mère en tenait pour Barbaira : nous y avions sa maison, ses vignes, ses morts. Le vieil abbé, du haut de son échelle, plaidait pour sa paroisse. Bagnoles avait adopté son institutrice, ici seulement elle serait tout à fait elle-même. Elle ne devait se sacrifier ni à ses enfants, ni à sa mère. Où trouver plus charmante école, plus doux reposoir? C'était assez de drame dans sa vie; elle avait bien mérité la paix.

Je crois que j'aurais aussi pris parti pour Bagnoles. Ses chemins ne décevaient jamais. J'ai dit celui qui menait à la gare et celui, plus long, plus rude, qui menait à la gloire de Barbès. Mais, juste devant notre porte passait un autre chemin aux promesses infinies. Celui-ci, encore qu'il portât le nom de Villarzel, problématique hameau, ne menait à rien d'autre qu'au cœur de ce pays secret, dans le dédale des vallonnements. A hauteur de l'école, il se présentait en forme de raidillon, montant à l'assaut de la butte où s'élevait le moulin à vent démantelé. Une seule auto prétendait vaincre cette côte : une décapotable Brazier à deux places que nous entendions venir de loin, chaque semaine. Elle appartenait à un monsieur, cafetier à Carcassonne, qui venait rendre une visite hebdomadaire à son domaine perdu. Dès le coin de la place, il emballait sa mécanique; mais, deux fois sur trois, il calait à mi-côte. Nous savions ce qu'il y avait à faire. Nous courions chercher du secours à l'étable de M. le maire. Alors deux bœufs très lents intervenaient pour prendre en remorque le cabriolet jusqu'en haut de la montée. Le conducteur s'efforçait de rester impassible à cette allure d'escargot, malgré nos gambades alentour. En fait, c'était le seul obstacle infranchissable entre Carcassonne et sa campagne. Le malheur voulait qu'il fût juste à hauteur d'une école. Pour moi c'était une chance, car nous finîmes par faire ami et il m'emmena dans les hautes terres dont je rêvais.

Sa métairie était bâtie en terrasse sous un immense micocoulier. Un mur de pierres sèches servait de parapet. La table rustique était toujours dressée, faite de quelques planches clouées sur un fût d'arbre. La source coulait dans un coin, si fraîche que la carafe qu'on y allait remplir revenait embuée. On entendait le crissement des épis écrasés sous le rouleau de pierre qu'un cheval tirait en rond. Des brindilles de paille volaient au-dessus de l'aire comme de la poudre d'or. Et surtout, aussi loin que le regard pouvait aller, on ne voyait que le déroulement des terres.

Ce vaste amphithéâtre où la seule voix était celle d'un agnelet égaré, m'a incliné pour toujours à la contemplation. C'est là que se situe, à mes yeux, le plus beau vers d'Alfred de Vigny.

Les grands pays muets longuement s'étendront.

Je n'ai qu'à le redire pour que se recompose cet horizon que l'on découvrait de la terrasse au micocoulier. Existe-t-elle vraiment cette métairie bénie? J'en emportais à jamais l'image précieuse. Au retour, l'école de Bagnoles me parut petite, falote, mais heureusement située, car elle était une espèce de maison d'octroi sur le chemin des hautes terres, vers ce belvédère ombragé d'où j'avais comtemplé le monde comme Dieu dut le faire un dimanche matin.

Dieu? Il apparaissait presque tous les jours vers midi avec son masque d'apiculteur, au-dessus du mur mitoyen, en écartant les branches du figuier. Débonnaire, indulgent, il me tendait dans un petit panier ses premières cerises ou un livre relié comme un missel qu'il prêtait à ma mère et dont l'auteur, vous l'avez deviné, ne pouvait être que Lamennais.

Car, après le temps de la congrégation, l'Église, fourvoyée dans le fourgon des Bourbons, était en passe de perdre la tête. Soudain dégrisée de ses encens, elle ne savait plus où elle en était, avec un régicide sur le trône. La hiérarchie s'affolait. Elle serait sauvée par les dernières de ses ouailles, une bergère illettrée comme Bernadette ou un berger boiteux comme Lamennais. La véritable église se transporta à l'Atelier. « L'Atelier », c'est ainsi que s'appelait le journal des premiers chrétiens-démocrates, artisans de cours du soir, menuisiers-prophètes comme Agricole Perdiguier, typographes-évangélistes comme Anthime Corbon, ou serruriers-poètes comme Giland; toute la descendance du sans-culotte Jésus. En exergue, on pouvait lire cette phrase péremptoire de saint Paul : « Celui qui ne travaille pas ne doit pas manger. »

A quoi ressemblait Lamennais? A un feu follet, dit Lamartine qui en a fait ce portrait :

« Un petit homme presque imperceptible, ou plutôt une flamme que le vent de sa propre inquiétude chassait d'un point de la chambre à l'autre. Il était non pas vêtu, mais couvert d'une redingote sordide, dont les basques étirées de vétusté battaient ses pantoufles. Il penchait la tête vers le plancher comme un homme qui cherche à lire des caractères mystérieux sur le sable. L'arrière-goût de son âme était amer. »

C'est à travers Lamennais que l'école et le presbytère communiquaient par-derrière. C'est grâce à Lamennais que ma mère, si profondément laïque, ne se sentait pas déplacée à la messe. « Dieu est un citoyen comme les autres, disaient les plus farouches; lui aussi a le droit d'avoir sa maison. »

Lamennais a bien mérité de figurer au palmarès de la République. J'ai retenu de lui ce premier avatar d'un mot d'ordre fameux : « Frères de tous les pays, unissez-vous. »

NOUS SOMMES UN

Celui qui se sépare de ses frères, la crainte le suit quand il marche, s'assied près de lui quand il se repose, et ne le quitte pas même durant son sommeil.

Donc, si l'on vous demandait : « Combien êtes-vous? », répondez : « Nous sommes un, car mes frères, c'est nous, et nous, c'est nos frères. »

Dieu n'a fait ni petits ni grands, ni maîtres, ni esclaves, ni rois, ni sujets : il a fait tous les hommes égaux. Mais, entre les hommes, quelques-uns ont plus de force ou de corps, ou d'esprit, ou de volonté, et ce sont ceux-là qui cherchent à assujettir les autres lorsque l'orgueil ou la convoitise étouffe en eux l'amour de leurs frères.

Et Dieu savait qu'il en était ainsi, et c'est pourquoi il a commandé aux hommes de s'aimer, afin qu'ils fussent unis, et que les faibles ne tombassent point sous l'oppression des forts. Car celui qui est plus fort qu'un seul sera moins fort que deux, et celui qui est plus fort que deux sera moins fort que quatre; et ainsi les faibles ne craindront rien, lorsque, s'aimant les uns les autres, ils seront unis véritablement.

Mais comment va Rouget de Lisle? Il ne va pas bien. La Marseillaise n'est plus proscrite, mais il se meurt. Tout le monde le croit mort, d'ailleurs, sauf ce brave David d'Angers qui est le seul géant de la Révolution attardé dans ce siècle. « Je veux faire de la morale en sculpture », est sa devise. Il finit par découvrir le malheureux dans une maison de Choisy-le-Roi, où on l'héberge. Alphonse Esquiros, auteur de l'histoire des Montagnards, a fixé la scène.

LA DERNIÈRE ÉTINCELLE

C'était alors un vieillard maussade, cacochyme. Il composait encore des airs. Ses amis lui faisaient passer quelque argent, qu'ils lui disaient provenir de la vente de sa musique; leur délicatesse voilait ainsi l'aumône sous un hommage rendu au talent nécessiteux. David voulait faire le médaillon du Tyrtée révolutionnaire; mais il ne rencontra d'abord qu'une figure effacée sous les rides et sous la maladie. Rouget de Lisle était au lit, tout enveloppé de couvertures. David lui parle de la France de 92 et de la grande campagne qu'elle soutint contre les rois coalisés; il lui récite, avec l'accent de l'enthousiasme, une ou deux strophes de la « Marseillaise ». Aussitôt une imperceptible rougeur colore le front du vieillard; le feu reparaît sous la cendre et une dernière étincelle jaillit de ce visage éteint.

La France n'est pas tendre pour ses poètes révolutionnaires. Il est entendu qu'ils meurent à l'Hôpital ou à la Charité. De Rouget de Lisle à Montéhus.

Le vieux bonhomme qui avait été l'officier inspiré de l'armée du Rhin, errait dans les rues de sa banlieue. Il serrait toujours un livre sous son bras. Il portait un chapeau à larges bords et une redingote trop longue avec un ruban rouge à la boutonnière. Louis-Philippe venait de le faire chevalier de la Légion d'honneur. Le plus triste est qu'il en fut sans doute heureux. Il mourut le 26 juin 1836. Quelques vieux soldats de l'An II, tout perclus, vinrent à l'enterrement et essayèrent de chanter la Marseillaise sur sa tombe.

Ce n'était pas assez de dérision. La Marseillaise allait revenir, pour annoncer la IIe République, mais travestie, déguisée en fille de cabaret, avec des paroles pour rire d'un polytechnicien facétieux, Auguste Léonard, mais encore capable de soulever les faubourgs.

LA MARSEILLAISE DE LA COURTILLE

Allons, enfants de la Courtille,
Le jour de boire est arrivé ;
C'est pour nous que le boudin grille,
C'est pour nous qu'on l'a conservé.
Entendez-vous dans la cuisine
Rôtir ces dindons, ces gigots ?
Ma foi, nous serions bien nigauds,
Si nous leur faisions triste mine.

A table, citoyens ! videz tous les flacons !
Buvez, mangez, de vin humectez vos poumons.

Amis, dans vos projets bachiques
Sachez ne pas trop vous presser ;
Épargnez ces poulets étiques,
Laissez-les du moins s'engraisser.
Mais ces chapons aristocrates,
Chanoines de la basse-cour,
Qu'ils nous engraissent à leur tour
Et qu'il n'en reste que les pattes !

A table, citoyens, videz tous les flacons !
Buvez, mangez, de vin humectez vos poumons !

Barbaira n'était pas loin. De la fenêtre du palier on voyait le mont Alaric à l'œil nu. Une hirondelle faisait le trajet en moins de dix minutes. Mais si l'on n'était pas hirondelle, si l'on n'avait ni cheval ni voiture, il fallait, par le train, une journée entière, avec changement à Carcassonne et repas froid sur un banc de square. Quand ma grand-mère n'en pouvait plus de se morfondre, la main en visière, essayant de deviner là-bas tout ce qui dépérissait, tout ce qui la réclamait, l'épidémie de mildiou, les tombes envahies d'herbe, le jardin assoiffé, nous préférions, un beau matin, partir à pied.

De toutes les routes qui s'écartent de Bagnoles, celle du sud m'est la plus familière. Une dizaine de kilomètres nous séparaient de Trèbes, la grosse bourgade intermédiaire. Par esprit d'économie, ou par esprit de charité car les souliers font toujours mal, ma grand-mère, dès la sortie de Bagnoles, décidait que nous irions pieds nus. Nos chaussures étaient rangées dans la petite corbeille d'osier qu'elle portait en équilibre sur sa tête, et nous marchions au bord de la chaussée, où la poussière est le plus épaisse. Nous traversions Malves sans souci d'être pris pour des vagabonds. Une fois la chose fut rapportée à ma mère qui, blessée dans sa dignité, prit une grosse colère. La route était plate entre des talus fleuris. Nous ralentissions l'allure à l'ombre fraîche des mûriers. Enfin, un peu avant onze heures, nous atteignions la gare de Trèbes, à temps pour prendre un omnibus qui nous déposerait, dix minutes plus tard, en gare de Floure-Barbaira. Encore un bon kilomètre, sur la Nationale cette fois, et nous étions rendus. L'atelier de menuiserie (c'était avant les réparations), était éclairé par une grande porte vitrée à quatre battants dont ma grand-mère s'empressait d'ôter les volets. Deux établis parallèles occupaient la vaste pièce envahie de toiles d'araignées. Sur le foyer éteint, dans un coin, il y avait toujours le pot à colle. Vers le jardin, l'atelier devenait une cave occupée par trois grands foudres alignés. Nous inspections leurs douves avec un bougeoir, attentifs au moindre suintement, prêts à le colmater, s'il y avait lieu, avec du suif et du papier journal. La porte de derrière s'ouvrait sur le soleil que tamisait une treille. L'eau du puits montait grâce à une pompe à chapelet dont il fallait tourner la grande roue verte. Le cliquetis du cric retentissait joyeusement dans la maison morte. La première eau arrivait rougeâtre, rouillée, mais bientôt elle s'éclaircissait et coulait enfin limpide et glacée. Ma grand-mère attendait avec un grand verre à pied réservé à cet usage. J'étais presque à bout de souffle quand elle se décidait à le remplir. Elle regardait ensuite l'eau claire levée à hauteur de ses yeux, comme à la santé de la vieille église fortifiée qui se dressait dans le fond, au-dessus du mur. Enfin, elle buvait lentement et il semblait qu'elle revive à chaque gorgée. J'ai retenu tout ce cérémonial dans son moindre détail, car je comprenais là que l'eau la plus miraculeuse du monde est, pour chacun, celle de son puits.

Le plus vite possible, je m'esquivais et j'allais me cacher au grenier. Le jour venait, à travers les tuiles roses, par une tuile de verre. Je m'installais au-dessous avec de vieilles collections de journaux. Le menuisier, qui aimait tant lire, les avait soigneusement reliés avec une couverture de carton et un dos de toile. C'étaient de grands in-folio pleins d'Alsace-Lorraine, d'Affaire Dreyfus, d'attelages à la Daumont, de fêtes sur les places de la République, de faits divers horribles.

Le grenier existe toujours. Depuis, ma mère y avait pris sa retraite. Elle s'y était bâti une espèce de refuge, juste sous la tuile de verre, avec des étagères remplies de livres d'école et une caisse recouverte d'un tapis fané qui servait de chaire. Perdue au plus profond de sa solitude, elle y retrouvait en cachette l'enchantement de faire encore classe, ne fût-ce qu'à une poupée.

C'est le lieu idéal où je veux évoquer un livre simple et bien-aimé qui contient, me semble-t-il, toute l'histoire de cette seconde République dont rêvaient les menuisiers. Il s'appelle « Les Mémoires de Léonard. » Ce sont les souvenirs d'un maçon de la Creuse, Martin Nadaud, qui devait être député de Paris en 48. Je vais essayer de vous les faire parcourir par le plus court des raccourcis, avec l'espoir que ces quelques lignes sauront conserver l'odeur de bon pain, de bon bois, de bon mortier, cette odeur d'honnêteté dont tout le livre est imprégné.

Un beau jour le petit Martin Nadaud quitta à pied son village de Lamartinesche. La politique lui valut un peu de gloire et beaucoup d'exil. Il revint chez lui, après 1870, comme préfet de la Troisième.

MÉMOIRES DE LÉONARD

Levé longtemps avant le jour, je revêtis l'accoutrement que ma mère m'avait fait confectionner à cette occasion, selon les habitudes du pays. Quel drap avait-elle choisi? Naturellement du droguet, produit de la laine de nos brebis. Veste, pantalon et gilet, tout était de même étoffe.

L'ensemble était raide comme du carton et paralysait presque tous les mouvements du corps, avec cela de gros souliers qui ne devaient pas tarder à m'écorcher les pieds, un chapeau haute forme, à la mode du jour, que nous étions allés acheter à Saint-Georges. C'est avec cette armure sur le corps qu'il me fallut entreprendre à pied le voyage de la Creuse à Paris.

Ainsi harnaché, le 26 mars 1830, je fis avec mon père mes adieux à ma famille. Il fallut même nous soustraire aux embrassements de ma mère, de ma grand-mère, de mes sœurs. Ce fut un douloureux et pénible moment. Je crois que si on nous eût portés en terre, les cris de ces femmes n'eussent pas été plus déchirants.

1830, PLACE DE LA BASTILLE

Quel tableau! pour un enfant qui sortait de son village; c'était un coup d'œil grandiose, au-delà de toute expression, que de voir tout un peuple dans la rue, fier de sa victoire sur un roi et des ministres pervers qui avaient cherché à lui ravir les quelques lambeaux de liberté que lui avait octroyés la Charte de 1815. Il y avait de quoi s'extasier et rester muet d'étonnement. Les derniers coups de fusil avaient été tirés la veille. Mais la population entière, combattants et non-combattants, était dehors, criant à pleins poumons. « Vive la Charte!... A bas les Bourbons!... »

Devant cet océan de monde qui nous empêchait d'avancer, mon regard était fasciné; je restais plein d'admiration devant cet effrayant tableau, étourdi par le tumulte et le cliquetis des armes, au milieu de cette foule innombrable d'hommes, dont les mains et le visage étaient couverts de sueur et noirs de poudre.

Harassés de fatigue, mourant de soif, nous parvînmes à entrer chez le marchand de vin dont la boutique faisait l'angle de la place de la Bastille et du faubourg Saint-Antoine, et qui existe encore aujourd'hui.

La salle était pleine de ces hommes, aux regards terribles et effrayants, ayant leurs manches de chemises relevées jusqu'au-dessus du coude, et radieux de leurs victoires sur l'armée, commandée par le traître duc de Raguse Marmont.

LE GARNI

A notre arrivée à Paris, nous nous rendîmes dans le garni où mon père avait passé sa jeunesse et où il m'avait conduit le premier jour de mon arrivée, au numéro 62 de la rue de la Tissanderie, chez Mme Champêne, garni qui, à la mort de cette dernière, était tenu par sa fille aînée, Mlle Rose. Celle-ci me conduisit au quatrième étage de cette maison, elle me montra mon lit et déposa mon petit paquet sur une planche, puis elle me présenta aux hommes de la chambrée en ayant soin de me dire qu'ils étaient tous bons enfants, ce qui était vrai, et qu'ils auraient soin de moi, ce qui était vrai encore, et que d'ailleurs c'étaient des gens de ma commune ou de Pontarion.

Dans cette chambre il y avait six lits et douze locataires. On y était tellement entassés les uns sur les autres qu'il ne restait qu'un passage de 50 centimètres pour servir de couloir.

L'un de mes compagnons de chambre, le gros Dizier, bon ouvrier et bon camarade, avait un garçon, qu'il appelait « Neuf heures ». Deux jours après mon arrivée, ce dernier me conduisit à la grève, il m'acheta une hotte, une pelle, une calotte bien bourrée de chiffons pour que l'auge ne me blessât pas la tête, puis une blouse et un pantalon de fatigue, et me voilà parti, avec mon nouveau camarade, pour la rue de la Chaussée-d'Antin, à l'ancien nº 29. Là, il me conduisit dans le gâchoir, au milieu de quinze à vingt garçons maçons. Le premier mot que je saisis fut celui-ci : « C'est un poulain, c'est un poulain! » On appelait de ce nom celui qui arrivait du pays et qui ne connaissait pas le métier, puis ils ajoutèrent en m'entourant : « Régales-tu, coco? » On m'avait averti et je répondis que je n'avais pas le sou. Quand on sut que je devais servir le maître compagnon, on me laissa tranquille.

Dans cette même rue de la Chaussée-d'Antin, habitait le général La Fayette, alors commandant en chef des gardes nationales. Dans la gargote, où nous prenions nos repas, il y venait plusieurs tambours de son état-major, tous anciens soldats de Napoléon.

Ces vieux grognards ne se gênaient pas pour attaquer avec la dernière violence Louis-Philippe et pour avouer leurs opinions comme républicains. Nous les dévorions des yeux, surtout quand ils parlaient des combats de géants auxquels ils avaient assisté. Il y en avait même, parmi eux, deux ou trois qui racontaient les événements de la journée où Louis XVI fut guillotiné.

C'était la première fois que j'entendais parler de république, — et, comme il y avait alors beaucoup d'agitation dans les esprits, nous devînmes des apôtres de cette grande et noble cause, à laquelle nous devions consacrer toute notre vie.

MARIAGE (1839)

Un jour, revenu au pays, j'allais à Vallières, avec un ami du nom de Périchon, que j'avais fréquenté à Paris; nous entrâmes boire chopine dans une auberge du Monteil-au-Vicomte tenue par une femme qu'on appelait la Pouchonnelle.

Dans le coin d'une vaste cheminée, se trouvait une grande et belle fille, en compagnie de sa mère; elle nous parut si réservée, si gracieuse, si rayonnante de jeunesse et de beauté que nous nous mîmes à la dévorer des yeux. Tous les deux, nous avions le bagout qu'on a à cet âge, surtout quand on a vécu plusieurs années à Paris. Alors, en sortant, notre amabilité redoubla, et je sus plus tard — car cette jeune fille devait être ma femme, — qu'on nous avait trouvés très convenables, et nous continuâmes notre route.

L'HIVER DANS LA CREUSE (1843-1844)

Cet hiver de 1843 à 1844 se passa pour moi de la manière la plus heureuse, et surtout la plus agréable ; il devait en être ainsi. Aimé de mon père, de ma mère et par une femme gracieuse et d'une grande beauté, les jours se passaient pour moi aussi vite que les heures. Bien que les distractions dans un village soient insignifiantes, la famille suffit pour répandre du baume dans le cœur de l'homme et donner à l'âme les joies que nous recherchons. L'hiver, en effet, n'a rien de triste pour les émigrants, encore moins pour leurs femmes.

De temps à autre, ces dernières trouvent l'occasion de se distraire, de montrer leurs toilettes.

Nous sortions, chaque dimanche, pour aller soit à Pontarion, soit à Saint-Hilaire-le-Château où on était sûr de rencontrer, sans s'être donné rendez-vous, les plus délurés et les plus fringants des maçons de Paris et de Lyon. Ceux-là ne manquaient pas, avant leur retour au village, de se payer une toilette plus voyante que solide. Mais il fallait suivre les modes et les faire suivre à nos sœurs et à nos femmes. C'est même pour porter ces belles robes venues de nos grandes villes que nos paysannes ont commencé à se distinguer, bien avant celles de plusieurs autres départements, dans leur personne, dans leur toilette et surtout dans leur maintien et leur conversation.

Le mois de mars me rappelait à Paris. Content ou non, je dus voir recommencer de nouveau ces scènes de tendresse et d'affection qui ont lieu dans toutes les familles bien unies au moment de se séparer.

Il fallut donc faire son paquet et partir.

AGRICOLE PERDIGUIER

Nous n'avons que des éloges à adresser à Agricole Perdiguier que nous avons beaucoup connu.

A part ses articles dans le journal l'Atelier, cet homme réellement laborieux faisait chaque soir un cours de dessin et de coupe de pierres aux ouvriers désireux de s'instruire. Ils furent grands, immenses, les services que notre camarade Avignonnais la Vertu rendit à notre classe : ses livres sur le compagnonnage ont immortalisé son nom et lui valurent les éloges de la plupart de nos grands écrivains.

Pour avoir fait son devoir de bon républicain, le misérable Louis Bonaparte le força à s'exiler à Bruxelles. Nous habitions la même maison, nous nous réunissions pour prendre nos repas en commun. Plus homme de ménage que moi qui avais toujours vécu dans les gargotes, Perdiguier, habitué à la vie de famille, savait préparer à très bon compte nos repas. Cette vie en commun dura jusqu'au jour où ce gredin de Bonaparte, sorte d'empereur de guet-apens et de meurtre, me chassa de Bruxelles pour m'envoyer à Anvers.

Le vieux menuisier vit disparaître sur la terre étrangère les quelques faibles économies qu'il avait faites en élevant sa famille et, comme plus d'un de ses livres lui occasionna plus de perte que de profit, il en résulta que notre ami mourut très pauvre.

Ce sera un des bons souvenirs de ma vie d'avoir pu faire obtenir à sa veuve le kiosque qui se trouve à l'angle du pont Royal, en face du jardin des Tuileries; c'est là que la digne veuve se rend chaque matin avec une de ses filles pour gagner son pain. Contente de cet emploi, chaque fois que je passais dans ce quartier, Mme Perdiguier ne se plaignait jamais; elle paraissait heureuse de ne devoir rien à personne qu'à son travail.

LA RÉVOLUTION AU PANTHÉON

Il y avait durant l'hiver 1847-1848 une grande animation sur la place du Panthéon; c'était au temps où l'on attaquait avec le plus de vigueur et d'acharnement le ministère Guizot-Duchâtel. On aurait dit en mettant les pieds sur cette place qu'elle était devenue un lieu de réunion tumultueux, tant la police préoccupait les esprits. A une certaine heure du jour, les étudiants de l'école de droit, les professeurs de nos lycées péroraient à haute voix et faisaient des gestes animés qui étaient loin d'annoncer le calme de leur esprit.

Cette agitation, au lieu de diminuer, augmentait tous les jours. On sait que c'est le banquet de l'arrondissement du Panthéon, après ceux de Dijon, de Marseille, de Limoges, qui amena l'effondrement de la dynastie de Louis-Philippe.

Un jour que je prenais beaucoup de peine avec cinq ou six de mes limousinants pour planter de grandes échasses sur les trois façades du bâtiment en construction, ainsi que les sapines servant à monter les pierres sur toute la hauteur du bâtiment, je vis les troupes de ligne envahir la place, d'un côté, et la garde nationale de l'autre. Naturellement notre surprise fut grande. N'ayant pas reçu l'ordre de s'arrêter, les ouvriers se trouvèrent en quelque sorte barricadés dans l'intérieur du bâtiment.

Nous restâmes dans cet état d'inquiétude jusque vers deux heures du soir. A ce moment, je vis le colonel de la garde nationale, Ladvocat, entouré de tout son état-major, paraissant agité et ému. Il venait de recevoir l'ordre de l'abdication du roi. Au même instant, l'officier qui se trouvait devant la porte du chantier et qui m'avait vu allant et venant m'arrêta pour me demander où se trouvait la caserne de la rue Mouffetard; je l'y conduisis. En arrivant, j'aperçus les soldats qui, des croisées de leur caserne, tendaient leurs fusils à la foule qui poussait des cris étourdissants de « Vive la ligne! » Cela fait, je revins sur la place du Panthéon.

Le plus proche voisin de mon chantier était un colonel en retraite du nom de Denisset, homme énergique et d'un tempérament révolutionnaire. Je ne sus jamais s'il était légitimiste ou bonapartiste, toujours est-il qu'il se mit à la tête d'un groupe, et nous fûmes au nombre de trois ou quatre cents nous emparer de la mairie qui se trouvait en haut de la rue Saint-Jacques. Il n'y eut pas grand mérite de notre part; on trouvait alors toutes les portes ouvertes.

Grâce à Martin Nadaud, nous voici passés de 1830 à 1848. A chaque révolution, il faut un faiseur d'hymne. La grande avait eu Marie-Joseph Chénier. Les Trois Glorieuses avaient eu Casimir Delavigne. Celle-ci eut recours à Alexandre Dumas.

A l'automne 47 on jouait au Théâtre Historique « Le Chevalier de Maison-Rouge ». Au cinquième acte, l'émotion était à son comble. Toutes les répliques portaient. C'était le procès des Girondins, comme si on y était.

Le principal accusé. — Citoyen président, tu oublies que des hommes comme nous, s'ils ne sont pas maîtres de leur vie, sont toujours maîtres de leur mort.

Le Président — Ah! tu pâlis, citoyen!

Le principal accusé — Non! je meurs.

Un autre Girondin — Et vous avez beau dire, il meurt pour la patrie.

Alors, tous les accusés entonnaient « Le Chant des Girondins ».

Alexandre Dumas en avait écrit les couplets, en se servant d'un vieux refrain de Rouget de Lisle. Alphonse Varney, le chef d'orchestre du théâtre, avait composé là-dessus une musique de circonstance qui, trois mois plus tard, s'échappait de la fosse et remplissait Paris.

LE CHANT DES GIRONDINS

Par la voix du canon d'alarmes,
La France appelle ses enfants.
Allons, dit le soldat, aux armes!
C'est ma mère, je la défends.
Mourir pour la patrie,
C'est le sort le plus beau, le plus digne d'envie.

Nous, amis, qui, loin des batailles,
Succombons dans l'obscurité,
Vouons du moins nos funérailles
A la France, à sa liberté.
Mourir pour la patrie,
C'est le sort le plus beau, le plus digne d'envie.

Frères, pour une cause sainte,
Quand chacun de nous est martyr,
Ne proférons pas une plainte :
La France, un jour, doit nous bénir.
Mourir pour la patrie,
C'est le sort le plus beau, le plus digne d'envie.

C'est une des marques du XIXe siècle que cette facilité avec laquelle l'action passe sans transition de l'encrier à la rue. Une chanson commencée au théâtre allait, en un seul jour, reprise par mille poitrines, installer la République à l'Hôtel de Ville et doter toutes nos préfectures d'une nouvelle rue : la rue du 24 Février.

Pour témoigner de cette révolution, j'en appelle à mon cher Louis Blanc. Il en connut la poudre, par une nuit d'hiver. Il en connut la gloire, au premier souffle du printemps. Il en connut l'amertume, avant même que vînt l'été, quand les fusils de la République se retournèrent contre le peuple.

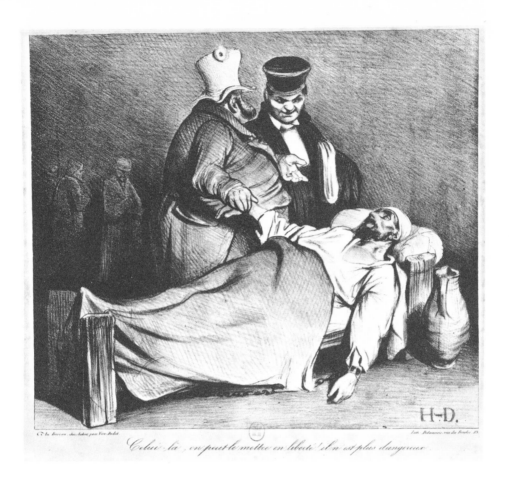

Celui-là, on peut le mettre en liberté ! il n'est plus dangereux.

Reviens, Louis Blanc, viens parler au vieux monde,
Brave l'exil ou la captivité !
Pour le travail que ton œuvre se fonde,
Car du travail vit la société.

Voici la page fiévreuse où Louis Blanc, en quelques enjambées, passe de l'émeute au gouvernement.

LA RÉVOLUTION DE FÉVRIER

Paris pour entrer en fureur n'avait besoin que de la vue d'un cadavre : le soir, un feu de peloton exécuté sur le boulevard en fournit un monceau. Des ouvriers chargèrent les morts sur leurs épaules ; ils coururent se promener à la lueur des torches le long des faubourgs, et tout fut dit. Une fois

Va te faire p

dre ailleurs !

Lith, Parceint, Ly.

déchaîné, le peuple alla jusqu'aux boulevards. Les soldats se souvinrent qu'ils étaient citoyens; le gouvernement tomba comme épuisé de fatigue; Louis-Philippe s'enfuit laissant son palais vide et sa couronne par terre; la France fut une République.

Le siège du gouvernement provisoire était naturellement ce jour-là à l'Hôtel de Ville : je m'y rendis. Sur la place de Grève, c'était, on peut le dire, comme un océan de têtes.

Devant la grille de la porte principale se dressaient quatre pièces de canon, autour desquelles la multitude se divisait en grondant, partagée entre deux courants contraires dont l'un montait et l'autre descendait.

Remplies de chevaux sans cavaliers, de blessés gémissants sur la paille, d'orateurs éperdus, de visiteurs effarés, de soldats en haillons, d'ouvriers agitant des drapeaux, d'enfants avides du retentissement des coups de feu, les cours offraient le triple aspect d'une ambulance, d'un champ de bataille et d'un camp.

M'étant nommé, je fus enlevé et porté sans toucher terre dans la salle Saint-Jean où se tenaient les grandes assises populaires. Annoncé comme membre du Gouvernement provisoire, je montai en uniforme de garde national sur la table qui servait de bureau et là, dans un discours qui dut être singulièrement animé s'il répondait aux battements de mon cœur, je proclamai non seulement la République, mais la République démocrate et sociale.

Trois mois plus tard, nouvelle apothéose. Le gouvernement provisoire nous a donné le suffrage universel. Une Assemblée Nationale est sortie des urnes. Voici, sous la plume inspirée de Louis Blanc, sa première séance.

INSTANT SUPRÊME

Le canon des Invalides annonça l'arrivée du Gouvernement provisoire dans l'Assemblée. Lorsque le vénérable Dupont (de l'Eure) entra, appuyé d'un côté sur le bras de M. de Lamartine, et, de l'autre, sur le mien, l'Assemblée tout entière se leva d'un mouvement spontané, en poussant un grand cri de « Vive la République » !

M. Dupont (de l'Eure) fut reconduit à sa place, où Béranger l'attendait; et les deux nobles vieillards tombèrent dans les bras l'un de l'autre, au milieu de l'attendrissement général.

Vers le soir, le général Courtais, revêtu du grand uniforme de commandant en chef de la garde nationale, paraît soudain dans la salle, annonçant que la place de la Concorde, le pont qui conduit au palais, et toutes les avenues regorgent de citoyens impatients d'unir leurs vœux à ceux de l'Assemblée. Aussitôt, cédant à une impulsion irrésistible, tous les membres s'élancent de leurs bancs et vont se ranger sous le vestibule du palais, faisant face à la place de la Révolution.

Quels mots pourraient peindre le caractère admirable et vraiment religieux de cette scène? C'était une douce journée de printemps, et le soleil à son déclin dorait de ses rayons d'adieu la plus belle partie de la ville la plus belle qui soit au monde. Au moment où les représentants du Peuple parurent sous le vestibule, le canon retentit; les drapeaux, les bannières de la garde nationale et de l'armée s'inclinèrent; la musique de chaque régiment fit entendre l'hymne sacré, la Marseillaise, et il monta vers le ciel une de ces clameurs puissantes qui, aux jeux olympiques, faisaient tomber morts les corbeaux dans le cirque. Ce fut une de ces heures suprêmes, trop courtes dans la vie des peuples, où les pensées s'unissent en un mystérieux embrassement; où les âmes s'appellent de loin et se répondent; où les hommes, un moment oublieux de leurs haines misérables, se sentent de la même famille, et, sur l'aile d'une même inspiration, remontent tous ensemble à la source éternelle de leur commune existence.

Un mois plus tard, les grandes espérances accouchent d'un général Cavaignac. Le pauvre Louis Blanc reprend le chemin de l'exil. L'exil traverse tout ce siècle sous forme de points de suspension. Le mot clé est « proscrit ». Hippolyte Carnot, fils de Lazare et père de Sadi, est né en exil. Louis Blanc revient, repart. Lamennais mourra en exil. La République hésite sans cesse entre le Panthéon et le garni belge.

Pour quelques jours encore, partageons le rêve éveillé de Lefuel, demain « déporté politique ». Écoutons vibrer la lyre quarante-huitarde.

LES TEMPS SONT VENUS

Les Temps sont venus! La Fraternité va régner sur la terre. Tout tombe, tout s'écroule dans un cataclysme immense, universel; tout s'engloutit dans un nouveau déluge. Mais l'arche sainte flotte à la surface, l'arche sainte qui renferme les trois dignes sœurs, régénératrices du monde : l'Égalité, la Fraternité, la Liberté, mères sacrées de la paix universelle, nourrices fécondes, aux mamelles puissantes, où chacun vient porter ses lèvres avec amour, sources inépuisables où tous viennent se désaltérer, sans premiers, ni derniers, sans exclusions de couleurs ni de races! Nous sommes égaux, égaux!... L'entendez-vous bien, frères, amis, citoyens? Oui, tous égaux!

Toute l'affaire est dominée par la haute taille de Lamartine, debout sur une table.

En ce siècle prodigieux, la Révolution pouvait sortir du théâtre et le pouvoir de l'encrier. Les poètes sont portés sur le pavois. Jamais on ne les mit si haut. Le triomphe d'Alphonse n'aura d'égal que celui de Victor, trente ans après. L'un a fait d'une table de banquet la plus haute tribune, l'autre régnera, tout un interminable exil, drapé dans ses brumes comme dans une pourpre. Leurs alexandrins sont la chanson de route de la République. L'école n'en finira pas de s'étonner qu'ils aient à la fois la première place en leçon de Français et en leçon d'Histoire.

On se réjouit d'avance à l'idée qu'ils se sont rencontrés dans une embrasure de fenêtre de l'Hôtel de Ville, au-dessus du peuple, au soir de cette révolution de février, pendant que brûle, au pied de la colonne de juillet, le dernier trône.

Victor avait douze ans de moins qu'Alphonse. Il n'avait pas encore tout à fait rallié la République. Serait-il mort ce jour-là, on retiendrait de lui l'image d'un homme de lettres assez laborieux, assez cul-blanc, faisant carrière vers la Chambre des Pairs et l'Académie. C'est sur le pavé gras de Février qu'il va rencontrer le peuple. C'est dans le désordre de l'Hôtel de Ville que son génie va s'embraser. Pour l'instant, il se faufile dans la foule obscure, curieux d'approcher ces hommes élus par acclamations, et dont l'un est son aîné en poésie. Il n'est pas encore acteur, mais seulement témoin. La révolution de Février n'appartient pas, pour lui, aux choses vécues, mais aux « choses vues ».

VU A L'HOTEL DE VILLE

J'étais dans une salle spacieuse faisant l'angle d'un des pavillons de l'Hôtel de Ville et de deux côtés éclairée par de hautes fenêtres. J'aurais souhaité trouver Lamartine seul, mais il y avait là avec lui, dispersés dans la pièce et causant avec des amis, ou écrivant, trois ou quatre de ses collègues du gouvernement provisoire, Arago, Marie, Armand Marrast... Lamartine se leva à mon entrée. Sur sa redingote boutonnée comme d'habitude, il portait en sautoir une ample écharpe tricolore. Il fit quelques pas à ma rencontre et, me tendant la main : — Ah! vous venez à nous, Victor Hugo! c'est pour la République une fière recrue!
Nous fûmes interrompus par le bruit d'une fusillade prolongée qui éclata tout à coup sur la place. Une balle vint briser un carreau au-dessus de nos têtes. — Qu'est-ce encore que cela? s'écria douloureusement Lamartine. M. Armand Marrast et M. Marie sortirent pour aller voir ce qui se passait. — Ah! mon ami, reprit Lamartine, que ce pouvoir révolutionnaire est dur à porter! on a de telles responsabilités, et si soudaines, à prendre devant la conscience et devant l'histoire. Depuis deux jours je ne sais comment je vis. Hier j'avais quelques cheveux gris, ils seront tous blancs demain. — Oui, mais vous faites grandement votre devoir de génie, lui dis-je.
Au bout de quelques minutes, M. Armand Marrast revint. — Ce n'était pas contre nous, dit-il. On n'a pas pu m'expliquer cette lamentable échauffourée. Il y a eu collision, les fusils sont partis, pourquoi? était-ce querelle entre socialistes et républicains? on ne sait. — Est-ce qu'il y a des blessés? — Oui, et même des morts.
Un silence morne suivit. Je me levai. — Vous avez sans doute des mesures à prendre? — Hé! quelles mesures? reprit tristement Lamartine. Ce matin, nous avons résolu de décréter ce que vous avez déjà pu faire en petit dans votre quartier : la garde nationale mobile; tout Français soldat en même

temps qu'électeur. Mais il faut le temps, et, en attendant... — Il me montra, sur la place, les vagues et les remous de ces milliers de têtes. — Voyez, c'est la mer!

Un jeune garçon portant un tablier entra et lui parla bas. — Ah! fort bien! dit-il, c'est mon déjeuner. Voulez-vous le partager, Hugo? — Merci! mais à cette heure, j'ai déjeuné. — Moi pas! et je meurs de faim. Venez du moins assister à ce festin; je vous laisserai libre après.

Il me fit passer dans une pièce donnant sur une cour intérieure. Un jeune homme, d'une figure douce, qui écrivait à une table, se leva et fit mine de se retirer. C'était le jeune ouvrier que Louis Blanc avait fait adjoindre au gouvernement provisoire. — Restez, Albert, lui dit Lamartine; je n'ai rien de secret à dire à Victor Hugo. Nous nous saluâmes, M. Albert et moi.

Le garçonnet montra à Lamartine, sur la table, des côtelettes dans un plat de terre cuite, un pain, une bouteille de vin et un verre. Le tout venait de quelque marchand de vin du voisinage. — Eh bien, fit Lamartine, et une fourchette? un couteau? — Je croyais qu'il y en avait ici. S'il faut aller en chercher!... J'ai déjà eu assez de peine à apporter ça jusqu'ici! — Bah! dit Lamartine, à la guerre comme à la guerre! Il rompit le pain, prit une côtelette par l'os et déchira la noix avec ses dents. Quand il avait fini, il jetait l'os dans la cheminée. Il expédia ainsi trois côtelettes et but deux verres de vin.

— Convenez, me dit-il, que voilà un repas primitif! Mais c'est un progrès sur notre souper d'hier soir; nous n'avions, à nous tous, que du pain et du fromage, et nous buvions de l'eau dans le même sucrier cassé. Ce qui n'empêche qu'un journal, ce matin, dénonce, à ce qu'il paraît, la grande orgie du gouvernement provisoire!

Étrange gouvernement surgi d'un soir de colère, composé comme un bouquet d'immortelles en souvenir de la grande Révolution. Dupont de l'Eure, vétéran de 89, donne la main à Hippolyte Carnot, le fils du conventionnel. François Arago représente le Midi rouge. Le premier radical, Ledru Rollin, et le premier socialiste, Louis Blanc, entrent dans l'histoire côte à côte. Il y a même un ouvrier, Albert Martin. Mais la palme revient au poète. Il s'est réservé le ministère des Affaires étrangères. Pour lancer par-dessus les frontières un ultimatum de paix. A ce titre, Lamartine est le vrai fondateur des États-Unis d'Europe. Le Rhin que se disputaient Becker et Musset, il veut en faire le boulevard de la réconciliation. Monsieur le Ministre s'adresse à l'Allemagne, en vers.

LA MARSEILLAISE DE LA PAIX

Roule, libre et superbe entre tes larges rives,
Rhin! Nil de l'occident! coupe des nations!
Et des peuples assis qui boivent tes eaux vives
Emporte les défis et les ambitions!

Il ne tachera plus le cristal de ton onde,
Le sang rouge du Franc, le sang bleu du Germain;
Ils ne crouleront plus sous le caisson qui gronde,
Ces ponts qu'un peuple à l'autre étend comme une main!
Les bombes, et l'obus, arc-en-ciel des batailles,
Ne viendront plus s'éteindre en sifflant sur tes bords;
L'enfant ne verra plus du haut de tes murailles
Flotter ces poitrails blonds qui perdent leurs entrailles
Ni sortir des flots ces bras morts!

Roule libre et béni! Ce Dieu qui fond la voûte
Où la main d'un enfant pourrait te contenir,
Ne grossit pas ainsi ta merveilleuse goutte
Pour diviser ses fils, mais pour les réunir!

Et pourquoi nous haïr et mettre entre les races
Ces bornes ou ces eaux qu'abhorre l'œil de Dieu?
De frontières aux cieux voyons-nous quelque trace?
Sa voûte a-t-elle un mur, une borne, un milieu?
Nations! mot pompeux pour dire barbarie!
L'amour s'arrête-t-il où s'arrêtent vos pas?
Déchirez vos drapeaux; une autre voix vous crie :
L'égoïsme et la haine ont seuls une patrie,
La fraternité n'en a pas!

Roule libre et paisible entre ces fortes races
Dont ton flot frémissant trempa l'âme et l'acier.
Et que leur vieux courroux, dans le lit que tu traces,
Fonde au soleil du siècle avec l'eau du glacier!

Vivent les nobles fils de la brave Allemagne!
Le sang-froid de leur front couvre un foyer ardent;
Chevaliers tombés rois des mains de Charlemagne,
Leurs chefs sont les Nestors des conseils d'Occident!
Leur langue a les grands plis des manteaux d'une reine,
La pensée y descend dans un vague profond,
Leur cœur sûr est semblable au puits de la syrène,
Où tout ce que l'on jette, amour, bienfait ou haine,
Ne remonte jamais du fond.

Roule libre, et bénis ces deux sangs dans ta course.
Souviens-toi pour eux tous de la main dont tu sors.
L'aigle et le fier taureau boivent l'onde à ta source,
Que l'homme approche l'homme, et qu'il boive aux deux bords!

Lamartine, avant de rentrer dans l'ombre et, bientôt, dans la misère, monte une dernière fois sur une table. Ce n'est plus pour en appeler au peuple, mais pour

lui tenir tête. Quelques énergumènes le mettent en joue. D'autres brandissent sous son nez le drapeau rouge. La liberté, comme le dira plus tard Péguy, est « décevante et totale ». Les ouvriers ne se nourrissent pas d'alexandrins. Le suffrage est universel, mais le pain est rare. Une dernière bouffée de poésie retardera la bagarre.

DISCOURS POUR UN DRAPEAU

Écoutez, en moi, votre Ministre des Affaires Étrangères. Si vous m'enlevez le drapeau tricolore, sachez-le bien, vous m'enlevez la moitié de la force extérieure de la France ! car l'Europe ne connaît que le drapeau de ses défaites et de nos victoires dans le drapeau de la République et de l'Empire. En voyant le drapeau rouge, elle ne croira voir que le drapeau d'un parti ! C'est le drapeau de la France, c'est le drapeau de nos armées victorieuses, c'est le drapeau de nos triomphes qu'il faut relever devant l'Europe. La France et le drapeau tricolore, c'est une même pensée, un même prestige, une même terreur, au besoin, pour nos ennemis.
Songez combien de sang il vous faudrait pour faire la renommée d'un drapeau !
Citoyens, pour ma part, le drapeau rouge, je ne l'adopterai jamais et je vais vous dire pourquoi je m'y oppose de toute la force de mon patriotisme : c'est que le drapeau tricolore a fait le tour du monde avec la République et l'Empire, et que le drapeau rouge n'a fait que le tour du Champs-de-Mars, traîné dans le sang du peuple !

Je ne voudrais pas passer « quarante-huit » sans réhabiliter un autre poète. Il sut faire chanter les guinguettes des Batignolles et de Belleville, en ce temps où la banlieue commençait si près de l'Hôtel de Ville. Il est injuste que nous n'ayons retenu de lui que la flûte bucolique. Je parle de Pierre Dupont. Tant mieux si les enfants récitent encore : « J'ai deux grands bœufs dans mon étable. » La charrue est inusable, en bois d'érable. Et l'aiguillon dure un temps fou, en manche de houx. Mais les refrains d'émeute, qui s'en souvient encore ?

> *Pour le soldat, la palme est douce,*
> *Quand le combat fut glorieux.*
> *De Transnonain, de la Croix-Rousse,*
> *Les cyprès nous sont odieux.*

Et qui sait que le pacifique bouvier, au pas lent de ses nobles bêtes, rêvait du grand chambardement ?

> *Oh, quand viendra la belle !*
> *Voilà des mille et des cent ans*
> *Que Jean Guêtré t'appelle,*
> *République des paysans !*

RÉVOLUTION DU 13 JUIN 1849.

Le 13 Juin, fut le moment d'une révolte contre l'autorité du Président Napoléon, la Montagne ayant à sa tête le citoyen Ledru-Rollin résolut de renverser le gouvernement par les armes, elle établit son état-major à Paris dans le Musée des Arts et Métiers, mais l'attaque vigoureuse de la troupe et de la garde nationale fut victorieuse, et dans la même journée le drapeau tricolore au cri de vive Napoléon fit disparaître l'apparition du drapeau rouge.

Les Révolutions du xixe siècle n'allaient guère au-delà du faubourg Saint-Antoine. L'épicentre en est la montagne Sainte-Geneviève. Rendons hommage, d'un coup, à Pierre Dupont et au quartier Latin.

LE CHANT DES ÉTUDIANTS

Enfants des écoles de France,
Gais volontaires du progrès,
Suivons le peuple et sa science,
Sifflons Malthus et ses arrêts !
Éclairons les routes nouvelles
Que le travail veut nous frayer.
Le socialisme a deux ailes :
L'étudiant et l'ouvrier.

Marchons sans clairons ni cymbales
Aux conquêtes de l'avenir,

> Et montrons, s'il le faut, nos poitrines aux balles,
> Comme a fait Robert Blum, le glorieux martyr!
>
> Hélas! à des traces sanglantes,
> On suit la Révolution;
> Les capitales pantelantes
> Se sont ouvertes au canon.
> De février l'étoile file;
> Entendez les chevaux hennir!
> Un bruit se répand par la ville;
> Les ennemis vont revenir!

La nuit vient vite en février. L'incendie d'un trône dure un feu de paille. La République succombe déjà aux séductions du traîneur de sabre. Une ombre de sabre suffira, cette fois. L'oncle est mort à Sainte-Hélène, voici le neveu. Dans le peuple, on savait à peine que Napoléon était mort. On ne le croyait pas. On l'avait tant chanté. O méprise fatale, tour de passe-passe sinistre qui fait toujours sortir un aigle du bonnet phrygien. La France vota. Chaque trois cents bulletins on en trouvait un au nom de Lamartine. Les deux cent quatre-vingt-dix-neuf autres, portaient le nom de Napoléon.

A cinquante ans de distance, c'était encore Brumaire. La République, qui se voulait une, était déjà deux, en attendant de se compter trois, puis quatre. A peine la nation s'est-elle retrouvée, fût-ce dans la pagaïe, que quelqu'un lance le mot fatal : « État ». C'est le lieu de situer une page admirable de Daunou. Elle fut inspirée par le 18 brumaire, mais elle vaut parfaitement pour le 2 décembre, et la suite. C'est un extraordinaire raccourci des malheurs de la République.

L'ÉLÉVATION D'UN AVENTURIER

Les désordres peuvent aboutir à l'élévation d'un aventurier à qui la fortune, toute-puissante en de pareils temps, aura ouvert une carrière brillante et aplani la route du pouvoir suprême. L'instinct de l'usurpation et du despotisme lui suffira pour tirer un grand parti des illusions fatales et des dispositions vicieuses. Indifférent entre les partis, il en aura bientôt enrôlé presque tous les chefs dans le sien propre, et, maître de la fortune publique, disposant de tous les emplois, il parviendra, en effet, à s'attacher un grand nombre d'hommes par des faveurs proportionnées à ce qu'il leur supposera d'influence, de renom, de cupidité. S'il peut aussi concentrer en lui seul la force et la gloire acquises par la nation durant l'époque précédente, il deviendra au-dehors autant qu'au-dedans un potentat formidable dont les princes flatteront l'orgueil, couronneront la tête impure, rechercheront l'ignoble alliance. Sous son règne s'effacera tout vestige, toute notion des garanties sociales; il ne restera du système représentatif que des

ombres inanimées, de vains fantômes qui s'aminciront et s'évanouiront par degré. Les vieilles impostures reprendront leur empire, on verra s'ouvrir un nouveau moyen âge dont les ténèbres et les chaînes s'étendraient sur une longue suite de générations, si, par des accès prématurés, par une tyrannie rapidement excitée jusqu'à la démence, l'ennemi du monde, révoltant à la fois ses sujets et ses voisins, haï de ses proches, trahi par ses serviteurs, ne se précipitait pas lui-même du faîte de cette puissance artificielle dans l'ignominie de ses propres vices.

Le coup du 2 décembre fut un coup d'apache, un coup de nuit. Au matin du 3, c'en est fait. Du côté du faubourg Saint-Antoine, naguère si ardent, il fait un froid glacial. Le représentant du peuple Baudin et son ami Victor Schœlcher commencent une barricade avec leurs mains maladroites d'intellectuels. Le peuple les regarde faire, mains aux poches. C'est si pitoyable que la troupe hésite à intervenir. Alors Baudin, pour défier la tyrannie, noue sa ceinture tricolore autour de son ventre et fait mine d'escalader le tas de pavés. La foule, qui est là comme au spectacle, ricane. Les premières balles giclent autour de l'hurluberlu.

— Descendez, vous allez prendre mal, dit une femme.

Et un titi.

— Vous croyez qu'on va se faire casser la tête pour vous conserver vos vingt-cinq francs de député?

Mais Baudin s'obstine.

— Vous allez voir comment on meurt pour vingt-cinq francs.

Il se redresse au sommet de la barricade et crie « Vive la République! » Une rafale lui répond qui le couche mort.

Mort sous les quolibets du faubourg. Mort pourquoi? On le saura au chapitre suivant. Car cette barricade dérisoire fera trébucher l'Empire, en 1869.

Triste matin de décembre! Ils ne sont plus qu'une poignée pour sauver l'honneur, parmi lesquels, ne l'oublions pas, Eugène Sue.

Dans cette déroute, pourtant, une immense chance. Aujourd'hui qu'elle a tout perdu, la République fait une recrue formidable : Victor Hugo. C'est Gavroche qui le prend par la main. Gavroche n'était qu'un souvenir romanesque de sa jeunesse mais voici que, ce 4 décembre, il le voit tomber sous ses yeux, le même. Et il se penche pour relever le pauvre petit corps ensanglanté. C'est la fin de la deuxième République. Car c'est déjà le commencement de la troisième.

SOUVENIR DE LA NUIT DU 4

L'enfant avait reçu deux balles dans la tête.
Le logis était propre, humble, paisible, honnête :
On voyait un rameau bénit sur un portrait.
Une vieille grand'mère était là qui pleurait.
Nous le déshabillions en silence. Sa bouche,
Pâle, s'ouvrait; la mort noyait son œil farouche;

Ses bras pendants semblaient demander des appuis.
Il avait dans sa poche une toupie en buis.
On pouvait mettre un doigt dans les trous de ses plaies.
Avez-vous vu saigner la mûre dans les haies?
Son crâne était ouvert comme un bois qui se fend.
L'aïeule regarda déshabiller l'enfant,
Disant : — Comme il est blanc! approchez donc la lampe.
Dieu! ses pauvres cheveux sont collés sur sa tempe!
Et quand ce fut fini, le prit sur ses genoux.
La nuit était lugubre; on entendait des coups
De fusil dans la rue où l'on en tuait d'autres.
— Il faut ensevelir l'enfant, dirent les nôtres.
Et l'on prit un drap blanc dans l'armoire en noyer.
L'aïeule cependant l'approchait du foyer,
Comme pour réchauffer ses membres déjà roides.
Hélas! ce que la mort touche de ses mains froides
Ne se réchauffe plus aux foyers d'ici-bas!
Elle pencha la tête et lui tira ses bas,
Et dans ses vieilles mains prit les pieds du cadavre.
— Est-ce que ce n'est pas une chose qui navre!
Cria-t-elle; Monsieur, il n'avait pas huit ans!
Ses maîtres, il allait en classe, étaient contents.
Monsieur, quand il fallait que je fisse une lettre,
C'était lui qui écrivait. Est-ce qu'on va se mettre
A tuer les enfants maintenant? Ah! mon Dieu!
On est donc des brigands? Je vous demande un peu,
Il jouait ce matin, là, devant la fenêtre!
Dire qu'ils m'ont tué ce pauvre petit être!
Il passait dans la rue, ils ont tiré dessus.
Monsieur, il était bon et doux comme un Jésus.
Moi je suis vieille, il est tout simple que je parte;
Cela n'aurait rien fait à Monsieur Bonaparte
De me tuer au lieu de tuer mon enfant! —
Elle s'interrompit, les sanglots l'étouffant.
Puis elle dit, et tous pleuraient près de l'aïeule :
— Que vais-je devenir à présent toute seule?
Expliquez-moi cela, vous autres, aujourd'hui.
Hélas! je n'avais plus de sa mère que lui.
Pourquoi l'a-t-on tué? je veux qu'on me l'explique.
L'enfant n'a pas crié vive la République.
Nous nous taisions, debout et graves, chapeau bas,
Tremblant devant ce deuil qu'on ne console pas.
Vous ne compreniez point, mère, la politique.
Monsieur Napoléon, c'est son nom authentique,
Est pauvre, et même prince; il aime les palais;
Il lui convient d'avoir des chevaux, des valets,
De l'argent pour son jeu, sa table, son alcôve,
Ses chasses; par la même occasion, il sauve
La famille, l'église et la société;

> Il veut avoir Saint-Cloud plein de roses l'été,
> Où viendront l'adorer les préfets et les maires;
> C'est pour cela qu'il faut que les vieilles grand'mères,
> De leurs pauvres doigts gris que fait trembler le temps,
> Cousent dans le linceul des enfants de sept ans.

En même temps que cet enfant, mouraient aussi mes sept ans, mon âge de raison, ma seconde enfance. Un beau matin, l'inspecteur était là. C'était un homme corpulent, poussif, vêtu à l'ancienne mode d'une redingote et d'un chapeau melon. Il ne manqua pas de poser à ma mère la question redoutée : « Postulez-vous? ». Elle lui fit part de son embarras. Il était solennel mais bonhomme. « Je vous laisse un dernier temps de réflexion. Accompagnez-moi en direction de Villegly dont j'inspecterai les classes cet après-midi. Je connais mal le chemin de traverse. » Ma mère voulut que je sois aussi de l'expédition.

L'inspecteur primaire avait un rôle difficile. La redingote et le chapeau melon aidaient à son autorité. Mais là s'arrêtaient les signes extérieurs de la puissance. Il ne disposait ni d'une voiture à cheval ni d'une automobile. Il voyageait pauvrement sur les petites lignes départementales. Son arrivée à l'omnibus de l'aube était signalée dans toute la zone menacée par des coureurs de Marathon. Il ne pourrait pas surprendre. Il avait du mal à impressionner. Toute sa détresse m'apparut quand je le vis se baisser à quelques mètres de l'école et prendre derrière un arbre la petite « panière » qu'il y avait cachée, avec son repas froid.

Il existait, en effet, un chemin de traverse de Bagnoles à Villegly. Je l'ai gardé pour la bonne bouche car c'était un chemin délicieux. Il longeait le « beal », ce petit canal sombre au long duquel se plaisaient les saules et les fleurs de glai. Chemin faisant ma mère évoquait ses débuts d'institutrice à Villegly. La chaleur et la marche éprouvaient l'inspecteur qui passait un grand mouchoir à carreaux tout autour de son col de celluloïd. Je portais la petite « panière » des vivres. Bientôt on apercevait, dans les arbres, le clocher de Villegly. Il n'y avait plus qu'un petit pont de bois à franchir sur le béal. L'inspecteur ôta son chapeau melon.

— Madame, je me considère comme arrivé. Je m'arrêterai un instant à l'ombre de ces peupliers pour manger, solitaire, mon modeste repas, en attendant que sonne une heure. Votre petit garçon est charmant. Quant à votre candidature pour Carcassonne, je crois qu'il est grand temps que vous franchissiez le Rubicon.

C'est là que j'ai appris cette phrase historique. C'est là que je verrai toujours César, au lieu de l'inspecteur, passer sur la passerelle.

Ma mère recula encore et dit :

— Il me reste un dernier scrupule. Accordez-moi jusqu'à demain. Je vous écrirai.

L'inspecteur s'inclina une dernière fois.

— Nous avons besoin au chef-lieu de maîtresses de votre qualité. Et pensez à vos fils.

Ma grand-mère fut la plus forte. En rentrant à la maison nous la trouvâmes sur le palier, devant la fenêtre ouverte sur l'horizon de Barbaira. Elle pleurait. Elle croyait avoir perdu. Elle gagnait. Nous rentrions à jamais au bercail.

MARIANNE III

*Le don de la Troisième République
s'appelle le Savoir*

JULES FERRY

Le père Hugo

TEXTES CHOISIS

*L*A TROISIÈME RÉPUBLIQUE, nous y sommes, nous y habitons. C'est cette grande bâtisse, perpendiculaire à la route et au chemin de fer, où l'on accède par trois perrons à l'ombre des acacias. De droite à gauche ce sont l'école des garçons, l'école enfantine et l'école des filles. Le perron du milieu débouche directement sur la classe des tout-petits qui n'est éclairée qu'en façade. Les perrons latéraux donnent accès à deux grands corridors qui traversent le bâtiment de part en part, bordés de portemanteaux. Il faut en passer par là pour gagner l'étage. L'escalier, du côté garçon, conduit à la fois à la mairie et à l'appartement de l'instituteur. L'escalier, du côté fille, ne mène que chez nous.

Sous l'escalier il y a un placard obscur où nous tenons la barrique de vin, et qui sert de cachot aux petites filles méchantes. La porte du palier au premier donne sans façon sur la cuisine fraîchement repeinte. C'est la pièce chaude. Ma grand-mère y règne entre la cuisinière et l'évier. De la fenêtre, qui vibre au vent d'ouest et à chaque train qui passe, elle peut voir, à quatre jardins de là, le jardin de la menui-serie et, quand la treille a perdu ses feuilles, la roue verte de la pompe. Elle est heu-reuse. Elle a retrouvé Barbaira. L'après-midi, pendant que ma mère fait classe, elle va ouvrir les volets de l'atelier; ou bien, son panier au bras, elle part dans les vignes, sans oublier le détour par le cimetière.

Il faut traverser la cuisine pour atteindre un petit couloir obscur sur lequel s'ouvrent les quatre autres pièces. A droite, la chambre de ma grand-mère et la chambre de ma mère. A gauche la salle à manger et la chambre des garçons, ma chambre. (Mon frère aîné la partage en principe avec moi, mais il est pensionnaire à Carcassonne).

Le déménagement a mis le village en émoi. Beaucoup de gens étaient assis sur le parapet qui précède l'école pour regarder combien de meubles nous avions. J'étais gêné quand on transportait une table de nuit.

Maintenant tout s'est mis en place pour la dernière étape. La photographie de mon père règne à nouveau sur la salle à manger obscure; elle s'orne désormais d'une croix de guerre et d'une médaille militaire reçues à titre posthume. Je dispose d'un lit de fer ripoliné que nous avons fait venir de la Samaritaine, enveloppé de bandelettes. La terre cuite de Pershing et le drapeau américain ont retrouvé un clou au-dessus de la toilette. Je suis heureux, rassuré. Il me semble que nous sommes arrivés; comme quand nous débouchions du Trou du Curé, après l'horreur des gorges, et qu'il y avait encore du soleil sur Belvianes. Même les trains de nuit, qui passent au ras de la muraille et font tressaillir la vaisselle dans le buffet, me bercent. Nous avons renoué avec ce monde, ses charrois, ses fracas, ses musiques, sa chaleur. Je me sens protégé par toute une épaisseur de village et par l'immensité des vignes alentour. C'est la plaine bénie où passent côte à côte le chemin de fer, la Nationale, la rivière et le canal.

Me voilà au cœur de la commune. Ma chambre communiquerait avec l'arrière-salle de la mairie si l'on n'avait condamné la porte. Quelques planches clouées en travers ont suffi, par-dessus lesquelles est collé le papier peint. Je m'endors dans la rumeur du conseil municipal. Et si je me réveille, j'entends, de l'autre côté de la mince cloison, battre le cœur rassurant de l'horloge. J'essaye de ne pas me rendormir tout de suite pour attendre l'heure qui va venir, ou la demie. Alors le mécanisme se met en branle interminablement, les rouages s'affolent, s'enrouent; on dirait que l'horloge a une quinte de toux et cherche sa voix avant de sonner clair au-dessus des toits. Puis le doux tic-tac reprend. Je suis à l'abri. On veille sur mon sommeil. Qui? Sans doute Marianne dont le buste de pierre domine l'édifice. Si longtemps après je ressens encore le confort de sa présence tutélaire.

D'autres soirs les voix s'animent derrière la cloison. Je me lève en chemise de nuit pour aller coller l'oreille aux interstices des planches, à la porte condamnée. Je crois percevoir les échos de mon livre d'histoire. J'imagine la Convention haletante quand Robespierre monte à la tribune. Il y a une réunion électorale. Ma tête se grise de grands mots qui me dépassent. Je m'enrhume délicieusement au souffle de l'orateur. C'est un jeune instituteur, Georges Guille, qui se présente au Conseil général. Il sera le premier socialiste élu dans le canton.

Je crois que Barbaira réunit toutes les conditions qu'il faut pour servir de capitale à la Troisième République. Le rêve du menuisier flottait encore dans l'atelier désert. Cet atelier que Maurice Rollinat a si longuement chanté et dont je n'ai retenu que la première et la dernière des vingt-quatre strophes.

L'atelier dort dans l'ombre grise.
Rampant des solives aux murs,
Les rayons et les clairs-obscurs
Y font un jour de vieille église.

Trouvant la minute choisie,
Un chat furtif et papelard
Vient manger la couenne de lard
Sous les dents même de la scie.

Car la République doit beaucoup aux artisans. Les jours de pluie, les hommes désœuvrés viennent tuer le temps à la forge ou à la menuiserie. Leurs grosses mains terreuses pendent au bout de manches trop courtes; ils admirent la dextérité du batteur de fer rouge ou du faiseur de copeaux. Travailler sous son propre toit, dans une indépendance totale, représente un idéal. « Ni Dieu, ni maître. » L'artisan est joyeux, blagueur, sarcastique, républicain. Il lit les journaux. Il siffle les chants séditieux. Autour de lui c'est un véritable « club » qui se réunit dans le jour parti-monieux des après-midi grises. Les vieux sont assis sur un vieux billot ou sur un rebord de fenêtre, évoquant les souvenirs fumeux d'anciennes guerres. Les jeunes se tiennent debout, la capote mouillée sur les épaules, immobiles jusqu'à l'ankylose. L'artisan remet tout en cause. Son feu ne s'éteint jamais. C'est le foyer de la liberté. Que les villages sont tristes, aujourd'hui, où l'on a fermé la forge, la tonnellerie, la menuiserie, la charronnerie. La République s'y meurt, frappant en vain aux portes closes derrière lesquelles chacun pour soi regarde la télévision. Ce ne sont plus que des banlieues perdues au milieu de la campagne.

J'ai connu les belles années de la forge allumée, de la menuiserie bourdonnante. Pendant mille ans le village avait eu une âme. Pendant cinquante ans il eut un esprit. La vieille paroisse était devenue une jeune commune. Le café veillait tard pour débat-tre de politique. Le progrès était une chose à la mesure des hommes, qui s'arrêtait à heure fixe, dans une gare bâtie en forme de villa. Le progrès, c'était le chemin de fer. Il traversait triomphalement le village, sifflant sans vergogne, semant ses étin-celles et ses jets de vapeur, superbe et dompté. Il secouait juste ce qu'il faut. Il réveil-lait les provinces au lieu de les écraser. L'âge d'or de la Troisième se situe entre le viaduc de Garabie et la première autoroute. Les siècles sont avares de ces périodes où quelque chose s'accomplit — où le but est atteint. On croit avoir découvert le rivage d'un nouveau monde, mais ce n'était qu'un îlot vite traversé, dont voici tout de suite l'autre bord. Et nous sommes repartis pour l'incertaine traversée des âges. Que ces souvenirs sont devenus précieux! Que je dois faire attention à remuer ces cendres! Peut-être y a-t-il encore une braise d'où le feu pourrait reprendre. Le bon feu du menuisier sous le pot de colle, et la cheminée qui fume parce qu'il pleut, et les flammes recourbées éclairant les visages graves des villageois en demi-cercle, les flammes et la chaleur de l'atelier communiant dans un même idéal.

Barbaira offrait à mes curiosités d'enfant tous ces lieux où la République est chez elle : l'atelier, la gare, le café, le banc de pierre près des poids publics, la mairie, l'école. L'école surtout. La classe des grandes filles, quatre rangées de nattes sages ou de boucles espiègles, était éclairée de part et d'autre par de hautes fenêtres don-nant ici sur la rampe du passage à niveau, au beau milieu du village, et là sur la cour de récréation, les jardins, les coteaux. Le soleil se levait à gauche et se couchait à droite, en regardant la chaire où trônait ma mère. Elle éprouvait cette joie calme, profonde, d'être passée de sa place d'écolière, près du poêle, à l'estrade surélevée de la maîtresse, disposant désormais du tiroir à bons points et de la boîte à craie. (une petite boîte parallélipipédique en bois mal raboté et dont le couvercle s'ouvrait en tabatière sur les bâtons blancs rangés debout dans la sciure).

L'école, bâtie sous Jules Ferry, avait gagné ses lettres de noblesse sous Badin-guet. Elle était fière, alors, cette Université que nous avons connue si obséquieuse. Sa voix était celle de la conscience. Le plus bel hommage qu'on puisse lui rendre est d'en appeler à un de ses étudiants d'alors, un étudiant pauvre, mal chauffé, mais qui n'avait pas froid aux yeux; un autre Enjolras vingt ans après, le jeune

Jules Vallès. J'aime surprendre cet instant où se transmet le flambeau, où l'on voit passer la même flamme d'un regard qui s'éteint à un regard qui s'anime. Cette ardeur qui survivait encore dans la prunelle pâle de Michelet c'était la dernière lueur de 93; ce sera assez pour enflammer Vallès et allumer plus tard les incendies de la Commune. Nous sommes juste au milieu du siècle, au moment du relais. L'étudiant Vallès prend des notes.

JOURNAL D'UN ÉTUDIANT

Tabac

Trois sous à fumer par jour.

Journaux

Le Peuple, de Proudhon, tous les matins.

Cabinet de lecture

Si je rayais cet article, ce ne serait pas seulement trois francs, ce serait quatre francs cinquante que j'économiserais, puisque je compte trente sous de chandelle pour pouvoir lire, en rentrant chez moi, les ouvrages de location. Mais non! C'est là le plus clair de ma joie, le plus beau de ma liberté, sauter sur les volumes défendus au collège, romans d'amour, poésies du peuple, histoires de la Révolution!

Blanchissage

Mon blanchissage de gros ne me coûtera rien. Tous les dix jours, je confierai mon linge au conducteur de la diligence de Nantes, qui se charge de le remettre sale à ma mère et de le rapporter propre à son fils.

Entretien

Je puis me raccommoder avec un sou de fil et un sou d'aiguilles.

Révolution

J'aime ceux qui souffrent, cela est le fond de ma nature, je le sens — et malgré ma brutalité et ma paresse, je me souviens, je pense, et ma tête travaille. Je lis les livres de misère.
Ce qui a pris possession du grand coin de mon cœur, c'est la foi politique, le feu républicain.
Nous sommes un noyau d'avancés. Nous ne nous entendons pas sur tout, mais nous sommes tous pour la Révolution.
« 93. CE POINT CULMINANT DE L'HISTOIRE; LA CONVENTION, CETTE ILIADE; NOS PÈRES, CES GÉANTS. »

Collège de France

Le cours de Michelet est notre grand champ de bataille. Tous les jeudis, on monte vers le Collège de France.

On a fait connaissance de quelques étudiants, ennemis des jésuites, qu'on ramasse en route, et nous arrivons en bande dans la rue Saint-Jacques.

Laid, bien laid, ce temple universitaire, enserré entre ces rues vilaines et pauvres où pullulent les hôtels garnis; tout cerné de bouquinistes misérables qu'on voit au fond de leur boutique noire, éternellement occupés à recoller des dos de vieux livres.

Michelet

Pourquoi Michelet a-t-il de temps en temps comme des absences? J'ai lu ses Précis, ses Histoires : ça vivait et ça luisait, c'était clair et c'était chaud. Je partais quelquefois dans ma chambre avec du Michelet, comme on va se chauffer près du feu de sarment.

Quelquefois aussi, quand il parlait, il avait des jets de flamme, qui me passaient comme une chaleur de brasier, sur le front. Il m'envoyait de la lumière comme un miroir vous envoie du soleil à la face. Mais souvent, bien souvent, il tisonnait trop et voulait faire trop d'étincelles : cela soulevait un nuage de cendres.

Quelle belle tête tout de même, et quel œil plein de feu! Cette face osseuse et fine, solide comme un buste de marbre et mobile comme un visage de femme, ces cheveux à la soldat mais couleur d'argent, cette voix timbrée, la phrase si moderne, l'air si vivant!

Il a contre le passé des hardiesses à la Camille Desmoulins; il a contre les prêtres des gestes qui arrachent le morceau; il égratigne le ciel de sa main blanche.

Jésuites

« Il y a des jésuites, a-t-il dit, qui viennent ici écouter mes leçons et les dénaturent. »

Tous ceux, dans la salle, qui n'ont pas de barbe, qui ont le teint un peu blême, le nez un peu gros, des redingotes un peu longues, ceux-là sont fouillés d'un œil menaçant et soupçonnés d'être des échappés du séminaire, qui viennent faire le jeu de l'ennemi. L'orage gronde au-dessus de leurs têtes, il est question de les aplatir. Ils entendent murmurer autour d'eux : « Rat d'église, punaise de sacristie, mange-bon Dieu! tête de cierge, on sait bien où sont les cafards, à bas les calotins! »

Un garçon à lunettes, qui prend des notes, est désigné par une main inconnue comme un des suppôts du jésuitisme.

« Celui-là...

— Où, où donc?

— Au troisième banc.

— Ce grand?

— Oui... quelqu'un vient de dire qu'il était toujours avec les prêtres ».

C'est tombé dans l'oreille d'un pur, qui s'est levé, a demandé ce que faisait l'homme là-bas, l'homme à lunettes...

« Il prend des notes. »

Il y en a bien d'autres qui en prennent — et des Micheletiers enragés — mais le vent est au soupçon. « A bas le preneur de notes! — Fouillez-le! Sa carte d'étudiant! sa carte! Qu'il montre sa carte!... »

Il n'a pas de carte, moi non plus! Sur les deux mille individus qui sont là, qui donc a sa carte? Personne! Mais tout le monde demande celle de la redingote longue, qui ne sait pas ce qu'on lui veut, qui croyait d'abord qu'on parlait d'un autre.

A la fin on lui explique. Il se lève et répond : « Je m'appelle Emile Ollivier, le frère d'Aristide Ollivier, tué en duel, l'autre jour, à Montpellier dans un duel républicain. »

Il avait bien l'air d'un jésuite pourtant!

Coup d'Etat

Un matin, une rumeur court le quartier.

« Vous savez la nouvelle? On a interdit le cours Michelet. C'est au Moniteur. »

Nous l'apprenons à l'hôtel Mouton, où se produit tout de suite une agitation qui se communique aux petits cafés et crèmeries environnantes.

On sait que l'hôtel est républicain, on connaît nos crinières; sur le pas de la porte, on nous a vus souvent discuter, crier; nous avons notre popularité sur une longueur de quinze maisons et de trois petites rues.

Je finis par déchirer nos longs brouillons et par écrire d'un trait quatre lignes, pas plus.

« Les soussignés protestent, au nom de la liberté de pensée et de la liberté de parole, contre la suspension du cours du citoyen Michelet, et chargent les représentants du peuple, auxquels ils transmettront cette protestation, de la défendre à la tribune. »

J'aime Vallès parce qu'il venait d'un village qui ressemble au mien et dont il a chanté les bonnes lessives.

« Le soir, on rentrait bien heureux, bien las; le linge était blanc, on en avait pour une année! Et la vieille servante, de ses mains honnêtes et pleines d'écailles, empilait le tout dans l'armoire qui grinçait doucement et sentait bon ».

Il a chanté l'honnête linge, et le bon pain. « Les moissons m'ont été sacrées; je n'ai jamais écrasé une gerbe pour aller cueillir un coquelicot ou un bleuet; jamais je n'ai tué sur sa tige la fleur du pain. »

Mais il eût volontiers écrasé le Louvre et les Tuileries.

Sous un portrait de lui tiré par un de ses amis, photographe lyonnais, il s'est peint en vers :

> Oui c'est bien ma mine bourrue
> Qui dans un salon ferait peur
> Mais qui peut-être, dans la rue,
> Plairait à la foule en fureur.
> Je suis l'ami du pauvre hère
> Sans pain, sans abri, sans sommeil
> Dis-moi, comment as-tu pu faire
> Mon portrait avec du soleil?

La sainte colère avait à jamais endeuillé sa vie.

On entrait dans l'eau jusqu'à mi-jambes...

Je suis venu trop tard à l'Université de Paris. Ce n'était plus que « la maigre Sorbonne et ses pauvres petits » décriée par Péguy. Que j'aurais voulu y être, ce 9 décembre suivant le coup d'État, quand les étudiants se pressaient au cours de Jules Simon. Et pouvoir dire : « J'ai eu l'honneur de l'avoir pour maître. » Jules Simon a lui-même raconté la chose dans « Le soir de ma journée ». Mais j'ai gardé pour cette page de ses souvenirs le titre que lui donnait mon livre de lectures (Mironneau) à l'école primaire.

UN BEL ACTE DE COURAGE CIVIQUE

Il plut des décrets pendant les jours qui suivirent le 2 décembre : décrets de proscription, loi des suspects, interdiction de stationner dans les rues ou de circuler au nombre de plus de trois. Enfin, vint l'annonce du plébiscite pour le 10 décembre. La France, convoquée dans ses comices, devait déclarer par Oui ou par Non si elle acceptait le coup d'État avec ses conséquences.

Tous les cours de la Sorbonne étaient commencés, suivant l'habitude, depuis le mois de novembre. Moi seul, j'étais en retard. J'allai voir le doyen, M. Victor Le Cler.

Il me pria de commencer mon cours.

« Vous le voulez?

— Je vous le demande. Il faut que tout se passe régulièrement à la faculté et que rien ne se ressente d'une révolution ».

Je fis, en le quittant, afficher mon cours pour la date du 9, et j'annonçai que je le ferais dans la petite salle, au lieu de la grande, où je professais ordinairement. Mais quand j'arrivai le 9, à trois heures de l'après-midi, je trouvai que la petite salle avait été désertée, que la grande était envahie, qu'elle était comble et que la foule refluait jusque dans la cour de la Sorbonne. Cela se comprend : j'allais être le premier à ouvrir la bouche au milieu de ce grand peuple réduit depuis huit jours au silence. Je ne parvins pas sans difficulté jusqu'à la chaire.

Je vais vous dire exactement ma première ou plutôt mon unique phrase. Elle a été citée si souvent par moi-même et par d'autres que je la sais à présent par cœur :

« Messieurs, je suis ici professeur de morale. Je vous dois la leçon et l'exemple. Le droit vient d'être publiquement violé par celui qui avait la charge de le défendre, et la France doit dire demain, dans ses comices, si elle approuve cette violation du droit ou si elle la condamne. N'y eût-il dans les urnes qu'un seul bulletin pour prononcer la condamnation, je le revendique d'avance : il sera de moi ».

Vous devinez sans peine comment cette phrase, prononcée d'une voix vibrante, fut reçue par mon auditoire. Je fus plusieurs minutes sans pouvoir parler. Chaque fois que j'ouvrais la bouche, les bravos et les applaudissements recommençaient de plus belle. J'étais ému de cet enthousiasme! Vous vous rappelez le mot d'un ancien: « Les âmes s'allument l'une à l'autre comme des flambeaux »; et quand je pus enfin reprendre la parole :

« Je reçois vos applaudissements comme des serments, m'écriai-je. Si jamais

vous vous laissez aller à de honteuses faiblesses, rappelez-vous cette séance et dites-vous que vous êtes des parjures! »

Les cris recommencèrent. Tous les jeunes gens montèrent sur les bancs, dans leur enthousiasme. Mes amis, qui m'entouraient, profitèrent de ce moment pour me faire disparaître. Ils me poussèrent dans un fiacre qu'ils avaient amené, et je me trouvai assis dans mon cabinet, une demi-heure plus tard, tandis que la police me cherchait dans tous les recoins de la Sorbonne, pour me mener, disait-on, à Vincennes.

Le lendemain matin, la première ligne de la première colonne du « Moniteur » portait ces mots :

« M. Jules Simon, professeur à l'École normale et à la Faculté des lettres de Paris, est suspendu de ses fonctions. »

M. Michelle, Directeur de l'École normale, vint me voir trois jours après, d'un air attristé : « Je vous apporte la formule du serment.

— Je ne la signerai pas, lui dis-je.

— En ce cas, j'ai ordre de rayer votre nom de la liste des professeurs.

— Je m'y attendais. »

Il me serra la main. Je vis clairement sur sa figure qu'il avait envie de me dire : « Qu'allez-vous faire? » Mais il sortit sans ouvrir la bouche. Je me disais aussi : « Que vas-tu faire? »

J'avais juste 140 francs dans mon tiroir, et nous n'avions pas d'autres ressources que le petit revenu de ma femme.

J'étais marié depuis huit ans. Il fallait du jour au lendemain trouver du pain pour ma femme et mes deux enfants.

L'admirable est qu'aucun ne se soucia du lendemain. Ils avaient tous de belles places, de bons revenus, de grands appartements. Aucun ne mit en balance le confort et l'honneur. Celui qui joua le plus gros, c'est Hugo, déjà au faîte d'une carrière officielle et, en une nuit, proscrit. Il fallait partir, de gré ou de force. De gré, c'était l'exil. De force, la déportation.

Quand je suis devenu pensionnaire au lycée de Carcassonne, j'ai eu un grand ami. Il était fils d'instituteur et d'institutrice comme moi. Au dortoir, nos lits étaient voisins, au réfectoire nous mangions côte à côte. Jean Miailhe, c'est son nom, était grand, maigre, et portait haut sa tête au nez busqué; il rejetait sur l'épaule un grand pan de sa longue blouse noire, à la Brutus; il appartenait à la race obstinée et farouche des charbonniers de la Montagne Noire. Dans sa famille les pères attendent d'être vieux pour avoir des enfants. Si bien qu'en deux générations il remontait au coup d'État de Napoléon III. Son grand-père, protestataire, avait eu l'honneur d'être « transporté ». La République, reconnaissante, versait une petite rente à ses descendants qui fut encore honorée sous Pétain et ne s'éteignit que sous la Quatrième. Jean Miailhe n'était pas peu fier de dessiner une chaîne de forçat dans ses armes. Je lui dédie ces deux strophes de Pierre Dupont.

LE CHANT DES TRANSPORTÉS

Pendant que, sous la mer profonde,
Les cachalots et les requins,

Ces écumeurs géants de l'onde,
Libres, dévorent le fretin,
Nous autres, cloués à la rive
Où la bourrasque a rejeté
Notre barque, un instant rétive,
Nous pleurons notre liberté.

Sous les yeux du fort, sur la grève,
Quand nous errons le long du jour
Nous berçant, dans quelques doux rêves,
Ou de République ou d'amour,
La vague des plages lointaines
Apporte à notre sombre écueil
Râles de morts et bruits de chaînes :
La démocratie est en deuil!

Ceux qui avaient pu partir sans boulet, se retrouvaient à Bruxelles, ou à Londres. Mal logés, mal nourris, sans le sou, ils se constituaient en tristes phalanstères.

Qu'elle est amère la bière des proscrits! Tous, plus ou moins, même le maçon Martin Nadaud, écrivaient, à la lueur du pétrole, l'histoire d'un crime ou le livre d'un exilé. Que de milliers de pages que personne ne lira! Et pourtant, ils gardaient l'espérance. C'étaient encore de rudes hommes. Le maçon Martin Nadaud réussit à trouver une place de pion dans un collège select; sa force sur le stade faisait l'admiration des jeunes joueurs de ballon dont il arbitrait les parties, à l'issue desquelles c'est lui qui était porté en triomphe. Au nombre des enfants perdus de Londres, il y avait le bon Victor Schœlcher qui était rentré dare-dare du Sénégal pour être ministre de la République et se retrouvait dans la purée de pois. Sa grande œuvre s'appelle la libération des esclaves. Mais là, en exil, il faisait comme tout le monde, il écrivait son « Deux Décembre ». Nous en retenons ce passage où s'exprime la sérénité de tous, une sérénité qui dépasse la circonstance.

LES COUPABLES

L'empire nous attriste, mais ne nous effraie pas. Nous n'y voyons que le dernier effort d'une barbarie impuissante. Les excès qu'il est obligé de commettre pour se soutenir attestent sa vanité. Il sera bientôt une preuve nouvelle qu'il n'y a plus de trône possible en France. Grâce au ciel, la Révolution de 89 et de 93 a miné pour toujours le terrain monarchique. Tout ce qu'on y veut construire chancelle et s'écroule. Napoléon, Charles X, Louis-Philippe se croyaient bien solidement assis, ils avaient mis de forts étais à leurs planches de bois doré; ils tombèrent l'un après l'autre, et tous au nom de la liberté! Comme tombera leur parodiste. Le pays souffre cruellement à chacune de ces catastrophes, et l'on accuse les révolutions. On a tort, les coupables sont les monarchies qui s'obstinent à bâtir sur un terrain miné.

Au collège de France, Michelet ne fut pas le seul. Il y eut aussi Edgar Quinet qui appartient à ma constellation familière. On sait la prédilection que j'ai pour lui, parce que, garçonnet, j'ai porté son nom en lettres d'or sur mon béret de marin.

La seconde femme de Michelet, qui réveilla son jacobinisme défaillant, était de Montauban et s'appelait Athénaïs. J'ai déjà dit que la femme d'Edgar Quinet s'appelait Hermione. J'ose espérer qu'Athénaïs et Hermione ont copiné. Mais Louis-Napoléon, qui réunissait en un seul prénom le perdreau et l'aigle, mit fin brutalement à leurs thés laïques.

Edgar Quinet est une des plus belles figures de l'exil. Il mérite qu'on relève son nom. Les textes qu'il nous a laissés sont écrits avec grâce, humour et lucidité. Il se penche sur son passé campagnard et c'est pour en tirer une fable qui en dit long sur les déboires de 48.

UNE LEÇON D'ÉGALITÉ

J'avais quatre ans à peine, et je jouissais de toute la liberté des champs. Cependant ma mère ne perdait pas une occasion de m'inculquer le respect de la nature humaine. Mais quelquefois le résultat dépassait de beaucoup son intention. En voici un exemple.

J'avais pour compagnon inséparable un petit paysan, nommé Gustin, plus âgé que moi de trois ou quatre ans, et beaucoup plus fort. Malgré cette différence d'âge et de force, Gustin se soumettait à toutes mes volontés, comme s'il eût été né pour m'obéir. Cette habitude de commander sans raison me dénaturait. J'ordonnais pour le seul plaisir d'être obéi. Ma mère résolut de mettre fin à ce despotisme en herbe. Elle nous fit comparaître tous les deux devant elle, pour donner à Gustin une leçon de fierté, et à moi d'équité. Après m'avoir réprimandé sur ma manie de faire perpétuellement le maître, elle nous dit gravement que Gustin n'était pas né pour obéir à mes fantaisies; il était mon égal, mon ami, non mon serviteur; elle entendait bien que nous changions entièrement de conduite à l'avenir.

Le barbare ne la comprit que trop; le lendemain, comme nous étions au bois, et qu'il se sentait fatigué, il ôta ses sabots et m'ordonna de m'en charger.

J'obéis. Nous arrivâmes ainsi devant ma mère, moi portant humblement les deux sabots de Gustin (et ils n'étaient pas légers), Gustin tout fier de me voir essoufflé et rendu sous le faix; et pourtant c'était le plus honnête, le plus doux garçon du village.

Ainsi cette première leçon d'égalité n'avait fait que déplacer le tyran. Combien de fois de grands événements m'ont forcé de me la rappeler!

Edgar Quinet voyait clair et voyait loin aussi. Les lignes que l'on va lire sont extraites de son « Livre de l'Exilé. » Elles semblent annonciatrices de notre désarroi d'aujourd'hui. Je les livre plus spécialement à la méditation de ceux qui pensent que le dernier cri du progrès c'est la salle de bains.

ATTENTION AU CONFORT!

Aucune machine ne vous exemptera d'être homme.

Tout au contraire, le développement des forces mécaniques exige un développement au moins égal des énergies de l'esprit. Mais si celui-ci s'endort, se démet, se rapetisse, se ravale à plaisir, il ne peut manquer d'être écrasé par les forces mêmes qu'il met en jeu; toutes, loin de le servir, se tourneront contre lui.

Il restera comme enseveli dans ce qu'il lui plaît d'appeler sa victoire sur la nature.

C'est ce que vous avez vu partout où les puissances industrielles ont grandi, sans que l'esprit de l'homme ait fait effort sur lui-même pour grandir à son tour. Considérez les vieilles sociétés dans leur âge de décadence. Toutes étaient parvenues à la plus haute industrie qui fût dans le monde. Elles possédaient les plus grands instruments de fortune. Mais quoi! l'homme avait disparu. Elles commerçaient, elles trafiquaient, elles tissaient, elles produisaient, elles consommaient. Mais leurs richesses croissantes ne servaient qu'à accroître la misère et la servitude de tous. Les plus belles machines, celles d'Archimède, n'ont pas empêché Syracuse d'être la sentine du monde. Les plus belles voies de communication, dans l'antiquité, les meilleurs aqueducs, les plus magnifiques tunnels, les projets les mieux étudiés sur le percement des isthmes, appartiennent à l'époque d'opprobre du genre humain, à l'époque impériale. Les thermes les plus confortables sont les thermes de Caracalla.

Quand ces belles voies romaines de communication furent achevées et que le réseau fut tendu à travers l'Europe, que s'ensuivit-il? L'avez-vous oublié? Il arriva que la pensée qui gouvernait le monde eut ses chemins préparés, et, comme cette pensée était la fantaisie d'un maître, ses caprices, ses colères, ses ordres, ses cruautés franchirent l'espace. Il atteignit de la main la conscience humaine au bout de la terre. Dès lors, il n'y eut plus un seul refuge pour une seule âme libre. A qui voulut échapper, il ne resta qu'à se poignarder.

Eussiez-vous à votre service toutes les forces conjurées de l'univers, elles serviraient comme autrefois à publier dans l'univers votre déshonneur.

La vieille nature des choses n'est pas changée. Rien n'ôtera à l'esprit sa prééminence. Même souillé, même ensanglanté, c'est lui qui continuera de gouverner le monde.

L'honneur de la France survivait dans les taudis de Londres. Par-dessus la Manche, sur la côte d'en face où se portaient tristement les regards des exilés, on apercevait la buée lumineuse d'une immense fête. Le Second Empire, plébiscité à la quasi-unanimité, faisait des gorges chaudes de ces pauvres fous qui préféraient aux lustres la chandelle. On interrompait un quadrille pour rire de leurs élucubrations. Tous en chœur on se vautrait dans la prospérité, la vanité nationale, les réceptions de souverains étrangers, la monnaie stable, les banques d'affaires, les beaux-arts. Le propre des Restaurations, c'est qu'elles restaurent. Celle-ci n'y manquait pas, ravalait les façades, redressait les remparts, chantait les louanges de Prosper Mérimée. A la mode de l'Empereur on se laissait pousser les moustaches et la mouche, style mousquetaire. C'était la grande croisière du Titanic : le transatlantique illuminé avec ses orchestres, ses robes du soir, ses joyaux, allait triomphalement au naufrage. L'hymne national de ce rêve éveillé avait été mis en musique par la reine Hortense. Il remplaçait la Marseillaise proscrite et s'intitulait : « Partant pour la Syrie. » Son dernier couplet situe bien le Second Empire, me semble-t-il, à sa juste hauteur. Celle de l'oreiller.

> A l'autel de Marie,
> Ils contractent tous deux
> Cette union chérie
> Qui seule rend heureux.
> Chacun, dans la chapelle,
> Disait en les voyant :
> Amour à la plus belle,
> Honneur au plus vaillant !

Cependant, dans l'ombre, la République comptait les siens. Qu'elle était belle, sous l'Empire! C'était une voyageuse de la nuit, traquée par la police, dissimulée

dans les plis de sa vieille cape élimée. Rares les maisons fidèles qui lui ouvraient la porte et lui accordaient un peu de paille au grenier jusqu'à la nuit suivante. C'est alors qu'elle se fit connaître sous ce mystérieux prénom qui lui est resté : Marianne. Il lui servit d'état civil dans la clandestinité. Il fut le mot de passe de la société secrète des républicains. Aux rendez-vous de l'ombre il fallait échanger ces répliques qui m'enchantent :

— Connaissez-vous Marianne?
— De la Montagne.
— L'heure?
— Elle va sonner.
— Le droit?
— Au travail.
— Le suffrage?
— Universel.

L'affaire était menée de Londres par un comité qu'animait Ledru-Rollin. Comment ne pas admirer, rétrospectivement, l'endurance de ces entêtés? Combien de fois redirent-ils ces mêmes mots dans l'interminable nuit?

— Connaissez-vous Marianne?
— De la Montagne.
— L'heure?
— Elle va sonner.

Elle ne sonnait jamais. Il fallut attendre dix-neuf ans. Un si long temps ne peut se mesurer qu'à une vie d'homme. Cette vie d'homme, c'est celle de Victor Hugo. Il partit imberbe et revint avec une grande barbe. Il partit en calèche et revint en chemin de fer, par la gare du Nord, construite entre-temps. Il domine de sa haute stature, surélevée par un rocher, l'horizon de l'exil. Depuis la nuit du 4, depuis qu'il eut sa révélation sous les balles de Napoléon le Petit, jusqu'à l'apothéose de sa mort, ses jours se confondent avec ceux de la République. Par une prodigieuse coïncidence les dates de son journal intime sont exactement les dates de l'Histoire. Il quitte Paris à la sauvette, en même temps que la liberté, et revient avec elle, le 5 septembre 1870. En mars suivant, il accompagne le cercueil de son fils au Père-Lachaise et les premières barricades de la Commune s'entrebâillent pour le laisser passer. Il déteste la victoire des Versaillais et préfère un nouvel exil à Mac-Mahon. Il revient derechef. Ses quatre-vingts ans seront le triomphe de la Troisième. Il aura le Panthéon pour tombeau.

Alors que les autres proscrits se serrent les coudes dans les tavernes de Londres, il préfère la solitude. Il cherche une position de phare, et la trouve non loin de la côte française sur les îlots de Jersey et Guernesey. Dès lors, ses rayons et ses ombres vont balayer par-dessus la mer la France endormie. Jamais un homme, réduit à lui-même, n'a si puissamment éclairé son temps.

Mais que les ténèbres sont épaisses! Au bout de dix-sept ans, enfin, quelque chose tressaille. Un numéro de « la Lanterne », en 1868, imagine l'employé chargé de la Tranquillité Intérieure venant rendre compte au ministre de l'Ignorance Publique.

— Excellence, les nouvelles sont mauvaises. A ma connaissance le nom de Victor Hugo a été prononcé cette semaine 4 852 fois. Je crois qu'il serait prudent de renforcer la garnison de Paris.

L'interminable exil de Victor Hugo, nous allons tenter de le mesurer en quelques poèmes, grains de sable d'une immense grève.

Le premier retenu date de 1853. C'est encore l'allégresse du ricanement. Victor Hugo se venge d'abord de lui-même, d'avoir écrit une ode à la colonne et d'avoir salué Pie IX comme une espérance. Il s'inflige, en guise de « châtiment », ce coup de fouet.

LA PARTIE DE CARTES

Un jour, Dieu, à sa table,
Jouait avec le Diable,
Du genre humain haï;
Chacun tenait sa carte :
L'un jouait Bonaparte
Et l'autre Mastaï.

Un pauvre abbé bien mince!
Un méchant petit prince,
Polisson hasardeux!
Quel enjeu pitoyable!
Dieu fit tant, que le Diable
Les gagna tous les deux.

« Prends, cria Dieu le père,
Tu ne sauras qu'en faire! »
Le diable dit : « Erreur! »
Et, ricanant sous cape,
Il fit de l'un un pape,
De l'autre un empereur.

Mon Dieu, que la lanière est courte qu'il fait claquer du haut de son piédestal. Elle ne fustige que lui-même. La France, toute à son opérette, reste sourde aux cris de cet hurluberlu. Ne comprennent-ils pas, sur la rive d'en face, que c'est sa vie qu'il joue, qu'il perd jour après jour, année après année, tournant en rond autour de son îlot, avec pour seule confidente une table tournante? On lui mange le cœur et personne ne s'aperçoit qu'il est Prométhée. Écoutez son râle.

LES MANGEURS

Ils ont des surnoms, Juste, Auguste, Grand, Petit,
Bien-Aimé, Sage, et tous ont beaucoup d'appétit.
Qui sont-ils? Ils sont ceux qui nous mangent. La vie
Des hommes, notre vie à tous, leur est servie.
Ils nous mangent. Quel est leur droit? Le droit divin.
Ils vivent. Tout le reste est inutile et vain.
Le vent après le vent, le nombre après le nombre
Passe, et le genre humain n'est qu'une fuite d'ombre.
Est-ce qu'ils ont pour voix la foudre? Ils ont la voix
Que vous avez. Sont-ils malades? Quelquefois.

Sont-ils forts? Comme vous. Beaux? Comme vous. Leur âme?
Vous ressemble. Et de qui sont-ils nés? D'une femme.
Ils ont pour vous dompter et vous accabler tous,
Des châteaux, des donjons. Bâtis par qui? Par vous.
Et quelle est leur grandeur? A peu près votre taille.
Ils ont une servante affreuse, la bataille;
Ils ont un noir valet qu'on nomme l'échafaud.
Ils ont pour fonction de n'avoir nul défaut,
D'être pour les passants chefs, souverains et maîtres,
Pour la femme aux seins nus sultans, dieux pour les prêtres.
Par ces êtres, élus du destin hasardeux,
La suprême parole est dite, et chacun d'eux
Pèse plus à lui seul qu'un monde et qu'une foule;
Il écrit : ma raison, sur le canon qui roule.

La nuit ne cesse pas de s'épaissir.
— L'heure?
— Elle va sonner.

Et jamais elle ne sonne. Comment dire ce supplice au ralenti, ce saignement goutte à goutte, ce temps qui passe et qui ne passe pas, ce sablier sans fond. La pension de famille, le piano désaccordé, la toiture qui tiendra bien un hiver de plus et c'est déjà le second Noël de l'exil, le cinquième, le neuvième, le treizième, le quinzième. Victor Hugo, fatigué de faire claquer le fouet, essaye de la cravache. Il ne s'en prend plus au tyran. Il en veut à la complicité du suffrage universel, au lâche consentement de tous.

O PEUPLE, NOIR DORMEUR

O peuple, noir dormeur, quand t'éveilleras-tu?
Rester couché sied mal à qui fut abattu.
Tu dors, avec ton sang sur les mains, et, stigmate
Que t'a laissé l'abjecte et dure casemate,
La marque d'une corde autour de tes poignets.
Qu'as-tu fait de ton âme, ô toi qui t'indignais?
L'empire est une cave, et toutes les espèces
De nuit te tiennent pris sous leurs brumes épaisses.
Tu dors, oubliant tout, ta grandeur, son complot,
La liberté, le droit, ces lumières d'en haut;
Tu fermes les yeux, lourd, gisant sous d'affreux voiles,
Sans souci de l'affront que tu fais aux étoiles!
Allons, remue. Allons, mets-toi sur ton séant.
Qu'on voie enfin bouger le torse du géant.
La longueur du sommeil devient ignominie.

Es-tu las? es-tu sourd? es-tu mort? Je le nie.
N'as-tu pas conscience en ton accablement
Que l'opprobre s'accroît de moment en moment?
N'entends-tu pas qu'on marche au-dessus de ta tête?
Ce sont les rois. Ils font le mal. Ils sont en fête.
Tu dors sur ce fumier! Toi qui fus citoyen,
Te voilà devenu bête de somme. Eh bien,
L'âne se lève, et brait; le bœuf se dresse, et beugle.
Cherche donc dans ta nuit puisqu'on t'a fait aveugle.
O toi qui fus si grand, debout! car il est tard.
Dans cette obscurité l'on peut mettre au hasard
La main sur de la honte ou bien sur de la gloire;
Etends le bras le long de la muraille noire;
L'inattendu dans l'ombre ici peut se cacher;
Tu parviendras peut-être à trouver, à toucher,
A saisir une épée entre tes poings funèbres,
Dans le tâtonnement farouche des ténèbres!

Il est tard, en effet. Pour certains, l'aurore ne se lèvera pas. Ils ont suivi Victor Hugo dans son délire, sur son Golgotha anglo-normand. Ils vivent obscurément à trois ou quatre dans des garnis hors de prix. On ne sait plus leurs noms. Ce sont les fidèles. Ils espèrent encore, contre vents et marées, malgré le rosbeef bouilli et le pudding. Parmi eux il y a de maigres typographes qui ont la dernière joie de composer les poèmes qui les vengent. Et la vie les abandonne, plus tôt que la foi. On leur jette alors la dernière injure : l'amnistie. Ils ne font même plus rire. Ils font pitié. Victor Hugo n'en démord pas. Nous, nous savons qu'il n'a plus bien longtemps à attendre. Mais lui, il envisage alors que l'îlot sera sa tombe. C'est presque son épitaphe qu'il compose là.

ULTIMA VERBA

Mes nobles compagnons, je garde votre culte;
Bannis, la république est là qui nous unit.
J'attacherai la gloire à tout ce qu'on insulte;
Je jetterai l'opprobre à tout ce qu'on bénit!

Je serai, sous le sac de cendre qui me couvre,
La voix qui dit : malheur! la bouche qui dit : non!
Tandis que tes valets te montreront ton Louvre,
Moi je te montrerai, César, ton cabanon.

Devant les trahisons et les têtes courbées,
Je croiserai les bras, indigné, mais serein.
Sombre fidélité pour les choses tombées,
Sois ma force et ma joie et mon pilier d'airain!

Oui, tant qu'il sera là, qu'on cède ou qu'on persiste,
O France! France aimée et qu'on pleure toujours,
Je ne reverrai pas ta terre douce et triste,
Tombeau de mes aïeux et nid de mes amours!

Je ne reverrai pas ta rive qui nous tente,
France! hors le devoir, hélas! j'oublierai tout.
Parmi les éprouvés je planterai ma tente.
Je resterai proscrit, voulant rester debout.

J'accepte l'âpre exil, n'eût-il ni fin ni terme,
Sans chercher à savoir et sans considérer
Si quelqu'un a plié qu'on aurait cru plus ferme,
Et si plusieurs s'en vont qui devraient demeurer.

Si l'on n'est plus que mille, eh bien, j'en suis! Si même
Ils ne sont plus que cent, je brave encor Sylla;
S'il en demeure dix, je serai le dixième;
Et s'il n'en reste qu'un, je serai celui-là!

Enfin, nous voici le 7 avril 1870. Vous savez, vous, que la récompense est proche. Mais lui, Victor Hugo, il pense atteindre le fond du désespoir. Napoléon III n'a jamais eu tant de voix. Encore un an, et il faudra fêter le vingtième anniversaire de l'exil. Il y a de grands vides à la table du prophète bafoué. Cependant qu'on s'entasse au cimetière. Encore une fois, Victor Hugo est de corvée. Encore une fois il vient prononcer au bord de la fosse, sous la pluie, un discours d'adieu. Écoutons-le. Le mort qui est à ses pieds s'appelle Kesler. C'est un des grands moments de la République.

SUR LA FOSSE DE KESLER

Le lendemain du guet-apens de 1851, le 3 décembre, au point du jour, une barricade se dressa dans le faubourg Saint-Antoine, barricade mémorable où tomba un représentant du peuple. Cette barricade, les soldats crurent la renverser, le coup d'État crut la détruire; le coup d'État et ses soldats se trompaient. Démolie à Paris, elle fut refaite par l'exil.
La barricade de Baudin reparut immédiatement, non plus en France, mais hors de France; elle reparut, bâtie, non plus avec des pavés, mais avec des principes; de matérielle qu'elle était, elle devint idéale, c'est-à-dire terrible : les proscrits la construisirent, cette barricade altière, avec les débris de la justice et de la liberté. Toute la ruine du droit y fut employée, ce qui la fit superbe et auguste. Depuis, elle est là, en face de l'Empire; elle lui barre l'avenir, elle lui supprime l'horizon. Elle est haute comme la vérité, solide comme l'honneur, mitraillée comme la raison; et l'on conti-

nue d'y mourir. Après Baudin, — car, oui, c'est la même barricade! —
Pauline Roland y est morte, Ribeyrolles y est mort, Charras y est mort,
Xavier Durieu y est mort, Kesler vient d'y mourir.

Si l'on veut distinguer entre les deux barricades, celle du faubourg Saint-
Antoine et celle de l'exil, Kesler en était le trait d'union, car, ainsi que
plusieurs autres proscrits, il était des deux.

Il a voulu protester jusqu'au bout. Il est resté exilé par adoration pour la
patrie. L'amoindrissement de la France lui serrait le cœur. Il avait l'œil
fixé sur ce mensonge qui est l'Empire; il s'indignait, il frémissait de honte,
il souffrait. Son exil et sa colère ont duré dix-neuf ans. Le voilà enfin endormi.
Endormi. Non. Je retire ce mot. La mort ne dort pas. La mort vit.

Nous voyons les yeux qu'elle ferme, nous ne voyons pas ceux qu'elle
ouvre.

Adieu, mon vieux compagnon. — Tu vas donc vivre de la vraie vie! Tu
vas aller trouver la justice, la vérité, la fraternité, l'harmonie et l'amour
dans la sérénité immense. Te voilà envolé dans la clarté.

Tu vas aller où sont les esprits lumineux qui ont éclairé et qui ont vécu,
où sont les penseurs, les martyrs, les apôtres, les prophètes, les précurseurs,
les libérateurs. Tu vas voir tous ces grands cœurs flamboyants dans la
forme radieuse que leur a donnée la mort.

Écoute, tu diras à Jean-Jacques que la raison humaine est battue.

Tu diras à Mirabeau que Quatre-vingt-neuf est lié au pilori; tu diras à
Danton que le territoire est envahi par une horde pire que l'étranger; tu
diras à Saint-Just que le peuple n'a pas le droit de parler; tu diras à Marceau
que l'armée n'a pas le droit de penser; tu diras à Robespierre que la République est poignardée; tu diras à Camille Desmoulins que la justice est
morte; et tu leur diras à tous que tout est bien, et qu'en France une intré-
pide légion combat plus ardemment que jamais, et que, hors de France,
nous, les sacrifiés volontaires, nous, la poignée des proscrits survivants,
nous tenons toujours, et que nous sommes là, résolus à ne jamais nous
rendre, debout sur cette grande brèche qu'on appelle l'exil, avec nos
convictions et avec leurs fantômes!

Aujourd'hui encore, ceux qui vont en pèlerinage sur les tombes républicaines
battues par la pluie de la Manche, croient entendre cet air de flûte triste qui vint
un jour aux lèvres de Victor Hugo, entre deux coups de tonnerre.

LA CHANSON DU PROSCRIT

Proscrit, regarde les roses;
Mai joyeux, de l'aube en pleurs
Les reçoit toutes écloses;
Proscrit, regarde les fleurs.

> — Je pense
> Aux roses que je semai.
> Le mois de mai, sans la France,
> Ce n'est pas le mois de mai.
>
> Proscrit, regarde les tombes ;
> Mai, qui rit aux cieux si beaux,
> Sous les baisers des colombes,
> Fait palpiter les tombeaux.
>
> — Je pense
> Aux yeux chers que je fermai.
> Le mois de mai, sans la France,
> Ce n'est pas le mois de mai.
>
> Proscrit, regarde les branches ;
> Les branches où sont les nids ;
> Mai les remplit d'ailes blanches
> Et de soupirs infinis.
>
> — Je pense
> Aux nids charmants où j'aimai.
> Le mois de mai, sans la France,
> Ce n'est pas le mois de mai.

Les temps approchaient. Le jour n'était plus loin où l'Histoire et mes souvenirs allaient se rejoindre. Déjà elle entrait dans mon album de famille. L'été, pendant les grandes vacances, nous nous transportions de l'école à la maison de la route. Pour deux mois entiers c'était le règne de ma grand-mère. Nous partagions, avec mon frère, la chambre du grenier. J'ai dit le chromo épinglé entre les deux lits, où l'on voyait les Girondins s'apprêter à l'échafaud. Il n'y avait pas que cela. Il y avait aussi un sous-verre encadré d'une baguette noire qui s'intitulait « Souvenir du siège de Paris. » Mon grand-père, le menuisier, s'était battu avec l'armée de la Loire. Il avait attrapé une mauvaise pleurésie, pendant l'hiver terrible. Il avait été soigné à l'hôpital de Tours. C'est là sans doute qu'un voisin de lit, rescapé de Gravelotte ou de Buzenval, lui avait fait cadeau de cet ex-voto. On y voyait, en évidence, une tranche de pain noir consacrée par une couronne d'immortelles. On pouvait lire alentour les prix de famine qui se pratiquèrent dans la ville assiégée.

J'ai retenu :

1 carotte......................................	2,75
1 corbeau......................................	6,00
1 kg viande d'ours.............................	15,00
1 kg viande d'éléphant.........................	40,00

Le cadre voisin était de la même époque. C'était une photographie au bromure, un visage jaune pâle qui s'effaçait chaque année un peu plus, une noble tête prise presque de face et si également auréolée de cheveux et de barbe d'un même blanc, qu'on eût dit un vieil esquimau dans son capuchon fourré. L'épreuve évanescente était collée sur un bristol plus rigide, à même lequel le menuisier avait écrit, en ronde très appuyée, le nom de son Dieu : Victor Hugo.

Ces choses appartiennent à mon enfance. Elles vivaient encore quand j'avais dix ans. Il me semble que c'est un devoir d'en rendre compte. Mises bout à bout elles signifiaient quelque chose. C'était clair, intelligible, exaltant. Aujourd'hui on en a perdu le sens. Le flambeau qui passait de main en main est tombé dans une oubliette. Quelqu'un a manqué le relais. Tout est devenu obscur. Je me dis qu'en remettant chaque chose à sa place, en me rappelant avec piété, avec minutie, peut-être que les grands hiéroglyphes qui ont illuminé mon enfance s'éclaireront encore.

S'il est un lieu où la République se sentait chez elle et prenait ses aises sur la moleskine, c'est bien le café. Dans la nuit douce de Barbaira, ses lumières m'appellent, qui dessinaient sur le goudron noir de la route le damier clair de sa porte vitrée. C'était une longue salle violemment éclairée, très en perspective, et dont le carrelage de terre cuite dessinait une étroite voie triomphale entre deux rangées de chaises dos à dos jusqu'au billard d'un vert vertigineux. En fait, chaque rangée de chaises faisait face à une interminable banquette adossée au mur et dont la séparaient des tables de marbre bout à bout, d'un blanc cru. Au-dessus de la banquette de droite, il y avait de grandes glaces au cadre noir, décorées avec des volutes de savon. Au-dessus de la banquette de gauche, on lisait les réclames du Pernod et de la Marie-Brizard. La caisse, en marbre elle aussi, se dressait au plus étroit, juste avant le billard. Les radicaux préféraient la banquette de droite, les socialistes siégeaient sur l'autre rive. D'un côté on lisait les frères Sarraut dans « la Dépêche », de l'autre l'éditorial de Vincent Auriol dans le « Midi Socialiste ». Ainsi le moindre événement était présenté sous deux faces et tout était matière à discussion.

Le café était loin d'être plein. Les tables restaient blanches, les soirs de semaine, sauf quelques tapis de cartes, vert sombre ou grenat, qui dessinaient cinq à six taches de couleur, harmonieusement réparties. Je me glissais en marge d'une partie, le plus souvent auprès d'un vieil instituteur qui gardait son canotier sur la tête, mais rejeté en arrière comme s'il n'avait porté que le nimbe de paille tressée. Il s'appelait M. Auriol et j'admirais l'intelligence de son jeu, sa manière de faire tomber les atouts, l'élégance de ses impasses. Il se disait radical, mais « nuance Camille Pelletan ». Il voyait en moi un fils de la République et me témoignait une grande affection. Le café, disait-il, c'est l'école du soir du civisme. Il est vrai qu'on buvait très peu, juste un verre de bière et de limonade panachées, et qu'on parlait beaucoup. La partie expédiée, les hommes se mettaient à califourchon sur les chaises et faisaient cercle autour du vieil instituteur qui leur enseignait l'histoire et la géographie à propos du journal du jour. Les plus attentifs étaient ceux qui avaient mal suivi en classe; ils savaient que c'était là leur dernière chance; de grosses rides de bonne volonté plissaient leur front; les plus cancres, soir après soir, finissaient par devenir de bons citoyens. Le niveau de la discussion était souvent très élevé et digne, par moments, d'un sénat romain de province. Il est vrai que ces hommes du Languedoc avaient hérité des Romains un torse imposant, un cou puissant, un front têtu, une voix sonore. Quand ils se levaient, on était déçu : ils n'étaient pas plus grands qu'assis. C'est pourquoi fut inventée, je pense, la tribune; pour escamoter les jambes et mettre en valeur les bustes. Rome nous a surtout légué des hommes-troncs.

Le café de Barbaira éveille en moi le souvenir des vieilles fêtes. Au-delà du billard, il n'y avait qu'une cour à traverser et c'était la salle de bal, où pendaient des guirlandes en buis tressé ou en papier étiré. On y dansait tous les soirs pendant les vendanges. Si l'on voulait changer de bal, on n'avait qu'à prendre son vélo; on dansait aussi dans tous les villages alentour. Dans la belle nuit d'été, le vent apportait de toute part des bouffées de musique sirupeuse.

Et l'hiver il y avait les grandes parties de loto. Le café était plein. Les numéros sortaient d'un petit sac d'étoffe rouge que le crieur secouait à chaque coup. Ils étaient annoncés en patois, à voix de stentor. Certains faisaient un effet sûr. L'assistance s'exclamait en chœur :

— Treize (Thérèse).
— Ma sœur.
— Nonante.
— La vieille.
— Quatorze.
— L'homme fort.
— Septante.
— La guerre.

Oui, la guerre par excellence était toujours celle de soixante-dix. Elle avait laissé un long sillage jusque dans nos villages du Midi. On s'y moquait volontiers d'un permissionnaire en le traitant de « soldat de l'armée de Bourbaki ». On répétait le calembour de Hugo sur le général Trochu, « participe passé du verbe trop choir ». Il pleuvait encore comme à Gravelotte. On n'avait pas fini de s'indigner de la trahison de Metz. On prétendait avoir connu « l'homme qui allait tuer Bazaine ». C'était un vabagond qui se faisait payer à boire, de café en café, et montrait volontiers l'instrument de la vengeance, un grand coutelas. Il mit des mois à descendre ainsi vers l'Espagne où s'était réfugié le traître. Le plus extraordinaire est qu'à la fin il le tua.

Nous avons laissé Victor Hugo au bord d'une fosse, sous la pluie d'avril de Guernesey, disant un dernier adieu à son dernier compagnon d'exil. La prochaine sépulture, pense-t-il, ce sera la sienne. L'Empire tient bon. Le plébiscite du 8 mai 1870 le confirme encore. La France décervelée signe un nouveau bail. Et pourtant, en quelques jours, ce sera la débâcle. On n'a jamais vu si soudain orage et, d'un instant à l'autre, au milieu du bal, pareil sauve-qui-peut. Barons et lionnes courent encore.

Non, Baudin n'était pas tombé pour rien sur la barricade du faubourg Saint-Antoine, malgré les quolibets du peuple. Non, Hugo n'avait pas écrit en vain « Les Châtiments », malgré l'apathie de ses lecteurs. Voilà que, dix-neuf ans après, un journal prétend secouer les dormeurs; il s'appelle « Le Réveil. » Son directeur, l'honnête Delescluze, ouvre une souscription pour un monument à Baudin. La police veut le faire taire. Il y a procès. En fait, grâce au talent de la défense, ce sera le procès de l'Empire. Le jeune avocat du « Réveil », hier inconnu, s'appelle Gambetta.

Il sera le vengeur de Baudin. Il n'avait jamais douté, au plus noir de l'Empire, qu'un jour il rétablirait la République. Il est passé à la postérité le torse penché à la nacelle d'un ballon qui s'élève à la barbe des Prussiens. Il a l'air d'un orateur qui monte au ciel avec sa tribune. Dans la religion laïque, l'ascension, c'est lui. Mais rien ne vous le fera mieux connaître que cette tendre lettre écrite à sa mère pour lui souhaiter la bonne année, le 1er janvier 1863.

LETTRE DE NOUVEL AN

Ma chère maman,

Que puis-je te dire à toi, ma douce mère, pour rendre ce que j'ai au fond de l'âme? Quelle langue peut traduire et ma reconnaissance et mon amour? N'es-tu pas la plus courageuse des mères et la plus dévouée des femmes? Ne dois-je pas être le plus aimant, le plus respectueux et le plus fier des fils d'avoir une telle mère? — Vrai, je ne puis rien trouver qui te puisse redire et exprimer ce que je ressens; c'est mon âme, c'est mon cœur qu'il faudrait plier dans cette lettre pour te l'envoyer : seuls, ils pourraient se comprendre et s'expliquer avec toi.

Quant à des vœux, des souhaits, des aspirations, pouvons-nous en faire l'un pour l'autre que nous n'ayons sentis à l'avance dans chacun de nous? Puis-je te désirer quelque bonheur qui ne soit le mien propre? Hélas! non, tout est commun entre nous, ou, pour mieux dire, tout est un. Nous sommes la même personne vue sous deux points de vue différents. Toi m'ayant donné la vie, moi devant prolonger la tienne à force de caresses, de dévouement et de satisfaction. Le repos que tu as tant mérité, je te le ferai, un jour, glorieux, joyeux, complet.

Nous ne pouvons nous crier tous deux que ce seul mot : « Courage! » Le but est voisin. Attends encore quelque peu, ma douce, ma chère maman; le sort, nous finirons par l'atteindre; alors, je pourrai tout mettre à tes pieds, en te disant, avec les larmes de la joie et de l'orgueil :

« Mère, voici ton œuvre. »

Mère, pouvait-il dire bientôt, voici la République. C'était le 4 septembre 1870 à l'Hôtel de Ville. Toutes les villes de France s'en souviennent et elles ont au moins un square Gambetta, si ce n'est une rue du 4 Septembre.

C'était un dimanche. La veille, Paris avait connu l'affreuse nouvelle de la capitulation de Sedan. La foule, de mauvais poil, se retrouvait au rendez-vous de toujours, place de Grève. Au balcon les visages avaient changé. Autour de Gambetta on se montrait le journaliste Henri Rochefort, les trois Jules (Favre, Ferry et Simon, le professeur courageux révoqué en décembre 51), et naturellement un Arago (Emmanuel) qui assurait la pérennité de la Révolution.

Le lundi soir, gare du Nord, un voyageur barbu descendit du train, son sac de cuir à la main, plein de poèmes. Il rentrait avec la République, comme il l'avait promis. Il n'en revenait pas de cette grande gare qui avait poussé en son absence. Sans les amis qui l'entouraient, il se serait perdu. A l'endroit où il avait relevé l'enfant de la nuit du 4, s'ouvrait un nouveau boulevard, tracé au canon. La tête lui tournait un peu.

« L'avez-vous vu, note un témoin, depuis qu'il est revenu dans ce Paris qu'il ne reconnaît plus? Coiffé d'un képi, les mains dans les poches, vous le verrez cheminant dans les rues. De loin en loin un passant le reconnaît et le salue. Les femmes se poussent du coude en murmurant : Victor Hugo! ».

Son exil avait paru dérisoire. Aujourd'hui c'était le phare du siècle. L'Empire avait paru impérissable. Qu'en restait-il? Cette chanson de Paul Burani qui lui servit d'oraison funèbre.

LE SIRE DE FISCH-TON-KAN

Il avait un'moustache énorme,
Un grand sabre et des croix partout,
Partout, partout.
Mais, tout ça, c'était pour la forme,
Et ça n'servait à rien du tout,
A rien du tout.
C'était un fameux capitaine,
Qui t'nait avant tout à sa peau,
A sa peau.
Un jour, voyant q'son sabre l'gêne,
Aux enn'mis il en fait cadeau...
Quel beau cadeau!

Refrain

C'est le Sir' de Fisch-ton-kan
Qui s'en va-t-en guerre,
En deux temps et trois mouv'ments,
Sens devant derrière.
V'la le Sir' de Fisch-ton-kan
Qui s'en va-t-en guerre,
En deux temps et trois mouv'ments,
Badinguet, fich' ton camp!
L'pèr', la mèr' Badingue,
A deux sous tout l'paquet,
L'pèr', la mèr' Badingue
Et le p'tit Badinguet!

Les mobiles chantèrent cela à l'assaut de Montretout. Gambetta, dans le ministère, avait pris la Guerre. Gambetta, voilà le fils que Hugo se fût souhaité. Il suffit de lire cette proclamation, au lendemain du désastre de Metz, pour reconnaître la filiation. C'est la même encre, avec l'accent de Cahors en plus.

PROCLAMATION

« Français, élevez vos âmes et vos résolutions à la hauteur des effroyables périls qui fondent sur la Patrie! Il dépend encore de nous de lasser la mau-

LA JOURNÉE DU 4 SEPTEMBRE. — Pro

...a République sur la place de l'Hôtel-de-Ville.

vaise fortune et de montrer à l'univers ce qu'est un grand peuple qui ne veut pas périr et dont le courage s'exalte au sein même des catastrophes. Metz a capitulé. Un général sur qui la France comptait, même après le Mexique, vient d'enlever à la Patrie en danger plus de cent mille de ses défenseurs. Le général Bazaine a trahi... Il s'est fait l'agent de l'homme de Sedan, le complice de l'envahisseur, et, au mépris de l'honneur de l'armée dont il avait la garde, il a livré, sans même essayer un suprême effort, 120 000 combattants, 20 000 blessés, ses fusils, ses canons, ses drapeaux et une des plus fortes citadelles de la France, Metz, vierge jusqu'à lui des souillures de l'étranger.

Quelle que soit l'étendue du désastre, il ne nous trouve ni consternés, ni hésitants. Nous sommes prêts aux derniers sacrifices, et en face d'ennemis que tout favorise, nous jurons de ne jamais nous rendre. Tant qu'il restera un pouce du sol sacré sous nos semelles, nous tiendrons ferme le glorieux drapeau de la République Française. Notre cause est celle de la justice et du droit. L'Europe le sent; devant tant de malheurs immérités, spontanément, sans avoir reçu de nous ni invitation ni adhésion, elle s'agite. Pas d'illusions, ne nous laissons ni alanguir ni énerver, et prouvons par des actes que nous voulons, que nous pouvons tenir de nous-mêmes l'honneur, l'indépendance, l'intégrité, tout ce qui fait la Patrie libre et fière ».

Gambetta, du haut de sa tribune suspendue à un aérostat capricieux, anime la résistance française. Il vole, au gré des bourrasques, d'Amiens à Tours, et de Tours à Bourges. Il proclame la République de clocher en clocher. Il est le Lazare Carnot d'une étrange épopée faite de défaites. Il n'y a pas de front. La guerre s'égare dans les chemins vicinaux. La trompette du Lot s'égosille aux quatre points cardinaux, jusqu'à l'extinction de voix. Ce n'est pas l'An II. La France a pris du ventre. Elle a déjà fait son deuil de l'Alsace-Lorraine. Elle vote à droite, pour l'amputation. Une province perdue, qu'est-ce que c'est, quand on n'est pas de cette province-là? Gambetta n'a plus qu'à monter au ciel, dernier député de Strasbourg, dans la gloire naïve d'une image d'Épinal.

Mais il nous a laissé son testament, qui tient en une page. Et il nous a laissé son cœur, qui tient dans une urne, au Panthéon.

LE RÉGIME RÉPUBLICAIN

Un homme ne peut pas incarner la République; non! il peut la représenter comme fonctionnaire, il doit la défendre comme citoyen, mais ce n'est que par les efforts de tous les bons citoyens que ce gouvernement peut vivre et prospérer. C'est précisément dans ce caractère collectif, unanime, général, du gouvernement républicain que se trouvent son excellence et sa supériorité.

C'est là ce qui fait que le régime républicain offre des garanties supérieures même contre l'incapacité, contre les hasards de la naissance, contre les

infirmités, contre les passions, contre les vices d'un seul homme. Aussi faut-il bien se garder, parmi nous, de jamais faire du régime républicain l'apanage d'un seul homme; il faut en faire, au contraire, un régime qui change de mains, qui est mobile et qui va, par l'élection, par le choix, tous les jours plus assuré, plus juste et plus moral, au plus digne. Quand celui-ci a fait son temps, on le remplace, la nation étant appelée à se donner ainsi pour premier magistrat — et non pas pour maître — le plus intelligent, le plus expérimenté, le plus digne.

C'est pourquoi la République est, par excellence, le régime de la dignité humaine, le régime du respect de la volonté nationale. C'est le régime qui peut, seul, supporter la liberté de tous; qui, seul, peut faire les affaires d'un peuple ayant besoin de communiquer avec lui-même, de se réunir, de s'associer, d'exiger des comptes, de critiquer, d'examiner, en un mot de diriger ses propres intérêts et de changer ses intendants quand ils ont mal agi.

Voilà le régime républicain.

L'empereur Fisch-Ton-Kan n'avait pas eu le temps d'inaugurer l'Opéra construit pour sa gloire. La première fut pour Hugo. Le Tout-Paris assiégé vint entendre déclamer ses poèmes de l'exil. A l'entracte on fit la quête dans un casque à pointe de Prussien. Avec les sous récoltés on put fondre un canon de plus, sur la bouche duquel on grava : « Les Châtiments. » Tout se passait comme dans le retour de Monte-Cristo. Les méchants étaient punis, les bons récompensés. Mais au prix d'un régime alimentaire assez sévère, car rien ne franchissait l'enceinte que la mitraille. Le menu avait l'air écrit par La Fontaine : du chien, du chat et du rat.

Francisque Sarcey a laissé dans nos livres d'école l'image d'un bon petit garçon sous le bombardement.

LE LAIT DE LA PETITE SŒUR

C'était pendant le triste hiver de 1870-1871, les Prussiens bombardaient Paris.

Près du Panthéon, rue des Feuillantines, n° 63, il y avait une femme de campagne réfugiée avec sa vache, qu'on lui avait laissée sous condition d'en réserver le lait pour les enfants et les malades du quartier.

Le matin, à une heure connue, des femmes, des enfants, venaient attendre la précieuse distribution.

Un jour, à cause du grand froid, on avait fait entrer, par préférence, les enfants sous le porche. Arrive un obus qui s'annonce en sifflant et tombe dans la cour. En un clin d'œil, chacun s'était jeté à terre.

L'obus fait explosion, les éclats vont frapper les murailles; personne n'est blessé.

Un jeune garçon se relève comme les autres, tenant sa boîte de fer-blanc qu'il n'avait pas laissé échapper : « Mon Dieu, s'écrie-t-il, quel bonheur que je n'avais pas mon lait! Qu'est-ce que serait devenue ma petite sœur? » Oubliant qu'il avait manqué d'être tué, il ne pensait qu'à sa petite sœur.

A Belvianes, j'avais connu un ancien cuirassier de Reichshoffen. Il habitait, entre la route et le torrent, une pauvre baraque de bois. Sa seule fortune, son seul luxe était le casque à crinière, tout bosselé de coups de sabre, qu'il avait ramené de la glorieuse charge. Il l'avait installé au-dessus du pot à eau, sur une console. Il l'astiquait chaque jour et pouvait se regarder dedans pour se raser.

Ce sont les guerres perdues qui laissent le plus de souvenirs. Car si l'on fut battu en bloc, l'honneur fut sauvé en détail. J'ai retenu ce récit où l'on voit un soldat courageux partir pour la mort. Il laisse deux enfants qui avaient à peu près l'âge de mon frère aîné et de moi-même, quand mon père partit.

LES ADIEUX DU PÈRE

Mon père est près de moi, grand, très grand, dans ce vêtement de laine blanche qu'il affectionne. Sa main se pose sur mon épaule et son regard profond me fascine, ce regard qui a une expression nouvelle, inexprimable : « Ecoute-moi bien, mon petit Paul, tu es tout jeune, mais tu es un bon enfant, tu as bon cœur, tu retiendras mes paroles. Je vais partir pour la guerre, on ne sait pas... ».
Mes yeux se remplirent de larmes et toute ma tendresse contrainte, timide, refoulée, déborda :
« Oh! père!
— Non, écoute, tu es plus âgé que ton frère, rappelle-toi que tu lui dois le bon exemple, toujours; et ta mère, ne lui fais jamais de chagrin, tu comprends? Pendant que je ne suis pas là et si... eh bien, tu es le chef de famille et il faut que tu sois un homme, comprends-tu, mon petit Paul, il faut que tu te dépêches de devenir un homme.
— Mais tu reviendras! »
Ce cri l'émut, il parut troublé :
« Oui, mais on ne sait pas... ».
Et se raidissant, la voix ferme :
« C'est promis, n'est-ce pas? tu feras ton devoir. »
Il m'embrassa et ce fut tout, jusqu'au départ.
La calèche vint se ranger devant le perron. Il soupira : « Eh bien, allons!... ».

Il m'embrassa virilement, mais quand il prit des bras de la bonne allemande mon frère, il eut, en tenant ce dernier-né, ce petit être plein de vie, si ignorant, si candide, une émotion, un rien, que tous nous comprîmes. Après l'avoir rendu à Lina, il le reprit et l'embrassa ardemment. Puis il monta dans la voiture, la portière claqua... un dernier regard, un geste d'adieu, et je ne vis plus que la capote noire, les roues qui fuyaient. Puis la grille au bout de l'avenue se referma. Nous étions seuls...

... Au soir, la grille se rouvrit, la voiture revint, mais mon père n'en descendit pas comme d'habitude : je ne vis que mon grand-père, que le chagrin rendait bourru, et ma mère en larmes.

Ces deux garçonnets, si vite orphelins, s'appellent Paul et Victor Margueritte. Leur père était général. Sa chevauchée désespérée voulait faire oublier, dans nos livres, la trahison de Bazaine. Et puis c'était un joli nom à ajouter au bouquet de l'histoire : après Fabre d'Églantine, le général Margueritte.

La guerre de 70, à l'école, c'était aussi Alphonse Daudet. En l'honneur des francs-tireurs qui se battaient toute la nuit, uniquement pour tenir jusqu'au jour, il a écrit « La chèvre de Monsieur Seguin. » Il nous a raconté le siège de Paris dans une histoire bouleversante « L'enfant espion. » Vous savez bien ? « Il s'appelait Stenne, le petit Stenne. » Il se laissa entraîner par un plus grand que lui, un mauvais sujet. Ils faisaient mine d'aller ramasser des pommes de terre, au-delà des remparts. En fait ils allaient renseigner les Prussiens pour quelques écus. « Bas chôli, ça ; bas chôli. » Mais la nuit les écus de la trahison roulèrent sur le plancher de la chambre. Il fallut tout avouer. Le père Stenne écoutait, avec une figure terrible. « C'est bon, dit-il, je vais le leur rendre. » Et on ne l'a jamais revu depuis.

Pour rien au monde je n'aurais voulu être le petit Stenne. A la fin de mon livre de morale, il y avait un appendice intitulé « Le pilori des traîtres. » On y trouvait Ganelon, Pierre Cauchon, le connétable de Bourbon, Dumouriez, Bourmont et Bazaine. J'y avais ajouté, à l'encre, le petit Stenne.

A Alphonse Daudet, nous devons encore la dernière leçon de français de M. Hamel en Alsace. « Comme je m'en voulais maintenant du temps perdu, des classes manquées à courir les nids et à faire des glissades sur la Saar... ». « Au fond de la salle le vieux Hauser avait mis ses lunettes et tenait son abécédaire à deux mains. » « A midi les trompettes des Prussiens éclatèrent sous les fenêtres. M. Hamel se leva, tout pâle. Quelque chose l'étouffait. Alors il se tourna vers le tableau, prit un morceau de craie et écrivit aussi gros qu'il put « Vive la France ! ». Puis il resta là, la tête appuyée au mur et, sans parler, avec sa main, il nous faisait signe : « C'est fini... Allez-vous-en. »

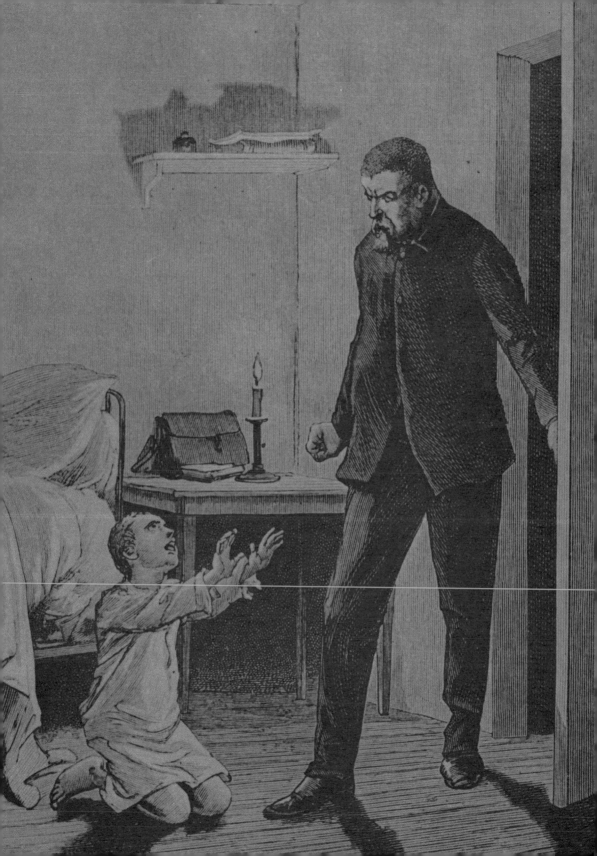

Le petit Stenne et M. Hamel appartiennent désormais au répertoire. On connaît moins un autre héros de Daudet, le sergent Hornus, que je veux consacrer ici. Dans cette guerre où les grands trahissaient, il représente les obscurs.

Le drapeau tombé des mains de l'Empereur passe aux mains du peuple.

LE SERGENT HORNUS

Le régiment était en bataille sur un talus de chemin de fer, et servait de cible à toute l'armée prussienne massée en face, sous le bois.

De temps en temps, le drapeau qui se dressait au-dessus des têtes, agité au vent de la mitraille, sombrait dans la fumée; alors une voix s'élevait grave et fière, dominant la fusillade, les râles, les jurons des blessés : « Au drapeau! mes enfants, au drapeau!... ».

Aussitôt, un officier s'élançait, vague comme une ombre dans ce brouillard rouge, et l'héroïque enseigne, redevenue vivante, planait encore au-dessus de la bataille.

Vingt-deux fois elle tomba!... Vingt-deux fois sa hampe, encore tiède, échappée à une main mourante, fut saisie, redressée; et lorsqu'au soleil couché, ce qui restait du régiment — à peine une poignée d'hommes — battit lentement en retraite, le drapeau n'était plus qu'une guenille aux mains du sergent Hornus, le vingt-troisième porte-drapeau de la journée.

Ce sergent Hornus était une vieille bête à trois brisques, qui savait à peine signer son nom, et avait mis vingt ans à gagner ses galons de sous-officier. Toutes les misères de l'enfant trouvé, tout l'abrutissement de la caserne se voyaient dans ce front bas et buté, ce dos voûté par le sac, cette allure inconsciente du troupier dans le rang. Avec cela, il était un peu bègue, mais, pour être porte-drapeau, on n'a pas besoin d'éloquence. Le soir même de la bataille, son colonel lui dit : « Tu as le drapeau, mon brave; eh bien! garde-le ». Et sur sa pauvre capote de campagne, déjà toute passée à la pluie et au feu, la cantinière surfila tout de suite un liséré d'or de sous-lieutenant.

Ce fut le seul orgueil de cette vie d'humilité. Du coup, la taille du vieux troupier se redressa. Ce pauvre être habitué à marcher courbé, les yeux à terre, eut désormais une figure fière, le regard toujours levé pour voir flotter ce lambeau d'étoffe et le maintenir bien droit, bien haut, au-dessus de la mort, de la trahison, de la déroute. Vous n'avez jamais vu d'homme si heureux qu'Hornus les jours de bataille, lorsqu'il tenait sa hampe à deux mains, bien affermie dans son étui de cuir. Il ne parlait pas, il ne bougeait pas : sérieux comme un prêtre, on aurait dit qu'il tenait quelque chose de sacré. Toute sa vie, toute sa force était dans ses doigts crispés autour de ce beau haillon doré sur lequel se ruaient les balles, et dans ses yeux pleins de défi qui regardaient les Prussiens bien en face, d'un air de dire : « Essayez donc de venir me le prendre!... »

Personne ne l'essaya, pas même la mort. Après Borny, après Gravelotte, les batailles les plus meurtrières, le drapeau s'en allait de partout, haché, troué, transparent de blessures, mais c'était toujours le vieil Hornus qui le portait.

On ne les remarque plus, aux carrefours des vacances, ces monuments vieillots dédiés aux francs-tireurs. Il y eut trop de combats, pas assez de batailles. Ce fut une mobilisation générale à l'échelle du garde champêtre. Les grandes villes se rendaient, mais Châteaudun mourait sur place. Les traîtres se sont trop fait connaître (Bazaine ou Bourbaki), les soldats de Gambetta sont morts trop discrètement. Entre 40 et 44 on a récupéré l'essentiel du bronze qui gardait leur mémoire, coqs farouches, drapeaux déchirés, baïonnettes en hérisson. Il ne reste guère qu'une modeste plaque de marbre dans la cour de l'école normale des instituteurs de Laon (Aisne). Elle retient trois noms qui sont l'honneur de l'école communale :

« A la mémoire de Debordeaux (Jules-Denis), instituteur à Pasly; de Paulette (Louis-Théophile), instituteur à Vauxresis, fusillés par les Prussiens pour avoir défendu leur pays, les 10 et 11 octobre 1870; et de Leroy (Jules-Anasthase), instituteur à Vendières, victime d'une inique condamnation, de la part de l'ennemi, le 22 janvier 1871. »

Pour tous ceux qui sont tombés au hasard d'un talus de chemin de fer, d'un carré de luzerne ou d'un jardin de banlieue dans cette guerre désordonnée où tous les champs étaient champs d'honneur, je vous propose une chanson de Villemer, en guise d'épitaphe.

NE DANSEZ PLUS... DES FRANÇAIS DORMENT LA

C'était la fête du village,
Sur le pré filles et garçons
Dansaient, riaient, faisaient tapage
Et jetaient au vent leurs chansons ;

Quand un soldat plein de poussière,
Qui s'en retournait au pays,
Se souvint qu'en ce lieu la guerre
Avait couché bien des amis.

Alors, les yeux remplis de grosses larmes,
Le vieux soldat, tout ému, leur cria :
J'ai vu tomber ici mes frères d'armes...
Ne dansez plus, des Français dorment là !

A Bordeaux, l'ignominie était consommée. L'Assemblée réactionnaire avait ratifié l'abandon de l'Alsace-Lorraine par 546 voix contre 107. Qui avait combattu le traité ? Les élus des provinces sacrifiées, bien sûr, mais aussi toute la gauche jacobine : Gambetta, Victor Hugo, Edgar Quinet, sans oublier les socialistes, Louis Blanc et Millière.

Garibaldi n'avait plus qu'à ranger sa chemise rouge en haut de l'armoire. Dans mon enfance, pourtant, on se souvenait encore de lui. Sa chanson m'exaltait, dans mes moments de révolte ou d'ambition, quand je m'éloignais de la maison, au pas cadencé, jusqu'à l'abri d'une muraille de cyprès.

C'est moi qui suis Garibaldi,
Avec mille hommes j'ai conquis
La moitié de l'Italie.

Arrachés de la patrie contre leur gré, les représentants de l'Alsace et de la Lorraine protestent solennellement.

« Livrés, au mépris de toute justice et par un odieux abus de la force, à la domination de l'étranger, nous avons un dernier devoir à remplir.

« La revendication de nos droits reste à jamais ouverte à tous et à chacun, dans la forme et dans la mesure que notre conscience nous dictera.

« Au moment de quitter cette enceinte, où notre dignité ne nous permet plus de siéger, et malgré l'amertume de notre douleur, la pensée suprême que nous trouvons au fond de nos cœurs est une pensée de reconnaissance pour ceux qui, pendans six mois, n'ont pas cessé de nous défendre, et d'inaltérable attachement à la patrie dont nous sommes violemment arrachés. »

La machination est en place, voici la gauche prisonnière de l'idée de revanche ; elle y sombrera corps et âme, instituteurs en tête, au mois d'août 14, vouée à la fosse commune des tranchées.

Il est juste temps, pour Alphonse Daudet, d'écrire « la dernière classe ». Désormais, la statue de Strasbourg, sur la place de la Concorde, devient la statue du commandeur. Kléber et Rouget de Lisle battent le rappel. La petite Alsacienne au grand nœud noir pleure derrière la ligne bleue des Vosges. Des milliers de chansons volent vers elle. Nous en avons retenu deux. La première est de Frédéric Boissière.

L'OISEAU QUI VIENT DE FRANCE

Tous les matins et tous les soirs,
Épiant son retour peut-être,
Une fillette aux rubans noirs
Apparaissait à sa fenêtre.
L'oiseau charmant vint s'y poser,
En dépit des soldats en armes,
Et l'enfant, essuyant ses larmes,
Mit sur son aile un long baiser.
Les cœurs palpitaient d'espérance,
Et l'enfant disait aux soldats :
« Sentinelles, ne tirez pas,
C'est un oiseau qui vient de France! »

La seconde, dont les paroles sont signées St-Prest et L. Christian, fut créée à la Scala par Mlle Amiati.

LE VIOLON BRISÉ

Sur la route poudreuse et blanche
Où nos drapeaux ne passent plus,
Un vieillard va, chaque dimanche,
Rêver seul aux pays perdus.

Parfois de sa lèvre pâlie
Monte une plainte vers les cieux;
C'est le regret des jours joyeux
Et c'est l'histoire de sa vie.

Ils ont brisé mon violon
Parce que j'ai l'âme française
Et que, sans peur, aux échos du vallon
J'ai fait chanter « La Marseillaise ».

STRASBOURG

Mais le bouquet revient à Eugène Manuel que nos livres d'école mettaient assez haut dans la hiérarchie des poètes. Sa récitation faisait coup double : elle nous proposait à la fois deux mythes où se délectaient nos âmes d'enfants : celui de la province perdue et celui du mort vivant.

LE TESTAMENT DE MAITRE MOSER

« Plus d'un me survivra, parmi vous, et longtemps ;
Il en est qui vivront cinq ans, dix ans, vingt ans,
Et plus ! Ceux-là verront la fin de ce martyre,
Ce que vous savez bien, ce qu'on ne peut pas dire,
Ce que nous rêvons tous, dans nos nuits sans sommeil ;
Ils verront, un matin, se lever ce soleil,
Et des Vosges au Rhin resplendir sa lumière !
Or, écoutez-moi bien. Je veux que vers la pierre
Sous laquelle bientôt vous coucherez mon corps,
Ceux que je vois ici, ceux qui vivront alors,
Quels que soient la saison, le jour, le temps et l'heure,
Sans tarder d'un moment, laissant là leur demeure,
Accourent haletants ; puis l'aîné d'entre vous,
(Peut-être il sera seul) se mettant à genoux,
Sur mon petit tombeau se penchera, s'il m'aime ;
Et, des lèvres, pressant la terre à l'endroit même
Où posera ma tête, et m'appelant trois fois :
« Moser », de tout son cœur, de sa plus forte voix,
Sans me raconter rien, et sans phrase banale,
Sans pourquoi ni comment sur la crise finale,
Soulevant d'un seul cri le poids qui m'étouffait,
Me dira simplement : « Moser ! Moser ! c'est fait ! »

Ce fut fait quarante ans plus tard. Et voilà pourquoi j'étais orphelin.

Mais nous n'en étions encore qu'à Ventôse an LXXIX. Le printemps s'annonçait incertain. En fait, il y avait trois Républiques. La République souffrante de Paris, la République militante des francs-tireurs et la Thiers-République, triomphante après le lâche soulagement.

C'est dans un restaurant de Bordeaux que le député Victor Hugo apprit la mort foudroyante de son fils Charles. C'était le 13 mars 1871. Cinq jours avant, il avait donné sa démission en pleine séance pour se joindre aux protestataires d'Alsace-Lorraine. Il décida de rentrer à Paris, avec le cercueil, pour l'enterrement. Décidément, sa vie privée coïncidait avec l'Histoire. Ce fut le 18 mars, jour de la Commune, et ce fut au Père Lachaise, au cœur de la Commune. Les insurgés ouvrirent des brèches dans leurs barricades pour laisser passer le convoi funèbre et présentèrent les armes de la révolte à Victor Hugo, qui marchait nu-tête derrière le corbillard.

Il faudrait mille pages pour raconter la Commune qui ne dura qu'un printemps. Ses images étaient parvenues jusqu'à moi dans les vieux illustrés du grenier, pauvrement reliés par mon grand-père. Je revois les tronçons de la colonne Vendôme, comme des rondelles de saucisson, quand les marins l'eurent jetée bas sous les ordres de Courbet, le peintre. Je revois l'étrange manifestation des francs-maçons sortis de leurs caves obscures et marchant vers le pont de Neuilly, tous leurs secrets au vent. Je revois Millière choisissant pour tombeau le Panthéon et se faisant fusiller sur les marches pour être plus sûr d'y entrer. Je revois Delescluze, celui du « Réveil », copier Baudin et monter sur la barricade pour se faire tuer plutôt que de survivre. Je revois les derniers fédérés tiraillant parmi les tombes du Père-Lachaise, dans la nuit illuminée par d'immenses flammes. Ce fut la grande fête du pétrole à l'époque où on l'achetait chez l'épicier pour remplir la lampe de faïence qui éclairerait la veillée. Et soudain, l'ange de chaque foyer devenait un démon et la pacifique suspension, sous laquelle je faisais mes devoirs d'écolier, devenait une torche.

Dans Neuilly, si atrocement disputé, j'entends chanter les oiseaux. De l'autre côté de mon jardin, il y a une maison qui date d'alors. C'était le temps des premiers hauts immeubles locatifs. La façade qui me regarde a ceci de particulier, que deux fenêtres sur trois, à chaque étage, sont feintes. Mais admirablement imitées, avec des illusions de gonds et de fausses persiennes dont chaque latte est sculptée dans la pierre. On m'a raconté que les communards traqués frappaient désespérément à ces fausses fenêtres qui refusaient de s'ouvrir — et pour cause. Furieux, ils cassaient leur lampe à pétrole contre l'impitoyable façade et allumaient l'incendie.

Mais je n'y étais pas. Il me paraît plus honnête d'emprunter la plume d'Émile Zola. Encore un qui était monté du Midi avec des idées rouges, et dont le nom, comme celui de Gambetta ou celui de Blanqui sentait fort l'Italie. C'est que la République a une prédilection pour les nourrissons de la louve romaine. Zola avait alors trente ans, et c'est tout juste si le Gouvernement provisoire n'en fit pas un sous-préfet de Castelsarrasin. Il zézayait un peu et son ami Alphonse Daudet s'arrangeait toujours pour lui faire dire : « Zé suis chaste. » Il entrevoyait, à travers ses lorgnons, l'énormité de son œuvre; il avait à peine commencé mais prétendait porter son nom au faîte de la littérature, ce qui était d'autant plus méritoire qu'il partait du plus bas dans l'ordre alphabétique. Il a vécu la passion de la Commune. Il va nous dire le commencement et la fin.

Le commencement, c'est cette journée du 18 mars où Paris refuse la trahison de Bordeaux et défie l'ennemi qui cerne la ville.

La fin c'est la mer de flammes où tout s'engloutit.

LE 18 MARS

Ah! cette journée du 18 mars, de quelle exaltation décisive elle souleva le garçon! Plus tard, il ne put se souvenir nettement de ce qu'il avait dit, de ce qu'il avait fait. D'abord, il se revoyait galopant, furieux de la surprise militaire qu'on avait tentée avant le jour, pour désarmer Paris, en reprenant les canons de Montmartre. Depuis deux jours, Thiers, arrivé de Bordeaux, méditait évidemment ce coup de force, afin que l'Assemblée pût sans crainte proclamer la monarchie, à Versailles. Puis, il se revoyait, à Montmartre même, vers neuf heures, enflammé par les récits de victoire qu'on lui faisait, l'arrivée furtive de la troupe, l'heureux retard des attelages qui avait permis aux gardes nationaux de prendre les armes, les soldats n'osant tirer sur les femmes et les enfants, mettant la crosse en l'air, fraternisant avec le peuple. Puis, il se revoyait courant Paris, comprenant dès midi que Paris appartenait à la Commune, sans même qu'il y eût bataille : Thiers et les ministres en fuite du ministère des Affaires étrangères où ils s'étaient réunis, tout le gouvernement en déroute sur Versailles, les 30 000 hommes de troupe emmenés à la hâte, laissant plus de 5 000 des leurs, au travers des rues. Puis, vers cinq heures et demie, à un angle du boulevard extérieur, il se revoyait au milieu d'un groupe de forcenés, écoutant sans indignation le récit abominable du meurtre des généraux Lecomte et Clément Thomas. Ah! des généraux! il se rappelait ceux de Sedan, des jouisseurs et des incapables! un de plus, un de moins, ça n'importait guère! Et le reste de la journée s'achevait dans la même exaltation, qui déformait pour lui toutes choses, une insurrection que les pavés eux-mêmes semblaient avoir voulue, grandie et d'un coup maîtresse dans la fatalité imprévue de son triomphe, livrant enfin à dix heures du soir l'Hôtel de Ville aux membres du Comité central, étonnés d'y être.

L'INCENDIE

A gauche, c'étaient les Tuileries qui brûlaient. Dès la tombée de la nuit, les communards avaient mis le feu aux deux bouts du palais, au pavillon de Flore et au pavillon de Marsan; et, rapidement, le feu gagnait le pavillon de l'Horloge au centre, où était préparée toute une mine, des tonneaux de poudre entassés dans la salle des Maréchaux. En ce moment les bâtiments intermédiaires jetaient, par leurs fenêtres crevées, des tourbillons de fumée rousse que traversaient de longues flammèches bleues. Les toits s'embrasaient, gercés de lézardes ardentes, s'entr'ouvrant comme une terre volcanique, sous la poussée du brasier intérieur. Mais, surtout, le pavillon de Flore, allumé le premier, flambait, du rez-de-chaussée aux vastes combles, dans un ronflement formidable. Le pétrole, dont on avait enduit le parquet et les tentures, donnait aux flammes une intensité telle, qu'on voyait les fers des balcons se tordre et que les hautes cheminées monumentales éclataient, avec leurs grands soleils sculptés, d'un rouge de braise.
Puis, à droite, c'était d'abord le palais de la Légion d'honneur, incendié à cinq heures du soir, qui brûlait depuis près de sept heures, et qui se consumait en une large flambée de bûcher dont tout le bois s'achèverait d'un seul

coup. Ensuite, c'était le palais du Conseil d'État, l'incendie immense, le plus énorme, le plus effroyable; le cube de pierre géant aux deux étages de portiques, vomissant des flammes. Les quatre bâtiments, qui entouraient la grande cour intérieure, avaient pris feu à la fois; et, là, le pétrole, versé à pleines tonnes dans les quatre escaliers aux quatre angles, avait ruisselé, roulant le long des marches des torrents de l'enfer. Sur la façade du bord de l'eau, la ligne nette de l'attique se détachait en une rampe noircie, au milieu des langues rouges qui en léchaient les bords; tandis que les colonnades, les entablements, les frises, les sculptures apparaissaient avec une puissance de relief extraordinaire, dans un aveuglant reflet de fournaise. Il y avait surtout là un branle, une force du feu si terrible, que le colossal monument en était comme soulevé, tremblant et grondant sur ses fondations, ne gardant que la carcasse de ses murs épais, sous cette violence d'éruption qui projetait au ciel le zinc de ses toitures. Ensuite, c'était, à côté, la caserne d'Orsay dont tout un pan brûlait, en une colonne haute et blanche, pareille à une tour de lumière. Et c'était enfin, derrière, d'autres incendies encore, les sept maisons de la rue du Bac, les vingt-deux maisons de la rue de Lille, embrasant l'horizon, détachant les flammes sur d'autres flammes, en une mer sanglante et sans fin.

Le drapeau rouge avait flotté pendant huit semaines, du 18 mars au 27 mai 1871. Qu'était-ce donc que la Commune? Savaient-ils seulement ce qu'ils voulaient ces Parisiens insurgés, formés en bataillons misérables dans le cercle de fer de l'armée prussienne, et défiant à la fois Versailles et Berlin? N'était-ce pas la famine de l'hiver terrible qui leur était montée à la tête? Et cette parodie de Convention où siégeaient des fous comme Delescluze, Millière, Félix Pyat, Jules Vallès, Rossel, qu'était-ce, sinon une assemblée de convulsionnaires, de revenants sanglants? Ne prétendaient-ils pas remettre en honneur Ventôse et Germinal? Et cette amazone dont ils faisaient leur Jeanne d'Arc, cette Louise Michel, qu'était-ce d'autre qu'une pétroleuse? Les malheurs de la guerre expliquent de telles folies, sans les excuser. Les communards avaient contracté la rage; il fallait les abattre, au nom de la loi. Dieu merci, ils ne savaient pas ce qu'ils faisaient.

Et pourtant si, ils le savaient. Preuve en est cette lettre du menuisier Désiré Lapie. Elle est datée du 26 mars 1871. Il écrit à sa sœur qui habite la province et qui se fait beaucoup de soucis parce qu'il compte au nombre des « forcenés ». Les lettres quittaient Paris au péril du ciel ou de l'eau, en ballon ou dans des bouteilles confiées au fil de la Seine. Celle-ci a eu la chance d'arriver.

C'est sans doute qu'au-delà de sa sœur, Désiré Lapie s'adressait à l'avenir, « jusqu'aux monts Oural », comme il dit.

CHÈRE ET BONNE SŒUR

Tu t'intéresses de nous comme si tu ne connaissais pas Paris. La Révolution vous fait donc bien peur tu me dis que je déshonore mon nom en me laissant conduire par ce mouvement politique : que veux-tu chacun en ce monde doit mettre ses connaissances au service de son pays dans cette crise que nous passons l'honnête homme doit faire abnégation de tout même de la famille, quand il s'agit des générations futures et de l'affranchissement des peuples.

Tu me dis aussi que je me mette du côté du plus fort, je suis persuadé que telle n'est pas ta pensée, à moins que tu ne me prennes pour un lâche, nous étions bien faibles lorsque nous avons commencé, aujourd'hui nous sommes les puissants, dans la force comme dans la justice.

Des journaux menteurs vous disent que nous voulons le pillage suis-je né voleur, c'est à toi que je le demande, et tu crois que je voudrais du partage, non ma sœur cette manière n'entre pas dans mes opinions politiques.

Voilà ce que nous voulons, le droit de nommer nos conseils municipaux, nos officiers militaires, suppression des armées permanentes, séparation de l'Église et de l'État sans cependant empêcher la liberté des consciences, suppression des traitements au-dessus de 10 000 F, instruction gratuite et obligatoire par les écoles laïques, fermeture des couvents, empêcher par tous les moyens possibles le retour du jésuitisme, car dans ces maisons on ne connaît que le vol et la prostitution.

Oui ma sœur nous sommes maîtres entends-tu devant nous ces gens s'inclinent les monarques tremblent en pensant à notre Révolution, et ces hommes qui nous ont livrés nous les tenons, Bismarck lui-même est forcé de nous reconnaître tu vois si nous sommes forts et les gens de la campagne pensent venir nous écraser à Paris; pauvre peuple qu'ils sont bêtes c'est pour eux que nous travaillons et ils voudraient nous écraser mais s'ils commencent et que Paris lève sa voix il la fera entendre de l'océan aux monts Oural car rien ne résiste à un peuple libre. On vous fait la chose bien mauvaise. On vous dit qu'on se tue à Paris. La vérité qu'il y a eu en tout trente morts jusqu'à ce jour sans compter les deux infâmes généraux qui ont été assassinés j'en conviens par deux ou trois misérables pour moi ce que je regrette dans cette affaire c'est les cartouches qu'on a usées pour s'en débarrasser.

Voilà tout ce que j'ai à te dire à Paris tout va bien, les élections à la Commune sont favorables on ne s'est pas disputés bourgeois ouvriers et soldats fraternisent. Adieu ma sœur et Vive la République démocratique et sociale! Salut et Égalité.

La répression fut terrible. J'ai connu un vieux versaillais, à Belvianes. Il en tremblait encore. Il n'avait pas choisi, le malheureux, d'être dans les rangs des lignards. Fait prisonnier à Metz, il avait été libéré avec ses camarades pour se mettre au service de Versailles. On ne les laissa pas respirer. « Ce sera eux, ou vous. » Toutes les vieilles vendées, toutes les haines chouannes tenaient enfin la gueuse à merci. « Ah mes enfants », disait le vieillard assis sur le perron de la place, sa canne toute secouée entre ses genoux, « battez-vous tant que vous voudrez avec des bulletins de vote, mais jamais à la baïonnette ». Il lâchait sa canne et se frottait désespérément les mains, non pas les paumes, mais le dos des mains l'un contre l'autre. Il jouait à sa manière, un peu rustique, la scène fameuse du remords.

Le peuple, suivant la coutume, redevint la multitude. Il encouragea les vainqueurs à la curée. Pendant que les Prussiens, aux premières loges, sablaient le champagne. Eugène Thomas, que je suis heureux d'accueillir à ma table des auteurs, a raconté la fin d'un communard.

LE CALVAIRE DE VARLIN

L'ouvrier Varlin fut un des grands organisateurs de la Commune. Avec son ami Jourde, un comptable, il alla trouver le directeur de la Banque de France; il exigea de l'argent pour payer la Garde Nationale, c'est-à-dire tous les ouvriers qui avaient été armés au moment du siège. Le directeur accorda plusieurs millions. Les deux amis avec ces pauvres ressources subvinrent à tous les besoins. Ces deux ministres de la Commune mangeaient à trente sous dans un cabaret voisin du ministère. Varlin n'avait rien changé à ses habitudes. Il n'avait pas songé seulement à renouveler ses vêtements usés de prolétaire. Il fut des derniers combattants.

Le 28 mai, le dimanche, il ne songea pas à se cacher. A l'aube, il errait, désemparé, par les rues ensanglantées. Il allait sans but, d'un pas de somnambule. Cinq mois d'efforts et la vie surmenée, fiévreuse, des dernières semaines, avaient épuisé ses forces. Square Montholon il s'assit sur un banc. Un prêtre passa, le vit, l'examina, le reconnut. Au même moment une patrouille débouchait. Le prêtre, après une minute d'hésitation, alla droit au lieutenant, lui désigna l'homme assis.

Varlin fut saisi, traîné au poste voisin; alors la foule s'amassa. Quand elle sut son nom, certaine de sa proie, elle laissa éclater sa joie fauve. « A Montmartre! A Montmartre! Il faut qu'on fusille ce scélérat rue des Rosiers! » C'était là que le 18 mars, lorsque les Parisiens proclamaient la Commune, deux généraux, Lecomte et Clément Thomas avaient été fusillés par les soldats qui venaient de se déclarer pour les Parisiens. La foule voulait que Varlin fût fusillé à cette même place.

Alors on monta vers Montmartre. Des femmes l'injuriaient, lui lançaient de la boue, lui crachaient à la figure. Quand on arriva à Montmartre, une voix cria : « Il n'a pas assez souffert. Il faut le promener encore. » Et on le promena encore. Les soldats le frappaient à coups de crosse, le piquaient de leurs baïonnettes. Quand on revint rue des Rosiers, son corps n'était plus que lambeaux. Des lignards le portèrent près du mur. Un feu de peloton l'acheva. La foule s'acharna sur le cadavre. Le lieutenant — il s'appelait Sicre — distribua à ses soldats les quelques sous trouvés sur le mort : il garda pour lui la petite montre offerte en souvenir par les ouvriers relieurs en 1864.

Ainsi mourut Varlin. Il était vraiment ce que les socialistes appellent un militant ouvrier.

Quant à Louise Michel, faisant front au Conseil de Guerre, revendiquant la responsabilité totale des crimes qui lui étaient imputés, elle réclama si fort la mort qu'on la lui refusa. Elle fut déportée en Nouvelle-Calédonie. Elle nous vaut, dans cette anthologie, l'intervention d'un pur poète qui pourtant ne se dérange pas facilement de son absinthe. Verlaine l'a saluée d'une ballade.

LOUISE MICHEL EST TRÈS BIEN

Madame et Pauline Roland,
Charlotte, Théroigne, Lucile,
Presque Jeanne d'Arc, étoilant
Le front de la foule imbécile,
Nom des cieux, cœur divin qu'exile
Cette espèce de moins que rien
France bourgeoise au dos facile,
Louise Michel est très bien.

Je me souviens d'une image où l'on voyait une hutte de paille sous les cocotiers. Cela s'intitulait « les déportés de Nouméa ». Parmi les barbus farouches il y avait une jeune femme émouvante. J'ai toujours pensé que c'était elle et que c'était de là qu'elle nous avait adressé, pour donner raison à Verlaine, son poème d'adieu. Les fleurs que l'on porte chaque année au pied du mur des fédérés ressemblent à ce poème.

LES ŒILLETS ROUGES

Si j'allais au froid cimetière
frères jetez sur votre sœur
comme une espérance dernière
quelques rouges œillets en fleur.

Dans les derniers temps de l'empire
lorsque le peuple s'éveillait
rouge œillet ce fut ton sourire
qui nous dit que tout renaissait.

Aujourd'hui va fleurir dans l'ombre
des noires et tristes prisons
va fleurir près du captif sombre
et dis-lui bien que nous l'aimons.

Dis-lui que par le temps rapide
tout appartient à l'avenir
que le vainqueur au front livide
plus que le vaincu peut mourir.

La victoire de la droite était trop belle. On se la disputa. Ce fut la chance de la République. Trois restaurations prétendaient s'asseoir sur un même trône au foyer noirci des Tuileries.

Il y avait Chambord, au nom des Bourbons; il y avait la kyrielle des garçons de Louis-Philippe, au nom des Orléans; et il y avait le petit Badingue, au nom des Bonapartes. Enfin, il y avait Mac-Mahon qui, sous prétexte de tirer les marrons du feu pour chacun d'eux, garda la place.

Il fonda l'Ordre Moral. Les cantiques, les bannières, Marie Alacoque : c'était une copie conforme de 1815. Sauf que cette fois l'expiation prit la forme d'une espèce d'énorme meringue posée sur Montmartre : le Sacré-Cœur.

A Mac-Mahon, il fallait un semblant de légende. Massacreur de la Commune, ce n'était pas assez. On inventa le zouave du pont de l'Alma, et le clairon de Malakoff qui en est la version sonore. Il est toujours bon de l'entendre — même si l'auteur de l'article est resté anonyme.

LE CLAIRON DE MALAKOFF

Le clairon Baudot, le brave homme qui vit maintenant retiré à Soissons, le soldat qui héroïquement sonna la charge à Malakoff, celui dont Yvon fit le portrait dans son magnifique tableau représentant l'Assaut de Malakoff et qui figure au musée de Versailles, le clairon Baudot est personnage d'actualité puisque solennellement son clairon déformé par les balles vient d'être placé au Musée de l'Armée, non loin du chapeau de Napoléon Ier et tout près de l'épée glorieuse de Mac-Mahon qui, général alors, donna l'ordre à Baudot de sonner la charge, puis le rassemblement qui décida de la victoire. Baudot était au 1er régiment de zouaves; la journée fut chaude, il y prit part très courageusement et fut blessé à plusieurs reprises.

Sa consolation, en ces derniers jours, était de raconter la célèbre affaire en regardant son clairon devenu maintenant relique historique.

Il lui en a coûté de s'en séparer, mais il s'est consolé en songeant à l'honneur qui l'attendait. Tel un père de famille essuie les larmes que faisait couler le départ de sa fille bien-aimée et se calme à l'idée du bonheur que lui promet son mariage.

Le clairon de Baudot est entré dans l'immortalité.

Les monarchistes étaient largement majoritaires à Versailles, mais les uns voulaient le Roi de France et le drapeau blanc, les autres le Roi des Français et le coq, les derniers tenaient encore pour un aiglon. Ils se laissèrent gruger par la minorité. Et ce fut l'amendement Wallon qui par 353 voix contre 352, instituait un président de la République. Mac-Mahon n'en a plus pour longtemps.

La province se réveille à la voix de Gambetta. Il fait la plus tonitruante tournée électorale de l'Histoire. Il tonne, littéralement, sur toutes les places du marché qui porteront plus tard son nom. Le clairon de Malakoff est un jouet d'enfant à côté de la trompette de Cahors. Il fait rouler les « r » comme un orage dans la montagne. On n'imagine pas combien il en mettait, de ces « r », dans l'injonction fameuse : « Il faudra se soumettre ou se démettre! ». C'est à la force du gosier qu'il chassa Mac-Mahon.

Enfin, en 1879, c'était fait. Les chambres rentraient à Paris, le 14 Juillet était décrété fête officielle de la République, et l'Élysée avait un premier locataire : Jules Grévy.

D'emblée, celui-ci donna le style : huit chevaux, huit reflets, légion d'honneur en bandoulière, petits fours et grande tristesse. Il n'y eut plus qu'à changer la tête, de temps en temps, sans toucher au costume. C'est le principe du musée Grévy.

La Marseillaise redevenait chant national.

Il était temps qu'on pensât, une dernière fois, à Rouget de Lisle. On avait failli perdre sa tombe, envahie d'herbe et de mousse, à Thiais. On acquit pour lui, au cimetière de Choisy-le-Roi, une concession à perpétuité. Et surtout on décida de lui élever une statue à Lons-le-Saunier. De tous les arts, s'il en est un qui soit vraiment républicain, c'est la sculpture. Rude et David d'Angers avaient un digne successeur : Bartholdi. Il le fallait pour représenter un officier du génie. L'artiste a voulu rendre l'élan. Tout le corps porte sur la jambe droite projetée en avant; le talon du pied gauche est détaché du sol.

L'inauguration, l'été 1882, nous a valu un morceau de bravoure de Louis Ratisbonne qui fut récité par Paul Mounet.

O ROUGET

O Rouget, voilà ta statue!
Ton jour de gloire est arrivé!
Comme ta chanson, dans la rue,
Ton marbre enfin s'est élevé.
La France héroïque, indomptée,
Eut un jour des hommes de fer :
Hoche, Desaix, Marceau, Kléber,
Et la France eut aussi Tyrtée.

Il était temps de faire une ombre
Sur le sol par toi protégé,
O jeune enthousiaste sombre,
Vengeur du pays outragé!
Debout sur la terre chérie
Où tes regards ont vu le jour,

Poète du sublime amour,
Voix superbe de la patrie!

On peut la graver tout entière,
Ton œuvre, sur ton monument,
— Cette inspiration altière
Qui tient dans un cri seulement :
Tonnerre de la délivrance,
Défi d'un grand peuple en fureur,
Brûlant éclair jailli du cœur
D'un humble soldat de la France.

D'un esclavage séculaire
Nous sortions, comme des enfers;
Des rois, dans leur folle colère,
Tentaient de nous remettre aux fers.
Ton ode tragique et profonde
Jeta dans le monde un frisson,
Et sur l'aile de ta chanson
Nous partîmes contre le monde.

On la chanta dans la chaumière,
Sur les chemins, dans la cité,
Et chaque son dans la lumière
En montant disait : Liberté!
Le vent des strophes enflammées
Aux oppresseurs jetait l'effroi,
Rouget de Lisle, et c'était toi
Le clairon des quatorze armées.

Hélas! après cette heure épique,
Tu languis, vieux, pauvre, oublié;
Mais aujourd'hui la République,
A qui ton nom reste lié,
Deux fois consacrant ta mémoire,
Dans ton lustre t'a rétabli :
Une statue est pour ta gloire,
L'autre pour ton injuste oubli.

C'est à Strasbourg, dans notre Alsace,
Que ton cœur s'était inspiré;
C'est là que surgit la menace
De ton hymne à jamais sacré.
Sainte Alsace, aujourd'hui meurtrie,
On dit que l'on entend là-bas
Des voix encor gronder tout bas :
« Allons, enfants de la patrie!... »

Louis Ratisbonne allait avoir, dans nos choix de lectures, un sérieux concurrent en la personne de Jean Aicard. Celui-ci préféra servir la muse de l'avenir. A l'envolée de Lons-le-Saunier, il répliqua par une Marseillaise des écoliers. Le temps était venu de fonder la République dans les villages. Une inspiration formidable anima le plus grand chantier qu'ait jamais connu ce pays. Le politburo laïque, réuni autour de Jules Ferry, inventait tout, et tout à la fois : l'horloge municipale, le banc à deux places, la morale, l'instruction civique, le certificat d'études, le moule à instituteurs, la ronde et la bâtarde, les pleins et les déliés, la plume Gauloise et la craie Robert, le vase de Soissons et la preuve par neuf. Toutes les corporations étaient mobilisées dans tous les cantons. Les menuisiers avaient à raboter à la fois la chaire et l'isoloir. La France entière commandait en même temps, qui une Marianne en plâtre, qui un feu d'artifice, qui des lampions. Jean Aicard a le mérite de rendre compte de ce prodigieux affairement.

LE GRAND CHANTIER

Alors, la Muse de l'Histoire
Vit surgir, d'un coup, par milliers,
Tout blancs sur le vieux territoire,
Des palais pour les écoliers.

Les livres prirent la parole,
Quand les maçons furent partis,
Et l'on vit courir vers l'école
Tout le peuple des tout-petits...

Le cartable battant l'échine
Ou bien leurs cahiers sous le bras,
Les uns, là-haut dans la colline,
D'autres dans la plaine, là-bas,

Tous allaient vers la maison blanche,
Ceux-là se tenant pas la main,
Ceux-ci retardés par la branche
Qui met des fleurs sur le chemin.

On quittait la campagne aimée,
On regrettait les papillons,
Mais on chantait comme une armée :
« Enfants!... Formez vos bataillons! »

Or, depuis que la France libre,
A des écoles par milliers,
C'est son âme même qui vibre
Dans son rucher plein d'écoliers.

Depuis l'heure toute première
Où l'école neuve s'ouvrit,
Le livre a fait de la lumière,
La lettre a créé de l'esprit.

Le petit peuple de la veille
C'est le grand peuple d'aujourd'hui ;
Sa propre histoire le conseille,
Toute l'âme humaine est en lui.

Il sera digne de lui-même,
Si, sachant ce qu'il doit savoir,
Il aime ce qu'il faut qu'on aime,
A l'égal du droit : — le devoir.

Fais ton destin, peuple de France !
La France remet dans tes mains,
Avec un frisson d'espérance,
La clef d'or de tes lendemains.

Il me semble que c'est le moment précis où je dois entrer en scène. Le moment où mon grand-père, jeune menuisier, fignole au papier de verre les pupitres où sa fille Jeanne apprendra, avant d'enseigner. Le moment où s'élève, pierre sur pierre, l'école monumentale de Barbaira, aboutissement des rêves de dix siècles.

Victor Hugo peut revenir la tête haute. Il a traversé sans souillure les bals de l'Empire, l'hiver du siège, la honte de Bordeaux, le sang de la Commune et les dévotions de Mac-Mahon.

Il a reconnu Louise Michel.

> *Ayant vu le massacre immense, le combat,*
> *Le peuple sur sa croix, Paris sur son grabat,*
> *La pitié formidable était dans tes paroles,*
> *Tu faisais ce que font les grandes âmes folles,*
> *Et, lasse de lutter, de rêver, de souffrir,*
> *Tu disais : « J'ai tué », car tu voulais mourir.*

Il a offert l'hospitalité aux communards dans sa maison de Bruxelles, ce qui lui a valu, sous les huées, sous les cailloux, de retrouver Guernesey. En attendant que Versailles finisse d'accoucher, et de savoir si ce serait un garçon ou une fille, il s'est replongé dans les tempêtes de quatre-vingt-treize, avec délices. Maintenant il peut revenir. C'est une fille. C'est sa fille.

Et tous les faubourgs de Paris qui défilent sous sa fenêtre le jour de ses quatre-vingts ans l'appellent grand-père.

Maintenant, il faut que ce soit lui qui inaugure toutes les écoles de France. Symboliquement il l'a fait en inaugurant celle de Veules près de Saint-Valéry-en-Caux. Il a eu du mal, j'imagine, à se glisser sur le banc, entre le dossier et la table, avec sa carrure et son âge. Sa barbe blanche, d'où coulait de la lumière, touchait presque le pupitre. Il s'est assis, à la place du premier, au milieu des écoliers.

Et il me semblait que cela avait eu lieu dans mon école à moi, qu'elle en était, à jamais, comme sanctifiée. C'est exactement là que commencent mes souvenirs, en cette année où ma mère entrait à l'école maternelle et où Hugo allait mourir.

La mairie était toute neuve. On venait de recevoir en petite vitesse une caisse à claire-voie que l'on déballait avec d'infinies précautions. Elle contenait Marianne, c'est-à-dire le buste de plâtre colorié, la Minerve sévère aux seins voilés de bleu, aux cheveux coiffés de rouge, qui est toujours là, sur la cheminée. Le garde champêtre, étrennant son képi, remontait pour la première fois les poids de l'horloge. Le cœur se mettait à battre. Huit heures sonnaient au-dessus du village.

Mon oncle Jules, qui n'était encore qu'un garnement, gambadait autour des jupes de ma tante Julie, la sœur aînée de ma mère.

C'est environ ce temps-là, j'imagine, que son père Casimir Rigaud fut maire de Barbaira. Je sais qu'il fit planter les platanes au bord de la route, que l'on arrache aujourd'hui, mais qui, dans mon enfance, offraient une ombre délicieuse jusqu'à la gare. Je l'ai connu beaucoup plus tard. Sa bonté, sa générosité l'avaient obligé à vendre la propriété de Barbaira. Mon oncle Jules avait dû entrer au chemin de fer. Casimir s'était réfugié dans un village voisin, à Comignes, où son autre fils, Numa, cultivait ce qu'il avait gardé de biens. Je l'appelais « bon papa Rigaud ». Il m'emmenait souvent sur sa carriole que tirait une petite ânesse blanche qui répondait au joli nom de Colombine. Je le revois, très doux, très poète. Je le situe parmi les fondateurs de la République.

Entre la salle de la mairie et ma chambre d'enfant, il y avait une arrière-salle dont je n'étais séparé que par une porte condamnée. C'était, en quelque sorte, la sacristie de la religion laïque. Elle contenait le mécanisme bruyant de l'horloge et toutes sortes de trésors dont l'inventaire seul est une délectation. Il y avait la pile des archives où j'étais toujours sûr de trouver un ancêtre jusque dans les plus anciens parchemins; il y avait les drapeaux roulés autour de leur hampe et appuyés dans un coin; il y avait l'urne avec son cadenas; il y avait surtout une petite boîte en carton dans une armoire, qui était vraiment le tabernacle. Elle recelait le miracle de la science. Elle introduisait dans le sanctuaire l'autre génie omnipotent de la Troisième, Louis Pasteur. Elle portait l'étiquette de l'institut de Montpellier, avec une date, car il fallait veiller à son renouvellement. Elle contenait du sérum contre le croup. En cas d'urgence, le médecin savait qu'il en trouverait à la mairie. Le comble c'est qu'à seize ans, je fus sauvé par cette ampoule.

Il y avait encore autre chose, dans notre sacristie, il y avait la promesse du 14 juillet. Toute une caisse pleine de lanternes vénitiennes repliées, les deux grandes initiales R et F avec des lampions de couleur où il n'y avait plus qu'à verser l'huile; et de mystérieux emballages aux formes biscornues, ressemblant vaguement à des bicyclettes enveloppées, les feux d'artifice.

On les mettait en place la veille, cloués à des poteaux, sur le belvédère fortifié de la vieille église, au plus haut du village. La nuit était longue à venir et il faisait encore clair quand passait le Barcelone-Paris. La population avait depuis longtemps pris place sur les parapets de l'école, sur les barrières du passage à niveau, sur les talus du chemin de fer. Et soudain la première fusée s'élevait, hésitante, chuintante, cherchant le ciel d'où retombait une pluie d'étoiles.

L'âge d'or dura, me semble-t-il, une cinquantaine d'années. Le village avait atteint son apogée. Prodigieux moment d'équilibre, après mille ans de songes ajoutés bout à bout. Le village avait vaincu le croup, il écoutait sonner son horloge, il élisait des maires bonasses, il était desservi par le chemin de fer, et la route n'était encore qu'une promenade sous les platanes. Car la Troisième fut essentiellement hippo-mobile. Il me semble que les chevaux qui avaient tant labouré, qui s'étaient tant battus, ont participé mystérieusement à sa réussite. Il y avait presque un cheval par famille en ce temps-là. Il montrait sa tête pensive derrière chaque porte poussée. On l'entendait ruer dans le bat-flanc, à la veillée. De temps en temps, il y avait le recensement. Les chevaux défilaient, superbes, devant des officiers à lorgnons. Il en venait par toutes les rues. Ma mémoire est encore pleine de leurs hennissements joyeux. Ils portaient, l'été, de petits bonnets à carreaux, ils promenaient, aux vendanges, des harnais étincelants, ils traînaient, l'hiver, des charrues criardes. Au printemps, on leur mettait la longue robe bleue du sulfatage. Ils s'appelaient Bijou, Tambour, Bayard, la Poule. Que sont-ils devenus ? Aussi loin qu'aille mon regard, il n'y a plus un cheval dans les vignes. La fête est finie.

C'est en 1925 que nous avons rendu visite à Victor Hugo. Nous disposions de permis de voyage gratuits en seconde classe, pour nous rendre en pèlerinage sur les champs de bataille. Ma mère y avait droit comme veuve non remariée, mon frère et moi comme orphelins. La destination était Sainte-Menehould, mais nos titres de transport autorisaient deux arrêts facultatifs de quatre jours à Paris, à l'aller et au retour. Mon frère et moi portions l'uniforme de lycéens, lui à pantalons longs, moi à culottes courtes ; ma mère, bien sûr, portait le deuil. On nous avait recommandé un petit hôtel du côté de la place d'Italie, tenu par des Languedociens. Nous nous levions très tôt. Ma mère faisait le café sur un réchaud à alcool qu'elle avait fait suivre. Dès l'ouverture des musées, nous étions déjà à battre la semelle sur le seuil. Nous nous grisions de métro puisque pour le même prix on avait droit à toutes les stations. Le soir de notre arrivée (nous avions voyagé de jour pour apprendre la géographie), nous nous payâmes le tour complet de Paris, Nation-Étoile par Barbès-Rochechouart et Étoile-Nation par Denfert-Rochereau. A un moment, le métro étant aérien, nous découvrîmes la tour Eiffel. Le wagon entier s'amusait de notre enthousiasme.

Ma mère ne se fiait qu'aux livres. Nous disposions d'un guide intitulé « Paris en huit jours. » Nous le suivions à la lettre, décidés à l'épuiser en deux fois quatre jours. Nous mangions des sandwichs dans les jardins publics. Le nombre de marches d'escaliers que nous imposa notre guide est proprement incalculable. Il fallait monter sur tout, sur la colonne de Juillet et sur les Invalides, sur le Sacré-Cœur et sur la tour Saint-Jacques. Seule la tour Eiffel disposait d'un ascenseur.

La première mi-temps, ce fut l'allégresse. Il plut tristement sur l'autre moitié. C'est que nous revenions des immenses cimetières où nous avions erré désespérément à la recherche d'un père, au milieu des ossuaires. Il nous restait la ressource d'imaginer que c'était lui, l'inconnu qui reposait sous l'Arc de Triomphe.

Nous avions gardé le Panthéon pour la fin. Bien entendu, nous sommes montés au sommet du dôme où avait flotté le drapeau rouge de la Commune, mais surtout nous sommes descendus dans les cryptes où nous attendaient tous les grands hommes de l'école. Nous avions acheté un petit bouquet de violettes pour Victor Hugo. Nous sommes restés un long moment devant le cœur de Gambetta. Nous ne savions pas que Louis Braille était là. Mais je me souviens surtout du caveau de Jean-Jacques Rousseau qui représente une porte mal fermée, à travers laquelle un bras décharné brandit une torche.

C'était là le temple suprême de notre foi. Les tables de la loi nous paraissaient sculptées dans son fronton. On y lit l'inscription « Aux grands hommes, la Patrie reconnaissante ». On y voit la Patrie distribuer les couronnes que lui tend la Liberté, pendant que l'Histoire en prend bonne note.

Le Panthéon, disputé tout au long du XIXᵉ siècle et dont la croix fut trois fois restaurée, par Louis XVIII, par Napoléon III et par Mac-Mahon, connut son vrai jour de gloire le 1ᵉʳ juin 1885, jour des funérailles nationales qui doivent clore ce chapitre.

Ce jour-là, devant son perron monumental où était tombé Millière, vint se ranger, dérisoire, le corbillard des pauvres. Il amenait Victor Hugo.

Mais il me semblait qu'il avait amené aussi Claude Gueux, Fantine, et Gavroche, et que leurs ombres familières étaient là dans le caveau du Panthéon.

Le Grand Soir

TEXTES CHOISIS

POLITIQUE POPULAIRE

CE QU'A FAIT LA RÉPUBLIQUE

Série Encyclopédique des Leçons de choses illustrées.

Voilà ce que nous avait légué l'Empire : Le Prussien ivre regardant brûler Paris.

La République a d'abord libéré le territoire : chaque Français lui a apporté son obole et tous les peuples de la terre lui ont apporté leur **crédit**.

La République nous a donné la paix réelle, car c'est la chambre de nos députés et non plus un seul homme qui peut déclarer la guerre.

Elle nous a donné l'Égalité de tous devant la Conscription : Bourgeois, Ouvriers, Instituteurs, Prêtres et Paysans, tous sont égaux à la caserne.

La République a mis fin aux entreprises des anciens partis que les derniers efforts de leur luttes intestines ont rendus désormais impuissants.

La République a rendu Paris au Parlement, et le Parlement à Paris.

Par un acte de clémence et de prévoyance politique, l'Administration a jeté un voile sur les restes de nos discordes civiles sans faire courir de péril à l'ordre Républicain.

Son effort de prédilection s'est porté sur les lois d'éducation nationale, le budget des Écoles a été doublé, et l'instruction de tous assurée.

Pour la première fois le respect absolu de la liberté de Conscience dans l'École a été constitué par les lois, qu'il s'agisse du Prêtre, du Pasteur ou du Rabbin.

La République a fait arriver les Chemins de fer dans les pays qui ne les possédaient pas encore, et elle veut que leur réseau soit rapidement complété.

La liberté absolue de la Presse Républicaine a permis au plus humble village de connaître la vérité exacte sur les actes du Gouvernement.

Avec un soin jaloux, la République a reformé tout notre outillage militaire. La France aujourd'hui peut être tranquille.
Elle n'attaquera jamais personne, mais elle ne craint plus qu'on l'attaque.

La situation de Retraite de tous les officiers et soldats a été améliorée ! L'Armée sait que la République a pour elle une constante sollicitude.

Jamais les affaires n'ont été plus florissantes, qu'il s'agisse de l'Agriculture, du Commerce ou de l'Industrie, grâce à l'absolue sécurité politique dont le pays jouit.

Jamais l'épargne populaire n'avait atteint de pareilles proportions, signe certain de la prospérité publique.

Aussi, vis-à-vis de ces Résultats, Peuple Français ! Va nommer tes nouveaux députés et vote solennellement pour la République !

Nouvelle imagerie instructive des leçons de choses illustrées.
GLUCQ, auteur, éditeur, 115, boulevard Sébastopol, Paris.

Typ.-Lith. de Ch. PELLERIN & Épinal.

ÉLECTEUR RÉPUBLICAIN

toi qui veux assurer le maintien
de la RÉPUBLIQUE

VOTE POUR M.

M.

DÉTACHER CE BULLETIN
ET LE JETER DANS L'URNE.

LES MORTS MYSTÉRIEUX ONT BESOIN D'ÊTRE AIMÉS

Nous aimions l'auteur de ce vers. Nous aimions Victor Hugo. Nous étions allés sur sa tombe, au Panthéon, comme sur la tombe d'un parent.

Il n'y avait presque plus personne, que le peuple, derrière son petit corbillard. Tous ses fils étaient passés devant, même son fils spirituel, Gambetta. Le vieux prophète fermait la marche. Il emportait sous ses paupières lourdes l'image qu'il avait le plus chérie : la grande République montrant du doigt les cieux.

Nous savons, maintenant, que ce n'était que la moitié du chemin. Mais ce fut sans doute le sommet de la côte, et nous avons voulu que s'élève là, au plus haut, le tombeau de Victor Hugo.

La République démocratique était établie. Restait la sociale. Dans mon enfance, au café, les « vieux de la vieille » se saluaient toujours avec le même cérémonial :

— Salut!
— Et Fraternité!
— La République?
— Nous appelle!
— Une?
— Et indivisible!
— Démocratique?
— Et sociale!

Certains farceurs ajoutaient :

— Tout juste!
— Auguste!

On sait avec quel soin Victor Hugo veillait à la concordance de son agenda et de l'histoire. Ce n'est pas par hasard qu'il est mort en 1885. Nous lui avons fait confiance pour situer là le tournant de la Troisième.

Malgré son apparence bien en chair, la République de 70 est atteinte de deux maladies mortelles : l'Alsace-Lorraine et la Commune.

Le moindre uniforme fait voir tricolore. La moindre casquette fait voir rouge. Chaque camp a sa frontière douloureuse, mal cicatrisée. Pour les uns c'est la ligne bleue des Vosges, pour les autres c'est le mur des fédérés. Gambetta est mort trop jeune, Victor Hugo était né trop tôt. Le malheur de la République a voulu que ses

FUNERAILLES DE LEON GAMBETTA

plus grandes fêtes fussent leurs funérailles. Désormais sa tragédie va cheminer dans les coulisses laissant en scène, pour donner le change, l'opérette en gibus de l'Élysée.

Les communards sont de retour. Ils n'ont pas oublié la semaine sanglante. Écoutez comme se lamente la flûte de Jean-Baptiste Clément. Il était l'un d'eux au printemps terrible. Il avait sa chaise à l'Hôtel de Ville, entre Vallès et Millière. Dans sa chanson de bergère, on entend passer des sanglots. C'est le plus tendre des poètes de la Révolution. Au souvenir des derniers jours de mai, il pleure.

LE TEMPS DES CERISES

Mais il est bien court,
Le temps des cerises,
Où l'on s'en va deux,
Cueillir en rêvant
Des pendants d'oreille...
J'aimerai toujours
Le temps des cerises :
C'est de ce temps-là
Que je porte au cœur
Une plaie ouverte !
Et Dame Fortune
En m'étant offerte
Ne pourra jamais
Calmer ma douleur...
J'aimerai toujours
Le temps des cerises
Et les souvenirs
Que je garde au cœur !

Un autre poète communard va faire parler de lui jusqu'au bout du monde. C'est l'auteur de « l'Internationale », Eugène Pottier. Pour l'instant, à peine revenu de déportation, il erre au Père-Lachaise, cherchant les ombres de ses amis. Il n'est qu'un revenant de la Commune.

ELLE N'EST PAS MORTE

On a bien fusillé Varlin,
Flourens, Duval, Millière,
Ferré, Rigault, Tony Moilin,
Gavé le cimetière.

On croyait lui couper les bras
Et lui vider l'aorte.
Tout ça n'empêch' pas, Nicolas,
Qu' la Commune n'est pas morte.

C'est la hache de Damoclès
Qui plane sur leurs têtes.
A l'enterrement de Vallès,
Ils en étaient tout bêtes.
Fait est qu'on était un fier tas
A lui servir d'escorte!
C' qui prouve en tout cas, Nicolas,
Qu' la Commune n'est pas morte!

C'est une espèce de culte du souvenir qui commence ainsi dans les faubourgs. Aux derniers jours de mai 1887, ils sont déjà une foule, et il y a des tas d'œillets rouges au pied du mur. Jules Jouy apporte une chanson de plus. Ajoutée à celles de Jean-Baptiste Clément et d'Eugène Pottier, cela fait déjà un monument.

LE TOMBEAU DES FUSILLÉS

Ornant largement la muraille,
Vingt drapeaux rouges assemblés
Cachent les trous de la mitraille
Dont les vaincus furent criblés.
Bien plus belle que la sculpture
Des tombes que bâtit l'orgueil,
L'herbe couvre la sépulture
Des morts enterrés sans cercueil.

Ce gazon que le soleil dore,
Quand Mai sort des bois réveillés,
Ce mur que l'Histoire décore,
Qui saigne encore,
C'est le tombeau des fusillés.

Autour de ce tombeau sans bronze
Le prolétaire, au nez des lois,
Des héros de soixante et onze
Écoute chanter les exploits.
Est-ce la tempête ou la houle
Montant à l'assaut d'un écueil?
C'est la grande voix de la foule
Consolant les morts sans cercueil.

En face on n'a d'yeux que pour une moustache blonde et un cheval noir. Caracolant sans y penser en tête de ses troupes, il sert de paratonnerre et tout l'orage revanchard s'abat sur ses frêles épaules. Vous avez reconnu le général Boulanger. Il faut dire qu'il a tout pour lui, la prestance, la barbe en pointe, l'œillade tendre et ce nom honnête comme le bon pain.

Personne ne saurait mieux dire sa popularité que cette confession d'une cantinière, toute rose, toute troublée, dans la chanson de Villemer.

LE PÉCHÉ DE LA CANTINIÈRE

Eh bien! oui, je vous ai caché
Quelque chose, mais ce péché,
J'en suis heureuse, j'en suis fière,
Sans davantage résister,
Je vais gaiement vous raconter
Le péché de la cantinière!

J'avais atteint mes dix-huit ans,
Sans rien perdre de mon printemps,
Sans en effeuiller une rose.
En dehors de mon cher drapeau,
Toujours si pur, toujours si beau,
Mon cœur gardait sa porte close.
Quand un beau jour, doux souvenir!
Au régiment je vis venir
Le plus fier colonel du monde...
Si coquet, si gentil vraiment
Que mon cœur vola brusquement
Se pendre à sa moustache blonde.

Et tous les jours je l'admirais!
Et tristement je murmurais :
« Y penses-tu, toi la dernière!
Oser rêver au colonel
Mais c'est un gros péché mortel
Pauvre petite cantinière! »

Plus tard, bien plus tard à Longchamp
Les fiers tambours battaient aux champs
Et la revue était superbe...
Général-ministre à présent,
Je le vis passer fièrement.
Moi, je tremblais comme un brin d'herbe...
Soudain ma tête se troubla...
J'emplis un de ces verres-là
Du joyeux vin de l'espérance,

Et vers lui courant follement,
Je lui dis : Buvez vivement,
Car c'est le verre de la France.

Au verre que je lui tendais
Il but, moi je le regardais
En frémissant, heureuse et fière.
Puis me montrant au loin les monts,
Il me dit : Nous nous reverrons,
Merci ma belle cantinière!

Il souriait d'un air vainqueur.
Ah! tenez, au fond de mon cœur,
Je le vois me sourire encore...
Je le vois par-dessus les monts
Montrer l'endroit où nous irons
Planter le drapeau tricolore.
Je repris le verre en tremblant,
Et comme au galop, maintenant,
Il s'éloignait dans la poussière...
Là même ou j'avais vu poser
Ses lèvres, je pris un baiser.
J'aurais voulu manger le verre.

Le baiser pris, je le rendrai!
J'attends le jour tant espéré
De notre victoire première...
Conscrits ne soyez pas jaloux...
A ce premier rendez-vous,
Vous mènerez la cantinière.

Le second « Mac » qui se soit fait un nom dans ces années-là, était beaucoup plus drôle que Mac-Mahon. Il s'appelait Mac-Nab. Je lui fais place volontiers dans mon florilège. C'est en parodiant le cher Béranger qu'il a liquidé le brav' général. Le peuple, maintenant, se dit « le populo ».

LES SOUVENIRS DU POPULO

Il me souvient de sa gloire
Car, partout où l'on entrait
Était cloué son portrait.
Les chansons disaient son histoire,

Il était sur les journaux,
Dans les pièces d'artifice,
Aux quatre points cardinaux.
Je l'avais en pain d'épice,
Mais où donc l'ai-je rangé?
Il n'est plus sur l'étagère!
— Nous l'avons mangé, grand-mère,
Grand-mère, nous l'avons mangé.

Un soir, oh! je l'ai vu presque,
A la gare de Lyon,
Il a passé comme un lion!
Ce fut un tableau gigantesque,
Chacun courait se coucher
Devant la locomotive.
Moi, je voulais le toucher
(J'étais plus morte que vive),
Mais Paulus m'en empêcha!
Il me mit bien en colère.
— Paulus était là, grand-mère,
Grand-mère, Paulus était là!

Quand on brisa son épée.
Je disais : « Il reviendra
Lorsque le tambour battra! »
Mais comme je m'étais trompée!
Dès ce jour, ô désespoir,
On ne vit plus dans la plaine
Galoper son cheval noir.
Si profonde était ma peine
Que ma tête s'égara,
Et depuis je désespère.
— Dieu vous le rendra, grand-mère,
Grand-mère, Dieu vous le rendra.

L'aventure de Boulanger n'est pas sortie de la chansonnette. Il n'empêche que son cheval est noir et qu'il chevauche en tête de la sombre cohorte qui sera l'abomination du XXe siècle : le fascisme. Ce fut une chance qu'il soit amoureux. Celle qu'il aimait s'appelait Marguerite de Bonnemain et s'en alla de la poitrine. Il se suicida sur sa tombe. Sa dernière lettre est une lettre d'amour.

« Je me tuerai demain, non parce que je désespère de l'avenir du parti auquel j'ai donné mon nom, mais parce que je ne puis supporter l'affreux malheur qui m'a frappé il y a deux mois et demi.

« Depuis deux mois et demi, j'ai essayé de prendre le dessus, je n'ai pu y parvenir. »

Clemenceau, qui avait bien failli succomber, déjà, au charme nationaliste, composa l'épitaphe : « Ci-gît le général Boulanger qui mourut comme il avait vécu : en sous-lieutenant. »

La jeune République avait vaillamment traversé la première tempête. Elle pouvait fêter sans souci le centenaire du 14 Juillet. Et s'offrir pour cela un feu d'artifice durable, une grande gerbe de fer : la tour Eiffel.

De notre voyage à Paris, nous en avions ramené une, en miniature, avec un petit drapeau au sommet, qui faisait usage d'encrier. Elle m'a souvent donné courage au milieu d'un devoir, quand je préparais le concours des bourses. Elle portait les dates 1789-1889.

En fait de 14 Juillet, je n'eus qu'une heure de récréation cette année-là, pour aller jusqu'à la barrière voir tomber la nuit et monter les fusées. Ma mère ne badinait pas avec l'avenir de ses garçons. Le premier point était d'obtenir une bourse de pensionnaire au lycée de Carcassonne, et de l'obtenir totale, ce qui impliquait d'arriver en tête. Pour cela rien ne valait, paraît-il, la dictée et le vocabulaire. Je ne parle pas de dictées de dix ou vingt lignes; mais de dictées de quatre pages. La classe finie chez les garçons, j'étais astreint, de cinq à sept, à la répétition chez les filles. Je devais faire les devoirs des deux écoles. Ensuite, après le souper, ma mère me retenait pour la dictée du soir. C'était douloureux. Les jours étaient longs. J'entendais mes camarades jouer devant l'école. Ma mère était impitoyable. Elle était capable de dicter tout Booz en une seule séance. Si j'hésitais sur un accent circonflexe, la taloche tombait. J'ai vérifié là l'excellence du châtiment corporel : l'orthographe est toujours au bout de la gifle. Ma mère, d'ailleurs, n'admettait que zéro faute. Le jour de l'examen, je n'eus aucun mérite à triompher.

C'en était fait; le 1er octobre j'endosserais l'uniforme et je m'arracherais au tendre tic-tac de l'horloge municipale. Je n'eus même pas le courage de profiter de ces dernières vacances d'enfant. D'avance tout était empoisonné. Je suffisais à peine à ravaler mes larmes. Dès la première semaine de septembre, quand commencent les bals des vendanges, il faut déjà préparer la rentrée. Ma mère m'accompagne au petit lycée où tout me paraît sinistre, hostile. A la lingerie, on m'attribue une case inaccessible où seront mes chemises de nuit, mes chaussettes, toutes choses dont je ne sais pas me servir. On me donne un numéro qui sera cousu sur tout mon linge. Ce même numéro je dois l'écrire à la craie au pied du lit que j'aurai choisi au dortoir. Lequel choisir? Le dortoir est immense, et il n'y a que des squelettes de lit. J'ai déjà peur. On me conseille : près de la fenêtre, près du poêle, loin du pion. Tous les coins sont déjà pris. Je retiens près du poêle. J'ai déjà froid. On m'a acheté une caisse à provisions, avec un cadenas. Il faut la déposer dans une salle au fond de la cour de récréation. J'ai déjà perdu la clef.

Que le village me paraît doux, dans le soleil du soir, en revenant de Carcassonne. Pour les derniers jours de septembre qui me restaient, tout me fut amical : les talus des chemins, l'abri des cyprès, la chanson du ruisseau. Tout me faisait pleurer.

Ensuite, trimestre après trimestre, je me suis endurci. J'ai appris à me moucher quand j'avais le cœur gros. La suite de la République, je l'ai vécue sous l'uniforme, dans la misère de l'internat, au son du tambour. Heureusement il y avait l'amitié de Jean Miailhe et les dimanches de sortie générale. La veille nous touchions notre permission sur papier rose. Je l'embrassais avant de la plier dans mon portefeuille. Je revêtais l'uniforme de sortie dès le soir et je me couchais tout habillé. Quand le veilleur de nuit nous appelait à quatre heures du matin, je n'avais plus que la casquette à mettre. Nous avions droit à un bol de café que l'on nous servait aux cuisines. Puis, le sac de linge sale sur l'épaule, conduits par un pion, nous traversions la ville endormie jusqu'aux maigres lumières de la gare. L'omnibus était très matinal. Et très froid. Un homme marchait sur les toits des wagons pour allumer une lampe à pétrole dans chaque compartiment. Ensuite il poussait au long du train un lourd chariot sur lequel étaient rangées verticalement de hautes bouillottes en métal. Il ouvrait les portières une à une et glissait une bouillotte entre les deux banquettes. Nous levions nos pieds pour faciliter la manœuvre. Enfin la machine venait s'atteler et le coup de tampon nous faisait basculer joyeusement d'une cloison à l'autre. C'était le train de la liberté qui démarrait dans la nuit, plus claire à chaque tour de roue. Le premier arrêt, après le tunnel, était Trèbes où descendaient cinq ou six lycéens. L'arrêt suivant était le mien : Floure-Barbaira. Il me semblait que le soleil m'attendait pour se lever derrière la vieille église. J'avais tout un immense dimanche devant moi. Il me semblait que jamais ce ne serait huit heures du soir, et l'omnibus lugubre du retour.

Ma mère et ma grand-mère, déjà levées, m'attendaient dans la cuisine où le feu flambait clair. Je me précipitais dans ma chambre et j'allais coller mon oreille aux interstices des planches pour entendre battre le cœur de l'horloge. J'étais heureux.

La République régnait si totalement sur Barbaira que je ne comprenais pas ce qui pouvait ne pas aller, encore, dans l'histoire. C'est que la mienne était la République des villages. Ce qui n'allait pas, c'était celle des villes. La sociale!

Toute la Phrygie de nos rêves n'était pas plus peuplée que la seule usine Godillot, à Issy-les-Moulineaux. C'est de ce côté là que grondait la colère. Le jour qui s'était levé pour nous, si clair au-dessus des vignes, restait sombre au-dessus des toits. C'était, sur la banlieue, un jour plus triste que la nuit. Les ouvriers ne souhaitaient qu'une chose : en voir la fin. Ce fut le rêve du Grand Soir. On le caressait interminablement; il appareillait dans le halètement des machines; il allumait des feux dans le brouillard. On croit le voir surgir, comme un vaisseau fantôme, sous le souffle de Bertolt Brecht, dans l'Opéra de quat'sous.

LA FIANCÉE DU PIRATE

Et puis un soir,
Ce beau soir pour qui je vis,
Voilà que les cent canons
S'éveilleront et tonneront!
Les gens courent sur la rive
Criant : « Qu'est-ce qui arrive? »
Mais moi je sourirai pour la première fois.
Quoi? Tu as le cœur à rire, toi?
Et le navire de haut bord
Entrera dans le port!
Alors viendront à terre
Les matelots, plus de cent,
Ils marqueront d'une croix de sang
Chaque maison, chaque porte,

> Et c'est à moi qu'on apporte,
> Implorants, enchaînés et saigneux,
> Tous vos pareils, beaux messieurs.
> Alors paraîtra celui que j'attends.
> Il me dira : « Qui veux-tu
> De tous ces gens que je tue? »
> Et moi je répondrai doucement
> « Tous! » A chaque tête qui tombera
> Je ferai : « Hop là ›
> Et le navire de haut bord,
> Loin de la ville où tout sera mort,
> M'emportera vers la vie!

Longtemps ce sera l'image rêvée de la Révolution, du chambardement; les soutiers surgissant de l'entrepont, les canons tournés à 180 degrés, le pavillon rouge hissé au mât. « La flotte avec nous. » « Avec nous les marins de Cronstadt, la Kriegsmarine du Kaiser, le cuirassé Potemkine et les mutins de la mer Noire. » C'est que le bateau donne, en coupe, une image assez juste de la société, de la chauffe aux cabines de luxe, de la cale à la passerelle.

Dès le mois de juin 1886, à l'aube de ce dernier chapitre, la « Sociale » est annoncée devant la Cour d'Assises de la Seine. L'inculpé a eu l'audace de parler, dans un meeting, du « fusil libérateur ». Et il tient tête à ses juges, la barbe horizontale. Il s'appelle Jules Guesde.

LE FUSIL LIBÉRATEUR

Oui, j'ai parlé du « fusil libérateur », je ne renie aucune de mes paroles. Mais ce fusil, dont on fait aujourd'hui une arme contre nous, n'était pas dirigé contre un homme dont la peau ne nous importe ni peu ni prou. C'était le fusil de vos grandes journées, Messieurs de la Bourgeoisie, le fusil du 14 juillet et du 10 août, le fusil de 1830 et 1848, le fusil du 4 septembre 1870.

Il a porté au pouvoir le Tiers État. Il y portera — et avec autant de droit — la classe ouvrière. Car à moins que vous n'ayez la prétention de monopoliser la Révolution, comme vous avez déjà monopolisé la propriété, je ne vois pas sur quoi vous pourriez vous fonder pour interdire à l'affranchissement prolétarien l'emploi de cette force qui vous a affranchis à votre heure.

C'est Zola qui a repris le flambeau. L'année où disparaît Victor Hugo, paraît Germinal. Pour « l'italianasse », comme l'appellent ceux qui ne l'aiment pas, c'est le triomphe. Il revient d'entre les morts pour juger les vivants. Il est descendu aux Indes noires chez les galériens de la nuit. Il a vu sur quoi repose le confort bourgeois, le salon douillet, le fauteuil crapaud, le « bon-chaud » de la salamandre. Il donne mauvaise conscience à la France. Il fait un sort au charbon. C'est le combustible de la Révolution par excellence. L'image du bateau vaut pour toute la société dont les classes sont bâties, en ponts superposés, de la houille noire aux premières ensoleillées. Et qu'importe si, sur le pont-promenade, c'est la République ou le Roi ?

Que ton sein m'était doux, que ton cœur m'était bon,
Les soirs illuminés par l'ardeur du charbon, disait Baudelaire.
Le siècle se couchera dans cette lueur rose et sulfureuse.

Dans ma bonne vieille « Dépêche de Toulouse », qui militait déjà, Zola fait preuve en 1893 d'une lucidité assez avancée.

« Je me suis aperçu, écrit-il, que pour beaucoup de prétendus républicains, la République n'était que la substitution de l'oligarchie financière à l'oligarchie terrienne, du grand industriel au hobereau, de la hiérarchie capitaliste à la hiérarchie cléricale, du banquier au prêtre, et de l'argent au dogme. »

Zola ne comprend rien aux recherches picturales de son ami du lycée d'Aix, Paul Cézanne. Lui, c'est au charbon qu'il peint sa fresque, et à la lampe-tempête qu'il éclaire ses perspectives. Même le nom générique de l'œuvre a l'air d'une marque de chaudière : « Rougon-Macquart »; ça sent l'oxyde de carbone; et, d'ailleurs, Zola mourra asphyxié.

De son énorme monument noir, j'ai retenu le morceau choisi du chômage. C'est qu'il n'a pas fini d'être à l'ordre du jour.

SANS TRAVAIL

Les autres matins, dès le jour, les limes chantaient, les marteaux marquaient le rythme; et tout cela semble déjà dormir dans la poussière de la faillite. C'est vingt, c'est trente familles, qui ne mangeront pas la semaine suivante. Quelques femmes qui travaillaient dans la fabrique ont des larmes au bord des yeux. Les hommes veulent paraître plus fermes. Ils font les braves, ils disent qu'on ne meurt pas de faim dans Paris.

Puis, quand le patron les quitte et qu'ils le voient s'en aller, voûté en huit jours, écrasé peut-être par un désastre plus grand encore qu'il ne l'avoue, ils se retirent un à un, étouffant dans la salle, la gorge serrée, le froid au cœur, comme s'ils sortaient de la chambre d'un mort. Le mort, c'est le travail, c'est la grande machine muette, dont le squelette est sinistre dans l'ombre.

L'ouvrier est dehors, dans la rue, sur le pavé. Il a battu les trottoirs pendant huit jours sans pouvoir trouver du travail. Il est allé de porte en porte, offrant ses bras, offrant ses mains, s'offrant tout entier à n'importe quelle besogne, à la plus rebutante, à la plus dure, à la plus mortelle. Toutes les portes se sont refermées.

Au bout des huit jours, c'est bien fini. L'ouvrier a fait une suprême tentative, et il revient lentement, les mains vides, éreinté de misère. La pluie tombe; ce soir-là, Paris est funèbre dans la boue. Il marche sous l'averse,

sans la sentir, n'entendant que sa faim, s'arrêtant pour arriver moins vite. Il s'est penché sur un parapet de la Seine; les eaux grossies coulent avec un long bruit; des rejaillissements d'écume blanche se déchirent à une pile du pont, il se penche davantage, la coulée colossale passe sous lui, en lui jetant un appel furieux. Puis, il se dit que ce serait lâche, et il s'en va.

La pluie a cessé. Le gaz flamboie aux vitrines des bijoutiers. S'il crevait une vitre, il prendrait d'une poignée du pain pour des années. Les cuisines des restaurants s'allument, et derrière les rideaux de mousseline blanche, il aperçoit des gens qui mangent. Il hâte le pas, il remonte au faubourg, le long des rôtisseries, des charcuteries, des pâtisseries, de tout le Paris gourmand qui s'étale aux heures de la faim.

Comme la femme et la petite fille pleuraient, le matin, il leur a promis du pain pour le soir. Il n'a pas osé venir leur dire qu'il avait menti, avant la nuit tombée. Tout en marchant il se demande comment il entrera, ce qu'il racontera pour leur faire prendre patience. Ils ne peuvent pourtant rester plus longtemps sans manger. Lui, essayerait bien, mais la femme et la petite sont trop chétives.

Et, un instant, il a l'idée de mendier. Mais quand une dame ou un monsieur passent à côté de lui, et qu'il songe à tendre la main, son bras se raidit, sa gorge se serre. Il reste planté sur le trottoir, tandis que les gens comme il faut se retournent, le croyant ivre, à voir son masque farouche d'affamé.

La femme de l'ouvrier est descendue sur le seuil de la porte, laissant en haut la petite endormie. La femme est toute maigre, avec une robe d'indienne. Elle grelotte dans les souffles glacés de la rue.

Elle n'a plus rien au logis; elle a tout porté au Mont-de-Piété. Huit jours sans travail suffisent pour vider la maison. La veille, elle a vendu chez un fripier la dernière poignée de laine de son matelas; le matelas s'en est allé ainsi; maintenant, il ne reste que la toile. Elle l'a accrochée devant la fenêtre pour empêcher l'air d'entrer, car la petite tousse beaucoup.

Elle a épuisé les crédits; elle doit au boulanger, à l'épicier, à la fruitière, et elle n'ose plus même passer devant les boutiques.

Le mari ne rentre pas. La pluie tombe; elle se réfugie sous la porte; de grosses gouttes clapotent à ses pieds, une poussière d'eau pénètre sa mince robe. Par moments, l'impatience la prend, elle sort, malgré l'averse, elle va jusqu'au bout de la rue, pour voir si elle n'aperçoit pas celui qu'elle attend, au loin, sur la chaussée. Et quand elle revient, elle est trempée; elle passe ses mains sur ses cheveux pour les essuyer; elle patiente encore, secouée par de courts frissons de fièvre.

Le va-et-vient des passants la coudoie. Elle se fait toute petite pour ne gêner personne. Elle a faim. En face, il y a un boulanger, et elle pense à la petite qui dort, en haut.

Puis, quand le mari se montre enfin, filant comme un misérable le long des maisons, elle se précipite, elle le regarde anxieusement.

« Eh bien! », balbutie-t-elle.

Lui ne répond pas, baisse la tête.

Alors, elle monte la première, pâle comme une morte.

L'école de Barbaira est bâtie en bordure du chemin de fer. Elle tressaille à chaque train. De temps en temps le maire et le maçon venaient examiner une lézarde au-dessus de la classe des filles pour rassurer ma mère qui, réveillée en sursaut la nuit d'avant, craignait que le bâtiment ne soit jeté bas au prochain rapide. Toute mon enfance j'ai eu la passion des trains. Je courais jusqu'au passage à niveau pour les sentir de plus près, que leur vacarme m'assourdisse, que leur souffle m'arrache le béret, que leur vapeur m'enveloppe. Un pont métallique (fonderies de Mézières) juste attenant, sous lequel se faisait le charroi entre le village d'en haut et le village d'en bas, amplifiait encore le bruit. Les trains s'annonçaient de loin par un coup de sifflet déchirant. Le halètement grandissait derrière la maisonnette. Soudain surgissait le poitrail surmonté du panache rouge et noir, et déjà on n'avait pas assez d'yeux pour voir la gymnastique de la bielle ou la tête barbouillée du mécanicien avec sa casquette à l'envers et ses lunettes de mica sur le front. Le chemin de fer n'était pas un intrus, mais une grande chose familière qui emportait nos rêves.

On n'a jamais parlé de l'automobile de l'Histoire, ou de l'avion de l'Histoire. La seule machine qui roule vers le futur, c'est la locomotive de l'Histoire : celle que je voyais passer à la barrière de Barbaira. Dans la « Bête humaine », de Zola, elle s'appelle « la Lison ».

LA LOCOMOTIVE

Jacques, après être allé chez lui remettre ses vêtements de travail, s'était rendu tout de suite au Dépôt. Dans le vaste hangar fermé, noir de charbon, et que de hautes fenêtres poussiéreuses éclairaient, parmi les autres machines au repos, celle de Jacques se trouvait déjà en tête d'une voie, destinée à partir la première. Un chauffeur venait de charger le foyer, des escarbilles rouges tombaient dessous, dans la fosse à piquer le feu. C'était une de ces machines d'express, à deux essieux couplés, d'une élégance fine et géante, avec ses grandes roues légères réunies par les bras d'acier, son poitrail large, ses reins allongés et puissants, toute cette logique et toute cette certitude qui font la beauté souveraine des êtres de métal, la précision dans la force. Ainsi que les autres machines de la compagnie de l'Ouest, en dehors du numéro qui la désignait, elle portait le nom d'une gare, celui de Lison, une station du Cotentin. Mais Jacques, par tendresse, en avait fait un nom de femme, la Lison.

Il en avait mené d'autres, des dociles et des rétives, des courageuses et des fainéantes; il n'ignorait point que chacune avait son caractère; de sorte que s'il l'aimait, celle-là, c'était en vérité qu'elle avait des qualités rares de brave femme. Elle était douce, obéissante, facile au démarrage, d'une marche régulière et continue, grâce à sa bonne vaporisation. On prétendait bien que si elle démarrait avec tant d'aisance, cela provenait de l'excellent bandage des roues et surtout du réglage parfait des tiroirs; de même que, si elle vaporisait beaucoup avec peu de combustible, on mettait cela sur le compte de la qualité du cuivre des tubes et de la disposition heureuse de la chaudière. Mais lui savait qu'il y avait autre chose, car d'autres machines, identiquement construites, montées avec le même soin, ne montraient aucune de ces qualités. Il y avait l'âme, le mystère de la fabrication, ce quelque chose que le hasard du martelage ajoute au métal, que le tour de main de l'ouvrier monteur donne aux pièces : la personnalité de la machine, la vie.

Il l'aimait donc, la Lison, qui partait et s'arrêtait vite, ainsi qu'une cavale vigoureuse et docile. Il l'aimait parce que, en dehors des appointements fixes, elle lui gagnait des sous, grâce aux primes de chauffage. Elle vaporisait si bien qu'elle faisait en effet de grosses économies de charbon. Et il n'avait qu'un reproche à lui adresser, un trop grand besoin de graissage : les cylindres surtout dévoraient des quantités de graisse déraisonnables. Vainement il avait tâché de la modérer. Mais elle s'essoufflait aussitôt et il s'était résigné à lui tolérer cette passion gloutonne.

Pendant que le foyer ronflait et que la Lison peu à peu entrait en pression, Jacques tournait autour d'elle, l'inspectant dans chacune de ses pièces. Et il ne trouvait rien; elle était luisante et propre, d'une des propretés gaies qui annoncent les bons soins tendres d'un mécanicien. Sans cesse, on le voyait l'essuyer, l'astiquer. A l'arrivée surtout, de même qu'on bouchonne les bêtes fumantes d'une longue course, il la frottait vigoureusement; il profitait de ce qu'elle était chaude pour la mieux nettoyer des taches et des bavures. Il ne la bousculait jamais non plus, lui gardait une marche régulière, évitant de se mettre en retard, ce qui nécessite ensuite des sauts de vitesse fâcheux. Aussi tous deux avaient-ils fait toujours si bon ménage que, pas une fois en quatre années, il ne s'était plaint d'elle sur le registre du Dépôt, où les mécaniciens inscrivent leurs demandes de réparations, — les mauvais mécaniciens, paresseux ou ivrognes, sans cesse en querelle avec leurs machines.

Malgré le bon état de chaque pièce, il continuait à hocher la tête. Il fit jouer les manettes, s'assura du fonctionnement de la soupape. Il monta sur le tablier, alla emplir lui-même les godets graisseux des cylindres; pendant que le chauffeur essuyait le dôme où restaient de légères traces de rouille. La tringle de la sablière marchait bien...

Six heures sonnèrent. Jacques et le chauffeur montèrent sur le petit pont de tôle qui reliait le tender à la machine; et le dernier ayant ouvert le purgeur sur un signe de son chef, un tourbillon de vapeur blanche emplit le hangar noir. Puis, obéissant à la manette du régulateur, lentement tournée par le mécanicien, la Lison démarra, sortit du Dépôt, siffla pour se faire ouvrir la voie. Presque tout de suite, elle put s'engager dans le tunnel des Batignolles. Mais au pont de l'Europe, il lui fallut attendre; et il n'était que l'heure réglementaire lorsque l'aiguilleur l'envoya sur l'express de six heures trente, auquel deux hommes d'équipe l'attelèrent solidement.

L'année des funérailles de Hugo, l'année de « Germinal », le fantôme de la semaine sanglante fut élu à la Chambre des Députés.

« Ancien militant de l'Internationale, ancien combattant de la Commune, je m'efforcerai d'être, à la Chambre, l'homme de mon passé communaliste et socialiste. »

Ouvrier bronzier, il avait été bombardé directeur de la Monnaie pendant la Commune. Il s'appelait Camélinat.

On va le retrouver sous la plume amusée de Mac-Nab. C'est le début de ces grands chahuts de la classe ouvrière qui vont se poursuivre désormais à Japy, à la Mutualité, au Vél'd'Hiv, et qui ont eu pour berceau la salle du Métropolitain.

LE GRAND MÉTINGUE DU MÉTROPOLITAIN

C'était hier, samedi, jour de paye,
Et le soleil se levait sur nos fronts.
J'avais déjà vidé plus d'un' bouteille,
Si bien qu'j'm'avais jamais trouvé si rond.
V'là la bourgeois' qui rappliqu' devant l'zingue :
« Feignant, qu'ell' dit, t'as donc lâché l'turbin?
— Oui, que j'réponds, car je vais au métingue,
Au grand métingu' du Métropolitain ».

Les citoyens, dans un élan sublime,
Étaient venus guidés par la raison.
A la porte, on donnait vingt-cinq centimes
Pour soutenir les grèves de Vierzon.
Bref, à part quat' municipaux qui chlinguent
Et trois sergots déguisés en pékins,
J'ai jamais vu de plus chouett' métingue
Que le métingu' du Métropolitain.

Y avait Basly, le mineur indomptable,
Camélinat, l'orgueille du pays...
Ils sont grimpés tous deux sur une table,
Pour mettre la question sur le tapis.
Mais tout à coup, on entend du bastringue,
C'est un mouchard qui veut fair' le malin!
Il est venu pour troubler le métingue,
Le grand métingu' du Métropolitain.

Moi, j'tombe dessus, et pendant qu'il proteste,
D'un grand coup d'poing j'y enfonc' son chapeau.
Il déguerpit sans demander son reste,
En faisant signe aux quat' municipaux.
A la faveur de c'que j'étais brind'zingue,
On m'a conduit jusqu'au poste voisin...
Et c'est comm' ça qu'a fini le métingue,
Le grand métingu' du Métropolitain.

Morale

Peuple français, la Bastille est détruite,
Et y a z'encor des cachots pour tes fils!

> Souviens-toi des géants de quarant'-huite,
> Qu'étaient plus grands qu' ceuss' d'au jour d'aujourd'hui.
> Car c'est toujours l' pauvre ouverrier qui trinque,
> Mêm' qu'on le fourre au violon pour des riens...
> C'était tout d' même un bien chouett' métingue,
> Que le métingu' du Métropolitain !

Aux cris de « Vive la Sociale », répondent les cris de « Vive l'Armée. » Les deux frontières, la rouge et la bleue, se défient. Jeanne d'Arc a basculé dans le camp nationaliste. En vain Michelet avait voulu en faire la fille du peuple, la sorcière de la Révolution. L'église riposte en la déclarant « bienheureuse » avant d'en faire, bientôt, une sainte. Michelet l'aimait en sabots. Les revanchards la remettent en selle et marquent le pas devant sa statue toute neuve, en scandant la fameuse marche : « Vous n'aurez pas l'Alsace et la Lorraine. »

Il y a de la bagarre dans l'air. Une sombre histoire de contre-espionnage va mettre le feu aux poudres. C'est l'affaire Dreyfus. On oubliera tout de suite le personnage central qui est un timide bureaucrate à trois galons, myope, courtois. Mais son képi mou sera comme le gant jeté dans l'arène. Les deux moitiés de la France vont s'affronter ; les « peaux de vache » contre les « enjuivés ».

Ma mère a gardé toute sa vie la fierté du rôle que joua alors son père. A Barbaira, le menuisier rieur prit la tête du camp dreyfusard. Sa fille avait alors dix-sept ans et venait d'entrer à l'École Normale d'Institutrices. Les cœurs battaient à l'unisson dans l'atelier houleux. Une dernière fois l'artisan et « l'intelligentsia » communiaient — comme aux beaux jours de 48. La troupe dreyfusarde s'enorgueillissait de compter dans ses rangs un authentique étudiant. Il devait mourir très jeune et ma mère, de ce fait, ne l'a jamais appelé que « le pauvre Camille ». On se réunissait les pieds dans la sciure, et les pensées s'affermissaient au contact de l'établi, comme pour illustrer que l'intelligence doit passer par la main. Et quoi de plus clair, de plus civilisé, que le copeau bouclé qui sortait longuement de la varlope ?

Pendant un an Zola ne s'aperçut de rien. Il travaillait dans sa galerie obscure. L'affaire ne l'intéressait pas. Elle se présentait comme un de ces mauvais feuilletons de Xavier de Montépin ou d'Arthur Bernède dont l'époque fut si friande. Il y avait des traîtres, des attachés d'ambassade, des duels, des fiacres mystérieux, des redresseurs de tort. Soudain, Zola releva la tête et comprit. L'abondance des seconds rôles masquait la vérité de la tragédie. Très loin au-dessus de ses lorgnons, dans une vision fulgurante, Zola aperçut les camps d'extermination. En fait, ce procès qui rampait au niveau de la sous-préfecture, allait obscurcir tout le siècle à venir. Il le sentit. Il le dit. Il y joua sa peau.

Le plus fameux article qui soit jamais sorti d'une rotative occupait toute la « une » de « l'Aurore » le 13 janvier 1899. C'est Clemenceau qui avait trouvé le titre dans la nuit.

« J'ACCUSE »

J'accuse les juges galonnés.

Ils ont rendu une sentence inique qui à jamais pèsera sur nos conseils de guerre ; qui entachera désormais de suspicion tous leurs arrêts. Le premier

Conseil de Guerre a pu être inintelligent. Le second est forcément criminel. J'accuse le premier d'avoir violé le droit, en condamnant un accusé sur une pièce restée secrète; et j'accuse le second d'avoir couvert cette illégalité par ordre, en commettant le crime juridique d'acquitter sciemment un coupable.

Je n'ai qu'une passion, celle de la lumière, au nom de l'humanité qui a tant souffert et qui a droit au bonheur. Ma protestation enflammée n'est que le cri de mon âme.

Qu'on ose donc me traduire en cour d'assises et que l'enquête ait lieu au grand jour.

J'attends.

Zola fut traîné dans la boue. La droite, pour se venger, décida d'appeler le pot de chambre « un zola ». Mais lui, animé d'un souffle prophétique, il a écrit, d'un seul élan, ce message qui s'adressait au vingtième siècle et qui n'a pas encore atteint ses destinataires.

LETTRE A LA JEUNESSE

Ah, quand j'étais jeune moi-même, je l'ai vu, le Quartier Latin, tout frémissant des fières passions de la jeunesse : l'amour de la liberté, la haine de la force brutale, qui écrase les cerveaux et comprime les âmes. Je l'ai vu, sous l'Empire, faisant son œuvre brave d'opposition, injuste même parfois, mais toujours dans un excès de libre émancipation humaine. Il sifflait les auteurs agréables aux Tuileries, il malmenait les professeurs dont l'enseignement lui semblait louche, il se levait contre quiconque se montrait pour les ténèbres et pour la tyrannie. En lui brûlait le foyer sacré de la belle folie des vingt ans, lorsque toutes les espérances sont des réalités et que demain apparaît comme le sûr triomphe de la cité parfaite. Et si l'on remontait plus haut, dans cette histoire des passions nobles qui ont soulevé la jeunesse des Écoles, toujours on la verrait s'indigner sous l'injustice, frémir et se lever pour les humbles, les abandonnés, les persécutés, contre les féroces et les puissants. Elle a manifesté en faveur des peuples opprimés, elle a été pour la Pologne, pour la Grèce. Elle a pris la défense de tous ceux qui souffraient, qui agonisaient sous la brutalité d'une foule ou d'un despote. Les jeunes gens antisémites, ça existe donc, cela? Il y a donc des cerveaux neufs, des âmes neuves que cet imbécile poison a déjà déséquilibrés? Quelle tristesse, quelle inquiétude pour le XXe siècle qui va s'ouvrir! Cent ans après la déclaration des droits de l'homme, cent ans après l'acte suprême de tolérance et d'émancipation, on en revient aux guerres de religion, au plus odieux et au plus sot des fanatismes!

O jeunesse, jeunesse! je t'en supplie, songe à la grande besogne qui t'attend. Nous, les vieux, les aînés, nous te laissons le formidable amas de notre

enquête, beaucoup de contradictions et d'obscurités peut-être; mais à coup sûr, l'effort le plus passionné que jamais siècle ait fait vers la lumière, les documents les plus honnêtes et les plus solides, les fondements mêmes de ce vaste édifice de la science que tu dois continuer à bâtir pour ton honneur et pour ton bonheur. Et nous ne te demandons que d'être encore plus généreuse, plus libre d'esprit, de nous dépasser.

Et nous te céderons fraternellement la place, heureux de disparaître et de nous reposer de notre part de tâche accomplie, dans le bon sommeil de la mort, si nous savons que tu nous continues et que tu réalises nos rêves.

Ne commets pas le crime d'acclamer le mensonge, de faire campagne avec la force brutale, l'intolérance des fanatiques et la voracité des ambitieux. La dictature est au bout.

Jeunesse, jeunesse! sois toujours avec la justice. Si l'idée de justice s'obscurcissait en toi, tu irais à tous les périls. Et je ne te parle pas de la justice de nos codes, qui n'est que la garantie des liens sociaux. Certes, il faut la respecter, mais il est une notion plus haute de la justice, celle qui pose en principe que tout jugement des hommes est faillible, et qui admet l'innocence possible d'un condamné, sans croire insulter ses juges. N'est-ce donc pas là une aventure qui doive soulever ton enflammée passion du droit? Qui se lèvera pour exiger que justice soit faite, si ce n'est toi qui n'es pas dans nos luttes d'intérêt et de personnes, qui n'es encore engagée ni compromise dans aucune affaire louche, qui peux parler haut, en toute pureté et en toute bonne foi?

Comment ne fais-tu pas ce rêve chevaleresque, s'il est quelque part un martyr succombant sous la haine, de défendre sa cause et de le délivrer? Qui donc, si ce n'est toi, tentera la sublime aventure, se lancera dans une cause dangereuse et superbe, tiendra tête à un peuple au nom de l'idéal de justice? Et n'es-tu pas honteuse, enfin, que ce soient tes aînés, des vieux, qui se passionnent, qui fassent aujourd'hui ta besogne de généreuse folie?

— Où allez-vous, jeunes gens, où allez-vous, étudiants, qui battez les rues, manifestant, jetant au milieu de nos discordes la bravoure et l'espoir de vos vingt ans?

— Nous allons à l'humanité, à la vérité, à la justice!

La Commune fut sous le signe du pétrole. Zola se complut au charbon. Il y a aussi la dynamite. Elle fait partie de la panoplie de la révolution. Jusqu'aux « dinamiteros » de la guerre d'Espagne, elle va secouer de temps en temps les journaux à sensation.

Le quartier Latin n'est que l'ombre de lui-même. La Sorbonne tombe en quenouille. Le Panthéon est un sépulcre. La vie de Bohême ne se porte plus. Henri Murger ferme la porte.

LA CHANSON DE MUSETTE

Adieu, va-t'en, chère adorée.
Bien morte avec l'amour dernier,
Notre jeunesse est enterrée
Au fond du vieux calendrier.
Ce n'est plus qu'en fouillant la cendre

> Des beaux jours qu'il a contenus
> Qu'un souvenir pourra nous rendre
> La clef des paradis perdus.

La Révolution s'est transportée sur les boulevards. Il y en a, à qui le rouge ne suffit plus, et qui veulent le drapeau noir. Ce sont les « Anars ». Leurs exploits ensanglantent jusqu'en 1914 la première page du supplément illustré du « Petit Journal » dont je feuillette inlassablement la collection sous la tuile de verre du grenier de mon enfance.

« Paris tremblait, écrit le chroniqueur de service, Paris n'osait plus aller au théâtre, Paris faisait ses malles pour s'enfuir, et les visiteurs habituels de Paris défaisaient les leurs, peu curieux d'un voyage d'agrément au cours duquel on risquait la dynamite et ses atroces conséquences ».

Le chef de file des anars s'appelait Ravachol. Les gens ont toujours les noms qu'ils méritent. Ravachol fut livré à la police par un garçon du restaurant Very, en conséquence de quoi ledit restaurant fut proprement dynamité. « J'en demande pardon à mes victimes involontaires. Elles me comprendront et m'excuseront. » Car Ravachol, même sous les verrous, gardait son franc-parler. Il essaya de catéchiser ses gardiens, qui en ont dressé procès-verbal :

« Le susnommé Ravachol, après avoir mangé de bon appétit, nous a parlé en ces termes :

— Savez-vous ce que c'est l'anarchie?

A cette demande nous avons répondu que non.

— Cela ne m'étonne pas, répondit-il. La classe ouvrière qui, comme vous, est obligée de travailler pour se procurer du pain, n'a pas le temps de s'adonner à la lecture des brochures que l'on met à sa portée; il en est de même pour vous. L'anarchie, si vous voulez le savoir, c'est l'anéantissement de la propriété. »

Même la guillotine ne le fit pas taire. Sous le couteau sa tête sombre chantait encore :

> *Pour être heureux, nom de Dieu,*
> *Pends ton propriétaire.*

Ravachol eut de nombreux émules, jusqu'à la fameuse bande à Bonnot, dite aussi « les bandits en auto » qui inventa, aux veilles de la Grande Guerre, le « hold-up » moderne. Il fallut un siège en règle pour venir à bout du garage de Choisy-le-Roi, transformé en forteresse. Bonnot lui-même s'était enroulé dans un matelas d'où, le revolver au poing, il faisait front encore. Son lieutenant, Callemin, était une vraie « figure ». Il avait mis son nez dans d'innombrables livres de physique, de chimie, de mathématiques, de médecine, et vaticinait sur tout. Ce pourquoi on l'avait baptisé Raymond la Science. La bande habitait une villa louée, d'apparence benoîte, 16, rue de Bagnolet. Sa description m'enchante.

« La villa se composait de trois jardins en friche, enclos de murs, et de nombreuses pièces en assez bon état jonchées de brochures et de factures, de prospectus et de vieux numéros de « l'Anarchie ». Sur les murs du 2e étage étaient peints, au pinceau, des pensées d'écrivains ou des apophtegmes révolutionnaires. « Le soleil

ne donne la vie qu'à ceux en qui elle a déjà germé. » (Tolstoï) « Vivre d'abord et quand même. » « Sois ton meilleur ami. » « Les hommes passent la moitié de leur temps à se forger des chaînes; l'autre moitié à se plaindre de les porter. » (Octave Mirbeau) Dans le premier jardin se voit sur un mur une silhouette au pochoir, criblée de balles, sur laquelle s'exerçaient les hôtes de la villa. Sur la porte d'une chambre dite bibliothèque se lisait : « Paresseux, filous, clochards puants, ambitieux, snobs, hystériques, savantasses, raseurs de tous les mondes, ne franchissez pas cette porte : la mort vous y attend ».

La plus émouvante victime de l'anarchie, que l'on voyait s'affaisser doucement, presque tendrement, le cœur percé par le stylet de son assassin, à l'endroit le plus paisible du monde, au débarcadère d'un bateau de promenade du lac Léman, c'est l'impératrice Sissi. Sa mort ressemblait presque à une scène d'amour.

Mais la victime la plus célèbre, c'est le président Sadi Carnot. L'attentat de Lyon fut une sorte de prototype, reproduit en couleurs par tous les illustrés d'Europe et sur lequel rêva sans doute, dans sa mansarde de Serajevo, l'étudiant Princip. L'anar de service à Lyon s'appelait Caserio. La complainte populaire a fixé la scène.

COMPLAINTE DE CASERIO

Écoutez ô gens de France,
D'la provinc' comm' de Paris,
Ainsi qu' des autres pays,
Comment par haine et par vengeance
L'anarchiste Caserio
Assassina M'sieur Carnot.

En deux mots, disons la vie
De ce jeune scélérat.
Il vit le jour à Motta-
Visconti dans l'Italie,
En septembre mil-huit-cent
Soixant' treize, près de Milan.

Profitant d'la circonstance
Et tenant, truc infernal,
Son poignard dans son journal,
Soudain Caserio s'élance!
Tout le mond' se figurait
Qu'il présentait un placet.

Il arrive à la voiture,
Saute sur le marchepied,
Et du coup, sans sourciller,
Fait un' profonde blessure

> Au malheureux président
> Dont il transperce le flanc.
>
> Aussitôt Carnot s'affaisse.
> Ses traits pâlissent soudain,
> Tandis que son assassin
> De se dérober s'empresse,
> En criant à pleins poumons :
> « Vive la Révolution! »

Sadi Carnot alla rejoindre son grand-père Lazare, dans la crypte du Panthéon. Tout un siècle de République descendait au tombeau.

A la mairie de Barbaira nous gardions au mur, l'un à côté de l'autre, les portraits officiels des présidents de la République. On voyait tout de suite ceux qui ont été assassinés, Sadi Carnot et Paul Doumer. Ils avaient l'air très triste. Anatole France nous a laissé, dans « L'Orme du mail », une image si parfaite de la victime de Caserio, qu'on dirait une photographie.

SADI CARNOT

On savait que le général Cartier de Chalmot restait dans le fond de son cœur fidèle à la royauté. On savait moins qu'un jour de l'année 1893, il avait reçu au cœur un de ces coups comparables à ceux que les chrétiens disent frappés par la grâce et qui mettent au-dedans de l'homme, avec la force du tonnerre, une douceur inattendue et profonde. Cet événement s'était produit le 4 juin, à cinq heures du soir, dans les salons de la préfecture. Là, parmi des fleurs que Mme Worms-Clavelin avait elle-même assemblées, M. le président Carnot, de passage dans la ville, avait reçu les officiers de la garnison. Le général Cartier de Chalmot, présent au milieu de son état-major, vit pour la première fois le président et soudain, sans motif apparent, sans raison exprimable, il fut transpercé d'une admiration foudroyante. En une seconde, devant la gravité douce et la chaste raideur du chef de l'État, tous ses préjugés étaient tombés. Il oublia que ce souverain était civil. Il le vénéra et l'aima. Il se sentit tout à coup enchaîné par des liens de sympathie et de respect à cet homme jaune et triste comme lui, mais auguste et serein comme un maître. Il prononça avec un bredouillement martial le compliment officiel qu'il avait appris par cœur. Le président lui répondit : « Je vous remercie au nom de la République et de la Patrie que vous servez loyalement. » Alors tout ce que le général Cartier de Chalmot avait depuis vingt-cinq ans amassé de dévouement au prince absent jaillit de son cœur vers M. le président, dont le visage placide gardait une surprenante immobilité et qui parlait d'une voix lamentable, sans un mouvement ni des joues ni des lèvres, scellées de noir par la barbe. Sur cette face de cire, aux yeux honnêtes et lents, sur cette poitrine de peu de vie, magnifiquement barrée du grand cordon rouge, dans toute cette figure d'automate souffrant, le général lisait à la fois la dignité du chef et la disgrâce de l'homme malheureusement né, qui n'a jamais ri. A son admiration se mêlait de l'attendrissement.

Un an plus tard il apprenait la fin tragique de ce président pour le salut duquel il aurait voulu mourir et qu'il revoyait désormais, dans sa pensée, raide et noir, comme le drapeau roulé autour de sa hampe et recouvert de son étui, dans la caserne.

Anatole France va reprendre le flambeau, ce flambeau que nous suivons soigneusement à la trace depuis l'an I. Zola, en effet, ne tarde pas à succomber aux émanations délétères de ses Rougon-Macquart. Il a éclairé dix-sept ans, de 1885 à 1902, presque autant que le phare Hugo. Anatole France prononce son oraison funèbre au Panthéon, c'est dire qu'il revendique officiellement la succession. Il portera la lumière pendant vingt-deux ans.

Le ton change. Anatole France aime les coussins moelleux. Il n'a aucune envie de descendre dans l'enfer de Courrières. Il aime mieux le printemps de Florence que les tempêtes anglo-normandes. C'est une plante de serre. Il est l'ornement du salon de sa belle amie, Léontine, épouse d'Albert Arman de Caillavet. Le maître de maison accueille les invités à cravate rouge en ces termes : « Je me présente. Je ne suis pas Anatole France. » Le nouveau prophète de la gauche, très attaché à ses pantoufles, invente le scepticisme. Le ton fera fureur chez les instituteurs. On se délecte des coups de griffe du bon maître, au long de quatre volumes délicieux : *l'Orme du mail*, *Le Mannequin d'osier*, *l'Anneau d'améthyste* et *Monsieur Bergeret à Paris*. Ces quatre volumes, reliés en plein maroquin, étaient le luxe de ma mère et occupaient la place d'honneur sur la tablette de la cheminée, entre deux presse-livres en forme d'oiseau blessé.

MONSIEUR BERGERET

Monsieur Bergeret n'était pas heureux. Il n'avait reçu aucune distinction honorifique. Il est vrai qu'il méprisait les honneurs. Mais il sentait qu'il eût été plus beau de les mépriser en les recevant. Il était obscur et moins connu dans sa ville, pour les ouvrages de l'esprit, que M. de Terremondre, auteur d'un « Guide du touriste »; que le général Milher, polygraphe distingué du département; moins même que son élève, M. Albert Roux, de Bordeaux, auteur de « Nirée », poème en vers libres. Certes, il méprisait la gloire littéraire, sachant que celle de Virgile reposait en Europe sur deux contresens, un non-sens et un coq-à-l'âne. Mais il souffrait de n'avoir aucun commerce avec des écrivains qui, tels que MM. Faguet, Doumic ou Pellissier, lui paraissaient correspondre à son esprit. Il aurait voulu les connaître, vivre avec eux à Paris, écrire comme eux dans des revues, les contredire, les égaler, les surpasser peut-être. Il se sentait une certaine finesse d'intelligence, et il avait écrit des pages qu'il savait agréables.

Il n'était pas heureux. Il était pauvre, resserré avec sa femme et ses deux filles, dans un petit logis où il goûtait à l'excès les incommodités de la vie commune; et il s'attristait de trouver des bigoudis sur sa table à écrire, et de voir ses manuscrits brûlés par des fers à friser. Il n'avait au monde de retraite agréable et sûre que ce banc du Mail ombragé par un orme antique, et que le coin des bouquins dans la boutique de Paillot.

Il médita un moment sur sa triste condition, puis il se leva de son banc et prit le chemin qui mène chez le libraire.

L'Église ne se méprit pas. Ce chat enfariné, c'était le diable. La patte de velours faisait de terribles blessures. Il inspirait, sans avoir l'air d'y toucher, le râleur petit père Combes. Et, dès le numéro 1 de « l'Humanité », le 18 août 1904, le feuilleton était d'Anatole France. C'est que le frileux dandy de la villa Saïd, malgré son goût des opalines et de l'adultère, était profondément engagé dans le combat social. Pour sa profession de foi, il a pris la voix légèrement enrouée de M. Bergeret.

CE QU'EST LA RÉPUBLIQUE

J'ai été nourri sous l'Empire, dans l'amour de la République. « Elle est la justice », me disait mon père, professeur de rhétorique au lycée de Saint-Omer. Il ne la connaissait pas. Elle n'est pas la justice. Mais elle est la facilité. Monsieur l'abbé, si vous aviez l'âme moins haute, moins grave et plus accessible aux riantes pensées, je vous confierais que la République actuelle, la République de 1897, me plaît et me touche par sa modestie. Elle consent à n'être point admirée. Elle n'exige que peu de respect et renonce même à l'estime. Il lui suffit de vivre. C'est là tout son désir : il est légitime. Les êtres les plus humbles tiennent à la vie. Comme le bûcheron du fabuliste, comme l'apothicaire de Mantoue, qui surprit si fort ce jeune fou de Roméo, elle craint la mort, et c'est sa seule crainte. Elle se défie des princes et des militaires. En danger de mort, elle serait très méchante. La peur la ferait sortir de son naturel et la rendrait féroce. Ce serait dommage. Mais tant qu'on n'attente point à sa vie, et qu'on n'en veut qu'à son honneur, elle est débonnaire. Un gouvernement de ce caractère m'agrée et me rassure. Tant d'autres furent impitoyables par amour-propre! Tant d'autres assurèrent par des cruautés leurs droits, leur grandeur et leur prospérité! Tant d'autres versèrent le sang pour leur prérogative et leur majesté! Elle n'a point d'amour-propre : elle n'a point de majesté. Heureux défaut qui nous la garde innocente! Pourvu qu'elle vive, elle est contente. Elle gouverne peu. Je serais tenté de l'en louer plus que de tout le reste. Et, puisqu'elle gouverne peu, je lui pardonne de gouverner mal. Je soupçonne les hommes d'avoir, de tout temps, beaucoup exagéré les nécessités du gouvernement

et les bienfaits d'un pouvoir fort. Assurément les pouvoirs forts font les peuples grands et prospères. Mais les peuples ont tant souffert, au long des siècles, de leur grandeur et de leur prospérité, que je conçois qu'ils y renoncent. La gloire leur a coûté trop cher pour qu'on ne sache pas gré à nos maîtres actuels de ne nous en procurer que de la coloniale. Si l'on découvrait enfin l'inutilité de tout gouvernement, la République de M. Carnot aurait préparé cette inappréciable découverte. Et il faudrait lui en avoir quelque reconnaissance. Toute réflexion faite, je me sens très attaché à nos institutions.

Ainsi parla M. Bergeret, maître de conférences à la Faculté des lettres.

La République dont je me souviens ressemblait à cela. De temps en temps on ajoutait un nouveau président à la galerie qui ornait les murs de la mairie. Les meilleurs avaient un fort accent du Midi. Ceux du Nord-Est ne nous ont pas porté bonheur. En 1914 c'était Poincaré; « La Meurthe-et-Moselle? disions-nous, pour rire. — Non! mais la Meuse est mortelle ». En 1939, c'était Lebrun.

A l'atelier du menuisier on se passionnait maintenant pour un problème d'arithmétique. Il s'agissait de savoir si le xxe siècle commençait bien le 1er janvier 1900. Mais alors il n'aurait eu que quatre-vingt-dix-neuf ans écoulés. Certains affirmaient qu'il ne commencerait que le 1er janvier 1901. Ce fut beaucoup moins grave que l'Affaire Dreyfus, mais la question reste posée.

Toute la France municipale se retrouva alors à Paris, invitée par le président Loubet à un banquet monstre. La poésie montmartroise pouvait compter, dans ce temps-là, sur un sonore Narbonnais, Vincent Hyspa, dont la verve a résisté au temps. Il chanta la grande fête de Marianne. Voici l'allocution supposée du président Loubet.

LE BANQUET DES MAIRES

Que j'aime à voir faisant bombance,
Le verre en main, et de bon cœur,
Les vingt-deux mill' deux cent vingt-deux mair's de France...
Que c'est comme un bouquet de fleurs!

Soutenez-vous, que pas un ne balance!
Rappelez-vous, Messieurs, que l'Étranger...
Que l'Étranger... que dis-je? que la France,
En ce moment nous regarde manger.

Vive l'armée des maires de campagne!
J'entends vos cœurs flotter comme un drapeau;
Portez-les haut, mais après le champagne,
Ah! ne les mettez pas sur le carreau!

Tout ce qu'ont fait les Mair's de quarant' huite,
S'il le fallait, vous le feriez encor ;
Sur eux, Messieurs, réglez votre conduite,
Conduisez-vous comme les Mair's d'alors !

Quatre-vingt-neuf a vu forcer les grilles
Où s'étouffait l'air de la liberté ;
C'est nos aïeux qui prirent la Bastille
Et nous, Messieurs, nous prendrons le café.

Fallières succéda à Loubet. C'était toujours le Midi. Il profita de son passage à l'Élysée pour marier sa fille. Cette fois c'est Dominique Bonnaud qui nous raconte la cérémonie.

LE MARIAGE DÉMOCRATIQUE

Que de touristes,
De journalistes,
Et de modistes,
Venus là pour
Voir cette héritière,
Que monsieur Fallières,
A son secrétaire,
Marie en ce jour.

Mais des équipages
Se fraient un passage,
C'est un arrivage
De gens surprenants ;
Dames qui s'admirent
Dans leurs cachemires,
Messieurs qui transpirent
A mettre leurs gants.

Ces gens s'avancent
Pleins d'importance,
Et l'assistance,
Les admirant,
Dit : « Ces autochtones,
Venus en personne,
Du Lot-et-Garonne,
Ce sont les parents.

La tante Julie,
La tante Sophie,
La tante Octavie,
Le cousin Léon,
L'oncle Théodule,
L'oncle Thrasybule,
Les cousins Tibulle
Et Timoléon. »

Il me semble que le mythe du comité Théodule date de cette chanson-là. A l'atelier du menuisier on en profita pour célébrer aussi le plus républicain des mariages : celui de mon oncle Jules et de ma tante Julie. Mon grand-père avait fixé la date, sans vouloir jamais dire pourquoi il avait choisi ce jour-là. On ne comprit qu'au repas du soir quand, à la nuit tombante, il se leva, la serviette au cou, et vint s'adosser

PROBITE POLITIQU

A L'HERBE

CH. MONTPELLIER

Lith.

Banquet offert en l'honneur d

Sherbette, à Soissons

au chambranle de la porte pour prononcer ce petit discours : « Mes enfants, mes amis, c'est vrai, je vous ai fait une cachotterie. J'ai tenu les fiancés en haleine jusqu'à aujourd'hui, parce que aujourd'hui la République et le Progrès leur font un cadeau de noces somptueux. Et ce cadeau, c'est ... ».

Visiblement, sa main, derrière le dos, cherchait quelque chose. Soudain, au plafond, la lumière irradia. Il avait fini par trouver l'interrupteur.

« Oui, ce cadeau, c'est l'électricité. »

Le tout premier du village il avait souscrit un abonnement à la compagnie « La Méridionale » qui s'était engagée à fournir l'installation au jour dit. En fait l'ampoule à filament de carbone, qui a duré jusqu'à moi, ne donnait qu'une pauvre lumière tremblotante. Mais ce soir-là, ce fut le soleil.

Cette bénédiction de la République, elle s'attarda sur les horizons de Barbaira jusqu'à mes souvenirs d'enfance. Les dimanches de juin il faisait déjà jour quand l'omnibus me déposait en gare. Je courais jusqu'à l'école et ne m'y attardais pas. J'avais hâte de profiter de la liberté. Je partais le plus souvent par un chemin creux à flanc de coteau, le chemin de Monze, qui serpente à travers les vignes sulfatées. Je le suivais jusqu'à une petite rivière qui descend de l'Alaric et coule à travers les roseaux et les cerisiers. Parfois j'arrivais jusqu'à Floure dire bonjour à M. le Curé qui m'avait fait faire la communion privée, et qui était très vieux. Floure ressemblait un peu à Bagnoles, avec une petite église sur une place ombragée de platanes et le presbytère juste en face. J'y retrouvais le goût des reposoirs, l'odeur des lis, le charme des villages oubliés en marge des routes. Et puis il y avait une grande bâtisse à deux tours carrées, envahie d'herbe et d'arbres que l'on apercevait, mystérieuse, à travers les feuillages. J'y revenais souvent en rêve, la semaine, dans mon lit de pensionnaire. J'ai su dès ce moment-là, sans doute, que ce serait un jour ma maison.

Le morceau choisi par excellence de la République débonnaire d'Émile Loubet et d'Armand Fallières, appartient à Alphonse Daudet. Il résume tout un bonheur de vivre.

LE SOUS-PRÉFET AUX CHAMPS

M. le sous-préfet est en tournée. Cocher devant, laquais derrière, la calèche de la sous-préfecture l'emporte majestueusement au concours régional de la Combe-aux-Fées. Pour cette journée mémorable, M. le sous-préfet a mis son bel habit brodé, son petit claque, sa culotte collante à bandes d'argent et son épée de gala à poignée de nacre... Sur ses genoux repose une grande serviette en chagrin gaufré qu'il regarde tristement.

M. le sous-préfet regarde tristement sa serviette en chagrin gaufré; il songe au fameux discours qu'il va falloir prononcer tout à l'heure devant les habitants de la Combe-aux-Fées :

« Messieurs et chers administrés... »

Mais il a beau tortiller la soie blonde de ses favoris et répéter vingt fois de suite :

« Messieurs et chers administrés... », la suite du discours ne vient pas.

La suite du discours ne vient pas... Il fait si chaud dans cette calèche!...

A perte de vue, la route de la Combe-aux-Fées poudroie sous le soleil du

Midi... L'air est embrasé... et sur les ormeaux du bord du chemin, tout couverts de poussière blanche, des milliers de cigales se répondent d'un arbre à l'autre... Tout à coup M. le sous-préfet tressaille. Là-bas, au pied d'un coteau, il vient d'apercevoir un petit bois de chênes verts qui semble lui faire signe.

Le petit bois de chênes verts semble lui faire signe : « Venez donc par ici, monsieur le sous-préfet; pour composer votre discours, vous serez beaucoup mieux sous mes arbres... »

M. le sous-préfet est séduit; il saute à bas de sa calèche et dit à ses gens de l'attendre, qu'il va composer son discours dans le petit bois de chênes verts.

Dans le petit bois de chênes verts il y a des oiseaux, des violettes, et des sources sous l'herbe fine... Quand ils ont aperçu M. le sous-préfet avec sa belle culotte et sa serviette en chagrin gaufré, les oiseaux ont eu peur et se sont arrêtés de chanter, les sources n'ont plus osé faire de bruit, et les violettes se sont cachées dans le gazon... Tout ce petit monde-là n'a jamais vu de sous-préfet, et se demande à voix basse quel est ce beau seigneur qui se promène en culotte d'argent.

A voix basse, sous la feuillée, on se demande quel est ce beau seigneur en culotte d'argent... Pendant ce temps-là, M. le sous-préfet, ravi du silence et de la fraîcheur du bois, relève les pans de son habit, pose son claque sur l'herbe et s'assied dans la mousse au pied d'un jeune chêne; puis il ouvre sur ses genoux sa grande serviette en chagrin gaufré et en tire une large feuille de papier ministre.

« C'est un artiste! dit la fauvette.

— Non, dit le bouvreuil, ce n'est pas un artiste, puisqu'il a une culotte en argent; c'est plutôt un prince.

— C'est plutôt un prince, dit le bouvreuil.

— Ni un artiste, ni un prince, interrompt un vieux rossignol, qui a chanté toute une saison dans les jardins de la sous-préfecture. Je sais ce que c'est : c'est un sous-préfet! »

Et tout le petit bois va chuchotant :

« C'est un sous-préfet! C'est un sous-préfet!

— Comme il est chauve! » remarque une alouette à grande huppe.

Les violettes demandent :

« Est-ce que c'est méchant?

— Est-ce que c'est méchant? » demandent les violettes.

Le vieux rossignol répond :

« Pas du tout! ».

Et sur cette assurance, les oiseaux se remettent à chanter, les sources à courir, les violettes à embaumer, comme si le monsieur n'était pas là... Impassible au milieu de tout ce joli tapage, M. le sous-préfet, le crayon levé, commence à déclamer de sa voix de cérémonie :

« Messieurs et chers administrés...

— Messieurs et chers administrés », dit le sous-préfet de sa voix de cérémonie...

Un éclat de rire l'interrompt; il se retourne et ne voit rien qu'un gros pivert qui le regarde en riant, perché sur son claque. Le sous-préfet hausse les épaules et veut continuer son discours ; mais le pivert l'interrompt encore et lui crie de loin :

« A quoi bon ?

— Comment! A quoi bon? » dit le sous-préfet, qui devient tout rouge; et, chassant d'un geste cette bête effrontée, il reprend de plus belle :

« Messieurs et chers administrés...

— Messieurs et chers administrés... », a repris le sous-préfet de plus belle. Mais alors, voilà les petites violettes qui se haussent vers lui sur le bout de leurs tiges et qui lui disent doucement : « Monsieur le sous-préfet, sentez-vous comme nous sentons bon? »

Et les sources lui font sous la mousse une musique divine; et dans les branches, au-dessus de sa tête, des tas de fauvettes viennent lui chanter leurs plus jolis airs; et tout le petit bois conspire pour l'empêcher de composer son discours...

Tout le petit bois conspire pour l'empêcher de composer son discours... M. le sous-préfet, grisé de parfums, ivre de musique, essaye vainement de résister au nouveau charme qui l'envahit. Il s'accoude sur l'herbe, dégrafe son bel habit, balbutie encore deux ou trois fois.

« Messieurs et chers administrés... Messieurs et chers admi... Messieurs et chers... ».

Puis il envoie les administrés au diable...

Lorsque, au bout d'une heure, les gens de la sous-préfecture, inquiets de leur maître, sont entrés dans le petit bois, ils ont vu un spectacle qui les a fait reculer d'horreur... M. le sous-préfet était couché sur le ventre dans l'herbe... Il avait mis son habit bas... et, tout en mâchonnant des violettes, M. le sous-préfet faisait des vers.

Cependant les grandes espérances avaient trouvé leur nouveau tribun. Si Anatole France succédait à Zola, c'est Jean Jaurès qui vint remplir le vide laissé par Gambetta. Ceux qui avaient entendu les deux, me disait ma mère, n'arrivaient pas à décider lequel avait la plus belle voix, lequel roulait le mieux les tonnerres. L'accent de Castres, en tout cas, mit en balance celui de Cahors.

1904, c'est l'année du premier numéro de « l'Humanité ». Mais c'est aussi l'année du congrès d'Amsterdam et du grand rêve de l'Internationale.

> *C'qui prouve en tout cas, Nicolas,*
> *Qu'la Commune n'est pas morte !*

Vous reconnaissez le refrain d'Eugène Pottier qui annonçait le retour des communards. Nous avions gardé en réserve, pour le moment de son explosion, sa grande machine, sa lutte finale.

Qui était Eugène Pottier? La Commune en avait fait, pour un printemps, le maire du 2e arrondissement. Le Conseil de Guerre de Versailles le condamna par contumace en juin 1871. Il s'était réfugié aux États-Unis où la muse de la Révolution l'avait suivi sur le pavé de Manhattan. Il n'avait en tête que la métrique de Marie-Joseph Chénier et la nostalgie de Paris. Quand il revint, après l'amnistie, c'était un pauvre vieux grelottant, qui hantait les carrefours où furent les barricades. En

1886, Gustave Nadaud présidait le jury de la « Lice des chansonniers ». Au bas d'un envoi modeste il crut reconnaître un nom de sa jeunesse. Il avait connu un Eugène Pottier en 1848. Il lui fit attribuer le prix. Le lauréat ne vint pas. Frappé de paralysie, il avait déjà rejoint, à l'hôpital, le jeune fantôme d'Hégésippe Moreau. Avec l'argent du prix on put recueillir en volume ses « chants révolutionnaires ». Ce fut la dernière consolation du vieux communard. Il mourut sans connaître la musique de « l'Internationale », ni son destin.

A l'Estaminet de la Liberté, à Lille, les strophes d'Eugène Pottier avaient retenu l'attention de deux frères musiciens qui faisaient partie de « La Lyre des travailleurs ». Un samedi soir, celui qui se prénommait Pierre s'assit devant le petit harmonium de la société et mit des notes sur les paroles de Pottier. Le lendemain, on jouait « l'Internationale » pour la première fois.

Pierre de Geyter est mort à l'hôpital de Saint-Denis. C'est en 1904 que la chanson de « La Lyre des travailleurs » de Fives-Lille devint un hymne sans frontières.

L'INTERNATIONALE

Debout! les damnés de la terre!
Debout! les forçats de la faim!
La raison tonne en son cratère,
C'est l'éruption de la fin.
Du passé, faisons table rase,
Foule esclave, debout! debout!
Le monde va changer de base :
Nous ne sommes rien, soyons tout!

Refrain

C'est la lutte finale,
Groupons-nous, et demain
L'Internationale
Sera le genre humain.

Il n'est pas de sauveurs suprêmes,
Ni Dieu, ni César, ni tribun,
Producteurs, sauvons-nous nous-mêmes!
Décrétons le salut commun!
Pour que le voleur rende gorge,
Pour tirer l'esprit du cachot,
Soufflons nous-mêmes notre forge,
Battons le fer quand il est chaud!

L'État comprime et la Loi triche,
L'impôt saigne le malheureux;
Nul devoir ne s'impose au riche,
Le droit du pauvre est un mot creux.

C'est assez languir en tutelle,
L'Égalité veut d'autres lois :
« Pas de droits sans devoirs, dit-elle,
Égaux, pas de devoirs sans droits! »

Hideux dans leur apothéose,
Les rois de la mine et du rail
Ont-ils jamais fait autre chose
Que dévaliser le travail?
Dans les coffres-forts de la bande,
Ce qu'il a créé s'est fondu.
En décrétant qu'on le lui rende,
Le peuple ne veut que son dû.

Les Rois nous saoulaient de fumées,
Paix entre nous, guerre aux tyrans!
Appliquons la grève aux armées,
Crosse en l'air, et rompons les rangs!
S'ils s'obstinent, ces cannibales,
A faire de nous des héros,
Ils sauront bientôt que nos balles
Sont pour nos propres généraux!

Ouvriers, paysans, nous sommes
Le grand parti des travailleurs;
La terre n'appartient qu'aux hommes,
L'oisif ira loger ailleurs.
Combien de nos chairs se repaissent!
Mais si les corbeaux, les vautours
Un de ces matins disparaissent,
Le soleil brillera toujours!

Dans les souvenirs d'avant ma naissance, que m'a légués ma mère, les « événements » tiennent une place importante. On appelle ainsi, chez nous, la grande révolte des vignerons en 1907. On l'appelle aussi la « grève des calines », car caline est le nom local, raccourci, de cette capeline de calicot fleuri sur armature d'osier que nos femmes nouaient sous le menton pour aller dans les vignes et que ma grand-mère portait encore, tout l'été, dès qu'elle quittait la cravate noire d'hiver. Des trains spéciaux, drapeau rouge en tête, ramassaient les manifestants, de village en village, et convergeaient vers Montpellier. Ils étaient composés de wagons-plates-formes, sur lesquels les femmes en calines étaient assises, jambes pendantes, et parmi elles cousine Augustine et cousine Lisa.

Les journaux de Paris titraient : « Le Midi bouge ». On chantait une chanson dont je ne sais que le début :

Sous le couchant brûlant et rouge
La multitude est en rumeur...

Cette fois, le Midi bouge :
Écoutez sa sourde clameur !
Le temps est passé des aubades.
De Perpignan jusqu'à Béziers,
C'est la triste promenade
Des vignerons par la fraude écrasés.

Pour commencer par le commencement, il y avait eu le phylloxéra, un insecte amateur de racines qui avait dévasté le vignoble. Il avait fallu tout arracher. On avait connu la misère noire, faute de vin. Puis on avait tout replanté en greffant les ceps, cette fois, sur une racine américaine que l'insecte scélérat n'aimait pas. On connaissait alors la misère rouge : il y avait soudain trop de vin. Faute de pouvoir le vendre on le lâchait à la rue. Il y avait littéralement des torrents de vin qui coulaient dans tous les fossés. Et l'odeur enivrait quatre départements. C'est qu'entre-temps, faute de vignes, le commerce avait appris à fabriquer du vin chimique. La replantation avait été trop longue. Les nouvelles récoltes trouvaient un marché abreuvé de bibine. D'où le cri de ralliement : « Guerre aux fraudeurs ».

Sur les allées Paul Riquet, à Béziers, les soldats du 17e avaient formé les faisceaux. Quand on leur commanda de réprimer l'émeute et de tirer sur la foule, ils

refusèrent d'obéir. Ils étaient habillés comme les héros de Courteline, avec des pantalons garance teints à Lodève, une vareuse bleue, des épaulettes de laine, un képi avachi. Tels quels ils furent portés en triomphe par les manifestants. Cet épisode allait inspirer un des derniers poètes populaires, Montehus.

Dans les années 30, quand je suis monté à Paris, Montehus vivait encore. Je suis allé le voir jouer rue de la Gaîté. Son affiche était tout un programme. On y lisait : « Chair à plaisir, chair à canon, chair à souffrance. » La pièce mettait en scène toute la panoplie de la révolution : un Gavroche, deux orphelines, une Fantine, un drapeau fait d'une chemise sanglante, un faubourg en toile de gaze. Montehus lui-même apparaissait sur la barricade, le front ceint d'un pansement vermillon. Il était né à Belleville et savait par cœur toute la mythologie que je rassemble dans ce livre. C'est l'instant où la salle réclamait en tapant des pieds « Le dix-septième! ». Alors Montehus, debout sur ses pavés de carton, le bras levé dans le geste de Rouget de Lisle, entonnait le fameux salut.

GLOIRE AU DIX-SEPTIÈME

Légitime était votre colère!
Le refus était un grand devoir!
On ne doit pas tuer ses père et mère
Pour les grands qui sont au pouvoir.
Soldats! Votre conscience est nette,
On n' se tue pas entre Français!
Refusant d' rougir vos baïonnettes,
Petits soldats, oui, vous avez bien fait.

Salut, salut à vous,
Braves soldats du dix-septième,
Salut, braves pioupious,
Chacun vous admire et vous aime.
Salut, salut à vous,
A votre geste magnifique,
Vous auriez, en tirant sur nous,
Assassiné la République.

Comme les autres vous aimez la France,
J'en suis sûr, même vous l'aimez bien!
Mais sous votre pantalon garance
Vous êtes restés des citoyens.
La Patrie, c'est d'abord sa mère,
Cell' qui vous a donné le sein,
Et vaut mieux même d'aller aux galères
Qu'accepter d'être son assassin.

Espérons qu'un jour viendra en France
Où la paix, la concorde régnera.

> Ayons tous au cœur cette espérance
> Que bientôt ce grand jour viendra.
> Vous avez j'té la première graine
> Dans le sillon de l'humanité.
> La récolte sera prochaine
> Et ce jour-là vous s'rez tous fêtés.

Il était né à Belleville. Il est mort à l'hôpital. Les derniers témoins ont vu errer son spectre dans les rues désertes de Paris occupé. Il nous avait légué un autre chant qui fut le chant de ralliement du Front Populaire, dans ma jeunesse. Je crois bien que c'est Jean Miailhe qui m'en avait appris les paroles et l'air, derrière les cabinets de la grande cour du lycée de Carcassonne. Ce chant nous valut une mésaventure. Parmi tous nos professeurs, si tièdes, il y avait un professeur d'histoire qui nous plaisait, M. Plandé, car il racontait la Révolution du bon côté. De plus nous savions que sa femme était institutrice, comme nos mères. Enfin les strophes de Montehus nous avaient grisés. Nous apparûmes au prochain cours d'histoire avec un foulard rouge autour du cou. L'effet ne fut pas du tout celui que nous escomptions. M. Plandé devint tout pâle et, fonçant soudain sur notre banc, il nous empoigna férocement pour nous jeter à la porte. Il avait dû croire que nous voulions l'engager dans quelque basse complicité que ne pouvait souffrir son honneur de maître. Tout penauds, nous allâmes ranger le foulard rouge dans la boîte à provisions. Le chant de Montehus qui me valut ma seule punition de lycéen, le voici.

LA JEUNE GARDE

> Nous sommes la jeune France,
> Nous sommes les gars de l'avenir.
> Élèves de la souffrance,
> Oui nous saurons bien tous mourir.
> Nous travaillons pour la bonne cause,
> Pour délivrer le genre humain.
> Tant pis si notre sang arrose
> Les pavés sur notre chemin.
>
> Prenez garde, prenez garde,
> Les sabreurs, les bourgeois, les gavés !
> V'là la jeune garde *(bis)*
> Qui descend sur le pavé.
> C'est la lutte finale qui commence,
> C'est la revanche de tous les meurs-la-faim !
> C'est la révolution qui s'avance,
> C'est la bataille contre les coquins.
> Prenez garde, prenez garde,
> V'là la jeune ga-a-arde !

> Enfants de la misère,
> De France nous sommes les révoltés.
> Nous vengerons nos mères
> Que des brigands ont exploitées.
> Nous ne voulons plus de famine !
> A qui travaille il faut des biens.
> Demain, nous prendrons les mines,
> Nous sommes des hommes et non des chiens !
>
> Nous n'voulons plus de guerre,
> Car nous aimons l'humanité.
> Tous les hommes sont frères
> Et nous clamons la fraternité,
> La République Universelle !
> Emp'reurs et rois, tous au tombeau !
> Tant pis si la lutte est cruelle,
> Après la pluie, le temps est beau !

Courteline tenait une grande place dans la bibliothèque vitrée des instituteurs. L'école, si grave, accueillait volontiers son rire. Qui aurait pu croire que La Guillaumette ou Lidoire seraient les héros de Verdun ?

La grande guerre approchait. Et ce sentiment de terreur que j'éprouve chaque fois que j'évoque le lieu de ma naissance, l'école de Belvianes, les ténèbres des gorges.

Les camps s'exaspéraient. La République avait la fièvre. Le moment approchait où il lui faudrait mourir d'un côté ou de l'autre, tournée vers l'Alsace-Lorraine ou tournée vers la Commune. Au quartier Latin, ce n'étaient plus Enjolras et Combeferre qui tenaient le haut du pavé, mais les camelots du roi. Ils avaient de terribles cannes et des chapeaux melons à l'épreuve des coups, renforcés intérieurement par un ressort de sommier. Ils chantaient des horreurs :

> *Vive Lucien Lacour, ma mère,*
> *Vive Lucien Lacour !*
> *Il a giflé Briand l'aut'jour,*
> *Vive Lucien Lacour !*
> *Et Viv' le Roi, à bas la République,*
> *Et viv' le Roi, la gueuse on la pendra.*

Ou bien cette jolie strophe bien faite pour séduire les méridionaux :

> *Demain, sur nos tombeaux,*
> *Les blés seront plus beaux,*
> *Formons nos lignes !*
> *Nous aurons cet été*
> *Du vin aux vignes,*
> *Avec la Royauté !*
> *Un' deux ! La France bouge,*

Elle voit rouge!
Un' deux!
Les Français sont chez eux!

En face, Jean Jaurès tenait toute la place. Il était le dernier de la lignée de 93. Que ces étés sont lourds, maintenant, qui couvent la guerre. L'actualité se précipite avec cette allure saccadée, ces sautes d'insectes, que restitue si bien le cinéma muet de l'époque. Jaurès, l'été, mettait le canotier. Il passait souvent un grand mouchoir paysan sur son front en sueur, ou sous sa barbe broussailleuse. Les bustes que je connais de lui, à Perpignan ou à Toulouse, tronqués à hauteur de la tribune, ne disent qu'en partie son importance, le rempart de son corps rustique devant les nuages de mort. Il ne croyait pas à l'équilibre de la terreur. Que j'aimerais l'entendre prononcer, aujourd'hui encore, de sa voix d'airain, cette phrase prophétique, par exemple :

« La somnolente barbarie de la paix assurée est comme un marais dormant où plonge l'illusoire reflet de nuées ardentes... »

Non, on ne peut pas se faire une idée de ce que pesait, vivant, un homme comme lui. La guerre était suspendue à son souffle.

Pour donner sa mesure, pour rendre compte, si possible, du sentiment qu'il inspirait, je préfère vous rapporter une anecdote locale. Un jour, dans une petite gare, un voyageur monta, au hasard des compartiments, dans l'omnibus de Carmaux. On sait que les mineurs de Carmaux avaient fait du normalien Jaurès leur député. Le voyageur essoufflé jette son sac sur le filet à bagages et s'assied. Il y a déjà quelqu'un en face de lui. Le voyageur lève la tête et ses yeux s'agrandissent. Il voit un canotier rejeté en arrière, une chaîne de montre en travers d'un gilet, une barbe en désordre d'où pend la cravate-à-système, d'épais sourcils, un front en sueur. Ce n'est pas possible. Le voyageur se soulève sur son séant et s'enquiert :

— Pardon monsieur, je n'exagère pas, vous êtes bien Monsieur Jaurès?

Ces années d'avant 14, aux étés si chauds, furent la part de bonheur de ma mère. Elle avait épousé l'instituteur de Bizanet. Ils étaient de tous les bals, et Dieu sait si l'on danse à Quillan. Mon père était un fanatique de Jaurès. Après l'école, après le bal, il veillait tard pour écrire des projets de discours qu'il prononcerait le dimanche dans les villages de la montagne. Il allait porter la bonne parole, comme on disait alors. C'était aussi le temps des premiers aéroplanes. Anatole France avait reçu son baptême de l'air dans le biplan de Farman. A Quillan, un héros du ciel, Védrines, se présentait aux élections. Il faisait sa campagne électorale en rase-mottes. Il réussit l'exploit de faufiler ses ailes, à toucher le rocher, tout au long du défilé de Pierre-Lys. On chantait en patois :

Qu'ès acco qué brounzino?
Es lè moutur dé Védrino.

Puis mon père et ma mère obtinrent le poste double de Belvianes, une grande école rien que pour eux; et mon frère aîné, François, jouait déjà sur la terrasse pendant que, dans la chambre du couchant, on installait le berceau qui m'attendait.

L'été suivant, que de fois ma mère me l'a raconté! Il fut encore plus torride. Un soir mon père revint de Quillan tout en larmes. Il sanglotait, paraît-il, comme un enfant. Sans rien pouvoir dire, il me prenait dans mon berceau, j'avais huit mois, et me serrait sur son cœur. Enfin, il donna l'affreuse nouvelle :

— Ils ont osé assassiner Jaurès. C'est la guerre!

Cet homme seul, c'est vrai, dans son omnibus de Carmaux, avait tenu la faucheuse en respect. Lui abattu, c'est des milliers d'instituteurs qui tombaient, les semaines suivantes, du côté de Massiges, dont mon père. On décapitait la République à la mitrailleuse.

C'était une piètre consolation de penser que le misérable qui avait abattu Jaurès s'appelait justement Villain. Jamais un coup de pistolet ne fit tant de morts.

Je ne peux pas laisser Jaurès, allongé sur la banquette du café du Croissant, expirant, sans lui donner une dernière fois la parole.

LA PAIX AVEC NOUS

Nous n'avons pas, nous socialistes, la peur de la guerre. Si elle éclate, nous saurons regarder les événements en face, pour les faire tourner de notre mieux à l'indépendance des nations, à la liberté des peuples, à l'affranchissement des prolétaires. Si nous avons horreur de la guerre ce n'est point par une sentimentalité débile et énervée. Le révolutionnaire se résigne aux souffrances des hommes quand elles sont la condition nécessaire d'un grand progrès humain. Mais dans l'Europe d'aujourd'hui ce n'est pas par les voies de la guerre internationale que l'œuvre de liberté et de justice s'accomplira.

Dans la paix, la croissance de la démocratie et du socialisme est certaine. Certes, d'une guerre européenne peut jaillir la Révolution et les classes dirigeantes feront bien d'y songer.

Mais il en peut sortir aussi, pour une longue période, des crises de contre-révolution, de réaction furieuse, de nationalisme exaspéré, de dictature étouffante, de militarisme monstrueux : une longue chaîne de violences rétrogrades et de haines basses, de représailles et de servitude.

Et nous ne voulons pas exposer, sur un coup de dés sanglant, la certitude d'émancipation progressive des prolétaires.

Nous répudions à fond, aujourd'hui et à jamais, et quelles que puissent être les conjonctures de la fortune changeante, toute pensée de revanche militaire contre l'Allemagne, toute guerre de revanche.

Honnête Jaurès! En affirmant si sereinement que la paix travaillait pour lui, il signait son arrêt de mort, l'arrêt de mort de la « sociale ». Jamais cadavre ne fit creuser de si vastes tombeaux.

Le « coup de dés sanglant » me faisait orphelin :

Je portais comme un devoir les dernières paroles de mon père.

« Ils ont osé assassiner Jaurès! »

On aurait beau faire, plus tard, les veuves ne suffiraient pas à tenir les écoles, les photographies des soldats morts ne suffiraient pas à faire classe.

Il ne restait plus rien, plus personne.

Mais Anatole France?

Il est au désespoir. Le flambeau lui tombe des mains. Écoutez-le, le 6 janvier 1916 :

« Les hommes me font horreur et je serais fort embarrassé de vous dire ce que je hais le plus en eux de leur bêtise ou de leur méchanceté. J'ai trop vécu d'un an et même de soixante-dix ans. Je ne souhaite même plus la fin des horreurs qui désolent l'Europe. Je ne crains ni ne désire plus rien, je n'aspire qu'au néant. »

Mon premier souvenir sans intermédiaire, est celui de l'armistice. J'avais cinq ans. Nous étions « au rang »; nous allions entrer en classe; il était une heure de l'après-midi quand la nouvelle parvint à Belvianes. Je revois ma mère lisant le télégramme officiel, son visage bouleversé. Elle hésita un instant, puis frappa dans ses mains.

— Allez, les enfants. Il n'y aura pas classe. La guerre est finie.

Ce congé inattendu déchaîna l'enthousiasme. Nous nous apprêtions à dégringoler les escaliers, avec la meute, quand ma mère nous rappela, mon frère et moi. Elle était si grave au milieu de toute cette joie et des cloches qui sonnaient! Elle nous prit par la main et nous mena à la salle à manger obscure. Elle poussa un volet pour laisser entrer un peu de lumière, juste un rayon en travers du parquet. Et nous restâmes longtemps devant l'agrandissement de mon père accroché au mur, ne sachant que faire, écoutant sangloter notre mère.

Pourtant il s'était passé quelque chose en 1917. Quelque chose avait tressailli du côté du mur des fédérés. Mais ce n'était pas un cuirassé français qui s'appellerait « Commune de Paris ». Ce n'était pas Paris qui chanterait la chanson d'Eugène Pottier. Ce qui bougeait, c'était la marine russe, c'était Moscou. La légende des communards était allée reprendre vie sur l'autre front. Et celui qui dansa dans la neige quand la Révolution eut deux mois et onze jours, c'est-à-dire un jour de plus que la Commune de Paris, c'est Lénine. Et c'est lui qui dort son dernier sommeil sur la place Rouge, enveloppé du drapeau de l'un des bataillons de la garde nationale du vieux temps des cerises.

En 1917 l'âme de la Commune a déserté Verdun pour aller continuer l'Histoire ailleurs.

L'écho de ces événements parvint en France en 1920, à Tours plus précisément, où ce qui restait de la sociale s'était donné rendez-vous. Ce fut la fameuse scission et la naissance du parti communiste. Non loin de là, à la Béchellerie, sur les bords de la Loire, Anatole France se survivait. Il donna son obole au nouveau parti et son nom parut en tête de liste sur le vieux journal de Jaurès, repris par Cachin, « L'Humanité ». Le camarade Anatole était le dernier tenant de la grande course-relais. En donnant la main à Zola, il donnait la main à Vallès, à Hugo, à Michelet, à Béranger, à Danton. Mais qui lui tendait la main? Le fait est qu'il n'alla pas au Panthéon où sa place pourtant semblait réservée. C'est là, semble-t-il, que quelque chose n'a pas marché dans le passage du témoin.

N'y avait-il plus personne? Ou bien était-ce la torche qui était perdue, emportée trop loin, sur les bords de la Volga et qu'on se passerait désormais, là-bas, de Lénine à Gorki et de Gorki à Pasternak?

Je ne sais pas.

Mais je constate que quand on cherche le tombeau des espérances paternelles on se retrouve errant sur les champs de bataille de la grande guerre.

JOURNÉE NATIONALE
DES ORPHELINS - Guerre 1914.15.16 -

Petits Français et petites Françaises, pour les
enfants dont les papas ne sont plus, donnez ce que
vous pouvez, donnez un peu de votre joie, donnez
un peu de votre bien-être et beaucoup de votre
âme ! Les Orphelins de la guerre sont vos petits
frères et vos petites sœurs -
Ne les oubliez pas -

L'Histoire m'a rattrapé. Je n'ai plus besoin de livres désormais. Je n'ai qu'à fermer les yeux.

Si je veux me souvenir des années agitées de l'après-guerre, ma mémoire découvre soudain une rue grouillante taillée à la hache dans les murs de briques de Toulouse. J'y fais de longs séjours, qui sont mes grandes vacances, dans les odeurs fortes des légumes fermentés et de l'Hygiène publique qui promène ses citernes écœurantes tirées par de vieux chevaux.

Voici ce qui était arrivé à mon oncle Jules. La mévente ayant presque ruiné son père Casimir, il avait décidé d'entrer au chemin de fer. Nous l'avons vu passer dans les gorges de ma première enfance, sur la ligne Quillan-Rivesaltes, avec son fanal et son drapeau rouge.

Plus tard je me souviens de lui, en gare de Floure-Barbaira, installé sur la vigie du wagon de queue, assis dans de la paille, frigorifié, au temps où les trains avaient besoin d'un serre-frein. Je sais qu'il échappa au tamponnement d'Empalot en se jetant sur le ballast, d'où il revint tout saignant. Mais surtout, il fit la grève, la mémorable grève de la compagnie du Midi. Grève dure, interminable, déchirée par les zizanies de Tours et d'autant moins populaire que les cheminots n'étaient pas allés au front. Au bout de quoi il fut révoqué.

Le coup en fit un autre homme. Dans le mois suivant, en grattant les fonds de tiroir, en vendant les derniers pieds de vigne, il réussit à ouvrir une petite épicerie, rue de la Colombette, dans un quartier noirâtre où le rose des briques ressemblait à des plaies. Un relent de grippe espagnole flottait dans le coin.

Oncle Jules ne m'accueillait plus par les mots d'autrefois : « Tu dors, Brutus? » mais par cette phrase rituelle : « Comment vas-tu, camarade syndiqué? »

A midi, quand la sirène de la papeterie voisine mugissait, il fallait s'attendre à l'assaut. D'un instant à l'autre, l'épicerie se remplissait. C'était une clientèle très modeste, qui vivait au jour le jour, achetait le café au gramme, les morceaux de sucre à la douzaine, et l'huile à la burette. Mais c'étaient de braves gens. Je me souviens du coiffeur Manelphe, dont le fils avait une belle voix de baryton et louchait vers le Capitole. Je me souviens de Mᵐᵉ Sébo, ouvrière à la poudrerie, et de ses gaillardises. Je me souviens du forgeron d'en face, Ramondès le râleur, noiraud comme un grillon.

Mon oncle m'emmenait toujours avec lui. Pour le meilleur et pour le pire. Pour le pire c'était trois heures du matin et un charreton criard que nous poussions au long des rails de tramway jusqu'au marché Arnaud-Bernard, d'où nous le ramenions chargé de choux-fleurs, de melons, d'aubergines. Pour le meilleur c'était l'après-midi, à l'Apollo ou à L'American Cosmograph, où nous prenions des places de poulailler pour aller voir jouer Charlot. Le soir enfin, il m'entraînait à des réunions houleuses du côté de la gare, dans des cafés enfumés où il portait la contradiction aux communistes, car il était resté avec les socialos.

En 1924, j'avais onze ans, il y eut le congrès S.F.I.O. à Toulouse. Nous ne manquâmes pas une séance. Le public était aussi ardent qu'aux Ponts jumeaux quand les trois quarts du Stade partaient à l'essai. Les préférés de mon oncle s'appelaient Zyromski et Marceau Pivert. Une fois on m'embaucha à l'entrée pour vendre des cartes postales représentant Jules Guesde, Jean Jaurès et Anatole France. Les trois barbus pour dix sous. On liquidait.

A Barbaira, la politique se présentait sous un jour différent. Les rares hommes qui étaient revenus du front en avaient gros sur le cœur. Il y en a un, en particulier, qui m'avait pris pour confident. Je veux parler de l'admirable Sylvain Condouret qui essaya, sans y parvenir, de m'enseigner le violon. Je ne peux pas résister au plaisir de l'évoquer, avec ses pantalons retroussés, sa cigarette éteinte au coin de la bouche narquoise, sa casquette vissée sur ses cheveux crépus. Il n'eut pas plus de succès en m'initiant aux rites matinaux de la pêche à l'épervier sur la rivière. Pourtant il ne désespérait pas de moi, et posait sa main glacée sur mon épaule.

— Allons, petit, on les aura.

Nous revenions avec des cageots pleins de poisson dont il me donnait une friture, enveloppée dans « l'Humanité », pour ma mère, « la sainte femme ».

J'ai aimé cet homme. Ses pieds nus, d'un blanc cadavérique à force de vivre dans la rivière, me fascinaient. Surtout quand ils battaient la mesure sur le carrelage de terre cuite pendant que le violon de Sylvain Condouret exhalait son âme révolutionnaire dans une « Internationale » endiablée.

— Qu'est-ce que tu en penses, petit? Ça leur fait mal aux oreilles. Tant mieux.

Il y avait aussi, quelques maisons plus haut, Louis Vaquier qui avait des yeux de grenouille derrière trois épaisseurs de lorgnon et dont l'expression la plus courante était celle-ci :

— Si ce que je prétends n'est pas vrai, petit, je veux que la tête me saute à l'instant.

Et il accompagnait cette phrase, dite les yeux exorbités, d'un geste terrible comme s'il avait voulu se trancher la gorge.

Sylvain Condouret et Louis Vaquier furent parmi les fondateurs de la cellule communiste de Barbaira. On les accusait de toucher des roubles. Ils avaient surtout une barrique de vin blanc réservée aux réunions secrètes.

Ils ne pardonnaient pas aux socialistes d'après Jaurès l'union sacrée qui les avait maintenus quatre ans dans les tranchées. La Cellule traitait volontiers la Section de « ramassis de planqués ». La Section haussait les épaules : « des farceurs qui n'ont même pas un drapeau ». Car en ce temps-là, dans les villages, il y avait, je l'ai vu, un drapeau rouge caché derrière une armoire. Le parti socialiste en était très jaloux et ne s'en laissa pas déposséder. Qu'est-il devenu aujourd'hui?

Que retenir de ces années vingt à quarante où la République avait retrouvé son Alsace-Lorraine et perdu son âme? Quels textes? Quels visages?

Comme tribun, j'ai retenu Herriot.

Herriot? Oui, c'est sa grosse tête hirsute qui paraissait le plus souvent à la première page des journaux auxquels ma mère était abonnée : « La Lumière » ou « Le Progrès Civique ». On le reconnaissait tout de suite à sa pipe et à ses cheveux en brosse. Et puis je l'ai vu en chair et en os, à Carcassonne, installé au fond d'une limousine, saluant du gibus, entouré d'un galop de gardes républicains. Il était venu rendre hommage à la vieille cité qui avait décidé, cette année-là, de fêter son bi-millénaire. Enfin sa pèlerine de collégien appartient à la mythologie laïque, comme la gibecière d'Anatole France.

Il en est à jamais revêtu.

UNE PÈLERINE CÉLÈBRE

Quand j'ai connu Maurice Barrès, il avait à peine vingt-cinq ans. Il habitait, rue Legendre, un petit hôtel qu'il partageait avec un peintre de ses amis.

Ses parents lui avaient donné pour gouvernante la sœur de mon père, Céleste Herriot. Parfois, le dimanche matin, je prenais pour mes trois sous, au Panthéon, l'omnibus dont Alphonse Allais soutenait qu'il a fait disparaître les voyageurs par dizaines de milliers, parce que la place Courcelles, son terminus, n'existait pas. Paul-Jean Toulet, lui aussi, le connaissait bien.

Ce Panthéon-Place Courcelles
qui roulait à cris de crécelles
sans au but jamais parvenir.

Je trouvais ma tante dans sa cuisine. Lorsqu'elle avait servi son patron, nous déjeunions à notre tour sur une petite table de bois. Puis elle me disait : « Brosse-toi et va dire bonjour à Monsieur. »
Monsieur me recevait fort gentiment. Il jouissait d'une grande popularité parmi les étudiants et collégiens.
Doté par sa famille de confortable et, à nos yeux, de luxe, Maurice Barrès avait égard à nos misères. Certain dimanche d'hiver, comme il m'a proposé de sortir avec lui, il s'aperçoit que je suis médiocrement vêtu. Le collège Sainte-Barbe nous habillait de petites vestes, ainsi qu'en portent les grooms d'hôtel. J'entends encore un cocher de fiacre me héler rue de Médicis : « Attention, petit, j'vas t'marcher sur ta redingote. » Touché de mon insuffisance vestimentaire, Barrès m'offrit un manteau en ce temps à la mode, que les techniciens dénommaient « ulster ». Je le rapportai en triomphe à Sainte-Barbe, trésor d'autant plus précieux qu'il figurait sur une caricature, dans une revue littéraire du quartier. Je fis part de mon aubaine à Gustave Téry; nous convînmes de nous en parer tour à tour, chaque dimanche.

Ma tante Céleste tomba gravement malade. Maurice Barrès la fit transporter à la Maison Dubois et me prévint. Avant que j'eusse pu aller l'embrasser, la pauvre femme mourait. Un curieux pourrait retrouver, à la mairie de l'arrondissement, la déclaration de son décès, signée de l'écrivain déjà célèbre et d'un pauvre petit collégien. La bonne Mme Blerzy me donna une paire de draps pour que la morte ne fût pas ensevelie dans un linceul d'hôpital. Barrès vint lui dire adieu dans une petite chapelle de l'église Saint-Laurent. Le valet de chambre et moi, nous la conduisîmes au cimetière. Le Raphaël de Balzac dit : « Peu de jeunes gens se sont trouvés, seuls avec leurs pensées, derrière un corbillard, perdus dans Paris, sans avenir, sans fortune. » Comme je comprends cette phrase! Plus tard, quand la politique me séparera de Barrès, je n'oublierai pas ses bontés. A sa mort, je ressentirai plus de chagrin que certains de ses prétendus amis.

Il me fallait aussi un poète. J'ai retenu Jules Romains. Les strophes que l'on va lire s'intitulent « Hymne ». Elles sont datées « Noël 1925, Noël 1936 ». Elles expriment exactement ce que j'aurais à dire sur ces années-là — qui vaut aussi pour les années à venir.

HYMNE

L'école est neuve au flanc de la montagne.
Le vent est vif; il gèle dans l'azur.
Les écoliers réchauffent leurs doigts gourds.
Ne faiblis pas, homme qui les enseigne.

Dis-leur que rien ne vaut contre l'amour;
Qu'il n'est qu'un temps pour le flux des délires;
Et qu'on vaincra les anges souterrains
Par le compas, la balance et la lyre.

Le tableau noir pépiant sous la craie,
Carré magique où le jour vient se prendre,
C'est ton labour à toi; les mots en rang
Ouvrent le sol aux semailles sacrées.

Fais le dessin des fleuves, des batailles;
Montre le jeu de la règle de trois.
Écris le nom des poètes, des rois,
L'esprit du monde est là qui te conseille.

Qu'importe ailleurs une courte furie!
Toute la terre a lentement raison.
Tu n'es pas seul. Paris le Vaste rôde;
New York le Haut surgit entre les monts.

Instituteur, c'est toi, maître d'école,
Que l'homme blanc charge de son dessein;
Et ton soldat, ton calme fantassin,
C'est lui, ô république universelle!

Vint le Front Populaire. J'avais quitté la Sorbonne. Je m'essayais au journalisme. C'était pour copier mon grand ami Audiberti dont j'avais fait la connaissance au café de Flore. Je l'accompagnais dans les banlieues insurgées où il pouvait se rendre en taxi aux frais du « Petit Parisien ». Les ouvriers venaient d'inventer l'occupation des usines. Il faisait beau. Ils étaient juchés sur les immenses toits de tuile. Au pied des murs, leurs mères, leurs épouses remplissaient de vin rouge et de saucisson des paniers qu'ils n'avaient plus qu'à hisser jusqu'à eux, au bout d'un hameçon. Je me souviens de cette pêche miraculeuse du côté d'Issy-les-Moulineaux où il y avait de grands ateliers d'aviation. La marque était peinte sur les murs en hautes lettres noires. Audiberti, qui parlait volontiers en alexandrins, me dit en désignant ces lettres, au-dessus desquelles les grévistes agitaient des drapeaux rouges.

— Et l'on dira Nieuport comme on disait Valmy.

Non, cher Audiberti, Nieuport est resté notre secret. Le grand souffle de l'été 36 est tout de suite retombé.

En vain le Vél' d'Hiv réclamait « des avions, des canons pour l'Espagne ». Je sais bien qu'on peut trouver des excuses : l'impréparation, la pusillanimité, la veulerie, le pacifisme à tout crin. Il n'en reste pas moins qu'une république agonisait à nos portes, sous les coups du fascisme, et criait au secours.

Il n'en reste pas moins qu'on préféra se boucher les oreilles et que c'est le Front Populaire qui accepta cette chose affreuse : « la non-intervention ». Aujourd'hui, même le code pénal appelle cela un crime. C'était surtout une monstrueuse bêtise. Car si le combat de l'Espagne n'intéressait pas la République, aucune guerre, désormais, ne pourrait avoir de sens. On le vit bien, l'année d'après.

Heureusement, pour moi qui ne suis avide que de belles pages, l'Université a sauvé l'honneur. Non pas celle de Paris, bien sûr. Celle de Salamanque. Il est bon d'entendre la voix d'un honnête homme, d'un lointain parent de Condorcet ou d'Edgar Quinet. C'est un historien anglais, Hugh Thomas, qui rapporte la scène.

LE TEMPLE DE L'INTELLIGENCE

C'était le jour de la fête de la Race (12 octobre) et une cérémonie avait lieu dans le vaste amphithéâtre solennel de l'Université de Salamanque. Il y avait là l'évêque, le gouverneur civil, Mme Franco, le général Millan Astray. Et Unamuno, recteur de l'Université, présidait. Après le cérémonial d'ouverture, Millan Astray se livra à une violente attaque contre la Catalogne et les provinces basques, en disant qu'elles étaient comme « des cancers dans le corps de la nation. Le Fascisme qui rend à l'Espagne sa santé, saura bien les extirper en tranchant dans la chair vive comme fait un chirurgien résolu et dégagé de toute fausse sentimentalité ». Au fond de l'amphithéâtre, quelqu'un lança la devise du général : « Viva la muerte! » Alors, Millan Astray cria son habituel mot d'ordre d'excitation de la populace : « Espagne! ». Un certain nombre de gens répondirent : « Une! ». Il reprit : « Espagne! ». « Grande! » dit en chœur une assistance encore hésitante. Mais quand Millan Astray poussa son dernier « Espagne! », ses partisans hurlèrent « Libre! ». Quelques phalangistes, en chemise bleue, firent le salut fasciste devant l'inévitable portrait à la sépia de Franco, accroché au-dessus de l'estrade. Tous les yeux étaient maintenant fixés sur Unamuno. Il se leva lentement et dit :

— Vous attendez tous ce que je vais dire. Vous me connaissez et savez que je ne peux garder le silence. Il y a des circonstances où se taire est mentir. Car le silence peut être interprété comme un acquiescement. Je voudrais ajouter quelque chose au discours — si l'on peut ainsi l'appeler — du général Millan Astray, présent ici parmi nous. Ne parlons pas de l'affront personnel que m'a fait sa violente vitupération contre les Basques et les Catalans. Je suis moi-même né à Bilbao. L'Évêque (et, ici, Unamuno désigna le prélat tremblant assis près de lui), que cela lui plaise ou non, est catalan de Barcelone.

La C.G.T au peuple de France

Roland
Coudon
37

POUR SAUVER LES ENFANTS D'ESPAGNE..
AIDEZ LE COMITÉ D'ACCUEIL

213, RUE LAFAYETTE . Chèque postal : Paris 6284

Il marqua un temps d'arrêt. Il régnait un silence terrible. Aucun discours de ce genre n'avait jamais été prononcé en Espagne nationaliste. Qu'allait dire encore le recteur? Il reprit :

— Je viens d'entendre un cri morbide et dénué de sens : Vive la mort! Et moi, qui ai passé ma vie à façonner des paradoxes qui ont soulevé l'irritation de ceux qui ne les saisissaient pas, je dois vous dire, en ma qualité d'expert, que ce paradoxe barbare est pour moi répugnant. Le général Millan Astray est un infirme. Disons-le, sans arrière-pensée discourtoise. Il est invalide de guerre. Cervantès l'était aussi. Malheureusement, il y a aujourd'hui, en Espagne, beaucoup trop d'infirmes, et il y en aura bientôt encore plus, si Dieu ne nous vient pas en aide. Je souffre à la pensée que le général Millan Astray pourrait fixer les bases d'une psychologie de masse. Un infirme qui n'a pas la grandeur spirituelle d'un Cervantès recherche habituellement son soulagement dans les mutilations qu'il peut faire subir autour de lui.

Arrivé à ce point, Millan Astray ne put se retenir plus longtemps. « Abajo la inteligencia! » — s'écria-t-il — « Viva la muerte! ». Une clameur prouva qu'il avait le soutien des phalangistes. Mais Unamuno poursuivit : — Cette Université est le temple de l'intelligence. Et je suis son grand prêtre. C'est vous qui profanez son enceinte sacrée. Vous vaincrez, parce que vous possédez plus de force brutale qu'il ne vous en faut. Mais vous ne convaincrez pas. Car, pour convaincre, il faudrait que vous persuadiez. Or, pour persuader, il vous faudrait avoir ce qui vous manque : la Raison et le Droit dans la lutte. Je considère comme inutile de vous exhorter à penser à l'Espagne. J'ai terminé.

Il y eut un long silence. Puis, dans un courageux élan, le professeur de droit canonique se leva et sortit, avec le recteur à un bras et Mme Franco à l'autre. Mais ce fut la dernière conférence d'Unamuno.

Encore une question, pourtant. Y a-t-il eu une IVe République? Auquel cas mon livre qui n'en compte que trois serait incomplet.

Je ne le pense pas. Je crois que pour ceux qui regarderont en arrière, dans cinquante ans, Vichy n'aura été qu'un entracte. Un « ordre moral », comme celui de Mac-Mahon, qui lui aussi avait duré quatre ans, de 1873 à 1877, sans interrompre la République du 4 septembre. Je crois que la Troisième a duré au moins jusqu'au départ prématuré de son dernier président, René Coty; au plus jusqu'à la fin, rue d'Isly, de son rêve impérial.

Ainsi le vieux jacobinisme expirait en deux fois. A Madrid il avait rendu son âme rouge, à Alger il poussait son dernier soupir tricolore. Le comble c'est qu'au temps de Madrid, l'internationale était au pouvoir, et au temps d'Alger, le nationalisme. Il n'y a rien de plus affreux que la mort qui vient sous un visage ami.

Quand une République meurt, il y a quelque chose qui ne trompe pas. C'est le style des ministres. Il change du tout au tout. Dès que la République n'est plus là, dès que le pouvoir vient d'en haut, que ce soit Villèle sous Charles X ou Broglie sous Mac-Mahon, ils adoptent le ton inimitable de la condescendance. C'est la preuve majeure.

Je ne pense pas qu'il y ait eu un changement de ton sous la Quatrième. Tous les ministres d'alors, Ramadier l'intègre ou Queuille le raccommodeur, auraient pu aussi bien appartenir à une combinaison Dufaure, à un replâtrage Meline ou à un cabinet Millerand. Et Vincent Auriol ne dépare nullement la galerie de nos présidents débonnaires. Au contraire. Il m'est d'autant plus précieux, dans cette mythologie, qu'il est né fils de boulanger, au pied de ma montagne noire, à Revel, d'où était mon grand-père, et qu'il fut l'avocat des cheminots toulousains, lors de la fameuse grève de l'oncle Jules.

Certes, il y a eu la Libération.

Ce fut aussi mon affaire.

Dans les années 40, j'avais suivi la République en retraite quand elle avait préféré se réfugier dans ses villages, dans ses maquis embaumés. C'était une occasion merveilleuse pour moi de revenir au pays. J'allais réaliser un doux rêve d'enfance : habiter les tours de Floure qui se cachent sous les platanes. C'est là qu'un jour d'août 1944, dans un petit salon voûté dont la porte vitrée ouvrait directement sur la place, nous nous réunîmes à cinq pour constituer, sous ma présidence, le Comité de Libération. Vers onze heures, heure propice aux gestes historiques, nous sortîmes soudain pour aller prendre possession de la mairie. Il n'y avait guère que la place à traverser. Le village comprit tout de suite et commença à s'assembler. Il fallait lui offrir quelque chose. Nous nous sommes mis en quête de Marianne. Elle avait été soigneusement cachée sous un tas de charbon. Nous l'avons essuyée avec le tapis de la table de délibération et, faute d'eau, en crachant un peu sur ses pauvres joues sales. Bien débarbouillée, elle faisait encore figure. On me chargea de la présenter au village, par la fenêtre ouverte. Je la pris dans mes bras. J'étais très ému. Je n'avais jamais parlé en public. J'eus l'inspiration très courte. Tout ce que je parvins à dire, c'est ceci, en la montrant à bout de bras :

— La voici. Elle est revenue.

Je raconte cela pour apporter la preuve qu'il n'y a pas eu de Marianne IV, mais que c'est Marianne III qui est ressortie de sa cachette, le moment venu. Pas un instant je n'ai eu le sentiment de vivre une révolution, mais plutôt, à ma honte, une espèce de tour de passe-passe.

Mais je veux rendre hommage à Marianne sous son tas de charbon, à Marianne résistante. Elle a, pour quelques mois, remis à l'honneur Enjolras. Il m'est apparu, un jour, sur le quai de la gare de Carcassonne, avec son sac tyrolien sur le dos, sa canadienne fourrée, son grand béret de traviole, sa barbe mal rasée. Certes, c'était Enjolras, dans la clandestinité. Mais j'avais tout de suite reconnu Jean Miailhe.

— Que deviens-tu, Jean?

Il me fit un léger sourire de biais et répondit par ce seul mot :

— Terroriste!

Au maquis, pas d'Enjolras sans Combeferre. Rappelez-vous : Victor Hugo nous a mis ces deux archanges en tête, l'un avec des ailes d'aigle, l'autre avec des ailes de cygne. Cette fois, ils allaient avoir pour symbole, grâce à Aragon, le réséda et la rose.

LA ROSE ET LE RÉSÉDA

Celui qui croyait au ciel
Celui qui n'y croyait pas
Tous deux adoraient la belle
Prisonnière des soldats

Lequel montait à l'échelle
Et lequel guettait en bas
Celui qui croyait au ciel
Celui qui n'y croyait pas

Qu'importe comment s'appelle
Cette clarté sur leurs pas
Que l'un fût de la chapelle
Et l'autre s'y dérobât
Celui qui croyait au ciel
Celui qui n'y croyait pas

Tous les deux étaient fidèles
Des lèvres du cœur des bras
Et tous les deux disaient qu'elle
Vive et qui vivra verra
Celui qui croyait au ciel
Celui qui n'y croyait pas

Quand les blés sont sous la grêle
Fou qui fait le délicat
Fou qui songe à ses querelles
Au cœur du commun combat
Celui qui croyait au ciel
Celui qui n'y croyait pas

Du haut de la citadelle
La sentinelle tira
Par deux fois et l'un chancelle
L'autre tombe qui mourra
Celui qui croyait au ciel
Celui qui n'y croyait pas

Ils sont en prison Lequel
A le plus triste grabat
Lequel plus que l'autre gèle
Lequel préfère les rats
Celui qui croyait au Ciel
Celui qui n'y croyait pas

Un rebelle est un rebelle
Nos sanglots font un seul glas
Et quand vient l'aube cruelle
Passent de vie à trépas
Celui qui croyait au Ciel
Celui qui n'y croyait pas

Répétant le nom de celle
Qu'aucun des deux ne trompa
Et leur sang rouge ruisselle

Même couleur, même éclat
Celui qui croyait au ciel
Celui qui n'y croyait pas

Il coule il coule et se mêle
A la terre qu'il aima
Pour qu'à la saison nouvelle
Mûrisse un raisin muscat
Celui qui croyait au ciel
Celui qui n'y croyait pas

L'un court et l'autre a des ailes
De Bretagne ou du Jura
Et framboise ou mirabelle
Le grillon rechantera
Dites flûte ou violoncelle
L'alouette et l'hirondelle
La rose et le réséda

La nuit, vers mes gorges natales, une femme à la grande bouche ouverte d'où ne sortait aucun son, aux yeux furieux, nue sous son péplum, descendait du bas-relief de Rude, enjambait la barricade de Delacroix, venait rejoindre sous les hêtres, dans la clairière secrète, les pauvres petits transis de « l'invincible FAÏTA », espagnols et occitans pelotonnés dans le même rêve. Paul Eluard l'a rencontrée sur un sentier qui n'est qu'à lui.

UNE SEULE PENSÉE

Sur mes cahiers d'écolier
Sur mon pupitre et les arbres
Sur le sable sur la neige
J'écris ton nom

Sur toutes les pages lues
Sur toutes les pages blanches
Pierre sang papier ou cendre
J'écris ton nom

Sur les images dorées
Sur les armes des guerriers
Sur la couronne des rois
J'écris ton nom

Sur la jungle et le désert
Sur les nids sur les genêts
Sur l'écho de mon enfance
J'écris ton nom

Sur les merveilles des nuits
Sur le pain blanc des journées
Sur les saisons fiancées
J'écris ton nom

Sur tous mes chiffons d'azur
Sur l'étang soleil moisi
Sur le lac lune vivante
J'écris ton nom

LAS JUVENTUDES LIBERTARIAS .

LUCHAN y TRABAJAN por la REVOLUCION

S.R.I.
SOCORRO ROJO INTERNACIONAL

¡ENTREGA tu DONATIVO!
PARA AYUDAR a las VIUDAS de los ANTIFASCISTAS
FUSILADOS en TERRITORIO ENEMIGO

FRENCH RESISTANCE
HELPS THROTTLE THE BOCHE

PAUL COLIN

1945 20ème ANNIVERSAIRE **1965**
DE LA LIBÉRATION DES CAMPS DE CONCENTRATION
FÉDÉRATION NATIONALE DES DÉPORTÉS ET INTERNÉS RÉSISTANTS ET PATRIOTES
(F.N.D.I.R.P.) 10 RUE LEROUX PARIS 16e

Sur les champs sur l'horizon
Sur les ailes des oiseaux
Et sur le moulin des ombres
J'écris ton nom

Sur chaque bouffée d'aurore
Sur la mer sur les bateaux
Sur la montagne démente
J'écris ton nom

Sur la mousse des nuages
Sur les sueurs de l'orage
Sur la pluie épaisse et fade
J'écris ton nom

Sur les formes scintillantes
Sur les cloches des couleurs
Sur la vérité physique
J'écris ton nom

Sur les sentiers éveillés
Sur les routes déployées
Sur les places qui débordent
J'écris ton nom

Sur la lampe qui s'allume
Sur la lampe qui s'éteint
Sur mes maisons réunies
J'écris ton nom

Sur le fruit coupé en deux
Du miroir et de ma chambre
Sur mon lit coquille vide
J'écris ton nom

Sur mon chien gourmand et tendre
Sur ses oreilles dressées
Sur sa patte maladroite
J'écris ton nom

Sur le tremplin de ma porte
Sur les objets familiers
Sur le flot du feu béni
J'écris ton nom

Sur toute chair accordée
Sur le front de mes amis
Sur chaque main qui se tend
J'écris ton nom

Sur la vitre des surprises
Sur les lèvres attentives
Bien au-dessus du silence
J'écris ton nom

Sur mes refuges détruits
Sur mes phares écroulés
Sur les murs de mon ennui
J'écris ton nom

Sur l'absence sans désirs
Sur la solitude nue
Sur les marches de la mort
J'écris ton nom

Sur la santé revenue
Sur le risque disparu
Sur l'espoir sans souvenirs
J'écris ton nom

Et par le pouvoir d'un mot
Je recommence ma vie
Je suis né pour te connaître
Pour te nommer

Liberté.

L'An II avait eu Marie-Joseph Chénier, et Rouget de Lisle. Les Trois Glorieuses inspirèrent Casimir Delavigne. C'est Alexandre Dumas qui donna le Chant des Girondins aux journées de 48. Les nuits de nos montagnes réclamaient un hymne feutré, un hymne à pas de loup. Il leur tomba du ciel, dans un container, parmi les armes. Ces strophes parachutées passèrent de bouche en bouche, de colline en colline.

LE CHANT DES PARTISANS

Ami entends-tu
Le vol noir des corbeaux
Sur nos plaines...
Ami entends-tu
Les cris sourds du pays
Qu'on enchaîne...

Ohé! partisans
Ouvriers et paysans,
C'est l'alarme...
Ce soir l'ennemi
Connaîtra le prix du sang
Et des larmes!

Montez de la mine,
Descendez des collines,
Camarades;
Sortez de la paille
Les fusils, la mitraille,
Les grenades...

Ohé! les tueurs,
A la balle et au couteau,
Tuez vite...
Ohé! saboteur
Attention à ton fardeau
Dynamite!

C'est nous qui brisons
Les barreaux des prisons,
Pour nos frères;
La haine à nos trousses
Et la faim qui nous pousse,
La misère...

Il y a des pays
Où les gens au creux des lits,
Font des rêves;
Ici, nous, vois-tu,
Nous on marche et nous on tue,
Nous on crève...

Ici, chacun sait
Ce qu'il veut, ce qu'il fait
Quand il passe;

Ami, si tu tombes,
Un ami sort de l'ombre
A ta place...

Demain du sang noir
Séchera au grand soleil
Sur les routes;
Chantez compagnons,
Dans la nuit la liberté
Nous écoute...

Ami entends-tu
Les cris sourds du pays
Qu'on enchaîne...
Ami entends-tu
Le vol noir des corbeaux
Sur nos plaines...

Les paroles du Chant des Partisans avaient pour auteurs deux romanciers qui s'étaient faits poètes, l'oncle et le neveu, tignasse brune et tignasse rousse mêlées au-dessus d'un piano époumoné dans quelque bar de l'escadrille — Joseph Kessel et Maurice Druon. J'aime que ce livre puisse finir par le pendant de la scène fameuse où La Marseillaise prend son vol sur le clavier des demoiselles Dietrich à Strasbourg, comme nous l'a raconté Lamartine. Cette fois c'est Maurice Druon qui a bien voulu écrire « comment fut composé le chant des Partisans ».

LA GUITARE DE LA RÉSISTANCE

Au début de 1943, alors que nous venions, Joseph Kessel et moi, d'arriver depuis peu à Londres par les Pyrénées et l'Espagne, notre ami Emmanuel d'Astier, chef du mouvement « Libération » et lui-même débarquant de France au cours d'une de ses missions clandestines, nous demanda de composer un chant qu'il pût rapporter aux combattants de la Résistance et des maquis.
D'autre part, il était nécessaire de trouver un indicatif musical pour le poste émetteur « Honneur et Patrie », qui diffusait d'Angleterre les consignes de la lutte secrète établies par un comité de guerre franco-britannique.
Nous avions entendu, dans l'atmosphère assez particulière des nuits de blitz, une musique due à une jeune compositrice d'origine slave, Anna Marly, qui chantait fréquemment au « Petit Club Français » de Londres. Cette musique nous parut, aux uns et aux autres, convenir et pour l'indicatif et pour le chant souhaité.
Ce fut dans un petit hôtel des environs de Londres, Ashdown Park, à Coulsdon, que Kessel et moi écrivîmes les paroles.
Cet hôtel, tenu par un vieux cuisinier français, était le lieu de rencontre, en fin de semaine, de nombreux officiers de la France Libre et de délégués

de la Résistance. Parmi les habitués d'Ahsdown Park, nous nous rappelons Médéric et Bissagnet, morts au combat, Hettier de Boislambert, aujourd'hui Grand Chancelier de l'ordre de la Libération, le Général de Boissoudy, le gouverneur François Baron, les députés Fernand Grenier et Waldeck-Rochet.

Plusieurs d'entre eux se trouvaient là, le dimanche de mai où nous nous enfermâmes, Kessel et moi, dans le salon de l'hôtel. Tout l'après-midi nous travaillâmes. Le soir, « Le Chant des Partisans » était terminé.

Nous nous rendîmes après dîner chez Emmanuel d'Astier, à Londres, où nous retrouvâmes notre compositrice, Anna Marly, et d'autres amis. Ils furent les premiers à entendre et à reprendre « Les Partisans » tandis que j'en enseignais les paroles à Anna Marly qui s'accompagnait à la guitare. Et le chant fut adopté, dès ce soir-là, comme chant de la Résistance.

L'air des « Partisans » servit d'indicatif aux émissions d' « Honneur et Patrie », sans accompagnement d'instrument, simplement sifflé par les trois animateurs de ce poste, André Gillois, Claude Dauphin et moi-même. Puis la chanteuse Germaine Sablon, qui était également présente à la soirée d'Astier, fit le premier enregistrement du « Chant des Partisans », diffusé par les antennes de la B.B.C.

Emmanuel d'Astier rapporta le chant en France ; les paroles en furent imprimées dans « Les Cahiers de Libération », en septembre 1943.

En même temps, l'Angleterre et l'Amérique apprenaient à le connaître sous le titre d' « Underground song ».

Dès lors, le destin de ce chant n'appartenait plus à ses auteurs mais aux hommes et aux femmes du « peuple de la nuit » dont il fut, pour reprendre l'expression de Malraux, « le chant du malheur », aux réfractaires des maquis, aux prisonniers qui le chantèrent derrière les barreaux des cellules, aux insurgés des barricades parisiennes, aux combattants volontaires qui en firent jusqu'au Rhin le chant de marche de la Libération.

En 1962, « Le Chant des Partisans », a été, par décision du gouvernement, inscrit au nombre des hymnes patriotiques.

A la République de l'ombre, avant de tourner la page, je voudrais dédier un dernier poème. J'ai choisi Léon Moussinac. Je l'avais connu aux premiers jours du Front Populaire, dans un café de Montparnasse. Il avait une bonne tête brune de cheminot aux sourcils charbonneux. Je l'ai choisi surtout parce que son poème nous ramène en Quercy, qui est la haute terre de la liberté, où l'on croit toujours entendre, roulant des galets comme le Lot ou le Tarn, les voix sauvages de Gambetta et de Jaurès.

Ce sera notre dernière fête.

LE 14 JUILLET A SAINT-CÉRÉ

Dès le matin dans le soleil
S'était levé un arc-en-ciel
De parachutes sur les crêtes.

Messagers d'aide et de secours
A ceux des maquis et des bourgs
Nos amis furent de la fête.

Du haut des Tours de Saint-Laurent
— Mais où sont les guerres d'antan —
Sœur Anne guettait l'espérance.

Du haut de notre souvenir
Ce jour-là on vit l'avenir
Venir par les routes de France.

Les filles en leurs beaux atours
Dont les yeux fleuraient bon l'amour
Vendaient des drapeaux tricolores.

Tous les hommes se tenaient droits
Et le vieux clocher de l'endroit
S'était levé avant l'aurore.

Le défilé des partisans
Se rythmait aux refrains du vent
Le silence agita ses palmes.

L'ombre des morts devant le mur
Le sang frais couleur de fruit mûr
Donnaient au jour sa haine calme.

Quelqu'un dit ces mots exaltés
Dont se fleurit la liberté
La voix reverdissait les tombes.

Les armes avaient dans l'air doux
L'éclat dur des juillets debout
De la colère et des colombes.

Puis la « Marseillaise » en passant
Haute et grave comme un serment
Dora les blés et les prairies.

Au fond des cœurs du renouveau
Sonnait, sonnait le pur écho
De nos cloches de Normandie.

France, retrouve ton Quercy
Qu'une victoire sans merci
Vive avec la chanson des haies.

> Qu'une vengeance sans remords
> Et sans larmes sauve les morts
> O France, rose de nos plaies.

Je ne peux pas me résoudre au mot fin sans me retourner encore vers l'Espagne. J'y avais été envoyé par mon journal quand elle mourait sur les routes. En fin de compte, de défaite en défaite, il ne restait plus qu'un dernier poste sur la crête du cap Cerbère.

Rappelle-toi, capitaine de Llano. C'est toi qui tenais ce dernier poste. Un officier français m'avait prêté de puissantes jumelles dans lesquelles nous regardions à tour de rôle la crête d'en face vers le sud, où allait surgir l'ennemi. Et soudain ce fut comme une floraison de coquelicots. Là-bas les Navarrais, avec leur béret rouge, avançaient en rampant. Il faisait un vent terrible, rappelle-toi, et nous étions obligés de nous mettre à l'abri du poste. Le drapeau violet, jaune et rouge flottait encore au-dessus. Tu l'as fait descendre, tu l'as soigneusement plié et tu me l'as confié. Puis tu es allé chercher une scie dans la baraque et lentement, obstinément, tu as scié le mât. Tu voulais ainsi retarder l'instant où flotterait bientôt le drapeau que tu détestais. Et pourtant ton oncle se battait en face; il était célèbre; il délirait au micro de Séville; il s'appelait Queipo de Llano. Toi, l'étudiant, tu avais choisi la République et l'heure était venue de fermer boutique. Je me souviens de ce vent qui soulevait si haut les vagues de la mer. Je me souviens du ciel gris où couraient les nuages. Une fois encore tu es rentré dans la baraque et tu es revenu avec un morceau de craie. Je t'ai demandé :

— Tu n'emportes pas tes livres ?

C'est que je te voyais toujours plongé dans Gongora.

Tu as haussé les épaules.

— Ils sont mieux en Espagne. Ils sont chez eux.

Avec le morceau de craie, tu as écrit une injure sur la porte à l'adresse du prochain occupant. Tu as écrit :

« Franco est un bouc. »

Enfin c'était fini. Tu as regardé une dernière fois à la jumelle les coquelicots qui descendaient à flanc de colline au-dessus de Port-Bou. Tu m'as rendu les jumelles. Tu t'es raidi et tu as salué militairement ces horizons âpres auxquels il fallait tourner le dos : l'Espagne. C'était fini. Mais soudain le vent a soufflé encore plus fort. Tu avais eu beau enfoncer ta casquette d'officier jusqu'aux oreilles, il te l'a prise et l'a ramenée en Espagne. Il t'a fallu courir après, bêtement, sur ces rochers blancs où ne poussent que des épines. Elle semblait jouer avec toi. Deux fois au moins tu es tombé à genoux. A la fin tu l'as rattrapée et tu es revenu en courant vers la France. Mais cette fois c'en était trop. Ton visage ruisselait de larmes.

Je n'oublierai jamais tes larmes, capitaine de Llano, ni le grand vent qui soufflait ce jour-là sur Cerbère.

Floure - Neuilly

(Vendémiaire-Messidor An 173).

PALMARÈS DES POÈTES OFFICIELS DE LA RÉPUBLIQUE ET DE SES ÉVANGÉLISTES

(classés par ordre chronologique d'après leur date de naissance)

Philippe FABRE D'ÉGLANTINE (1 fois cité - 1 fois évoqué).

1750 Carcassonne - 1794 Paris.

Et aussi, à son propos :

Je suis fier que vienne en tête sa tête coupée, comme celle d'un Jean-Baptiste. C'est qu'il a baptisé l'ère nouvelle, en nommant autrement les vieux mois éculés. Et puis, c'est un enfant de mon Aude natale.

Lazare CARNOT (1 fois cité).

1753 Nolay - 1823 Magdebourg.

Il a fait du Panthéon son caveau de famille. Il a laissé trois prénoms originaux aux trois Républiques : le sien, Lazare, à la première; celui de son fils, Hippolyte, à la seconde; celui de son petit-fils, Sadi, à la troisième. Un nombre incroyable de rues, de places, de boulevards et d'avenues, en France, sont dédiés à la trinité Carnot.

Claude ROUGET DE LISLE (3 fois cité - 4 fois évoqué).

1760 Lons-le-Saunier - 1836 Choisy-le-Roi.

On le présente toujours, en jouant sur les mots, comme un officier du génie. Il en eut, une nuit, à Strasbourg. On lira aussi, à ce sujet :

Nous n'en serons pas quittes pour autant. Nous le retrouverons, pauvre vieux, sous Louis-Philippe :

Enfin, sous la Troisième, quand on lui rend les honneurs posthumes :

Marie-Joseph CHÉNIER (3 fois cité).

1764 Constantinople - 1811 Paris.

Nous avons tenté, au passage, la réhabilitation de cet enfant de l'Aude (encore que né en Turquie), qui fut traqué jusqu'à la mort, avec cette question : « Caïn, qu'as-tu fait de ton frère? ». Le Chant du Départ est le credo de la République : il nous a fourni le titre de ce livre.

Paul-Louis COURIER (1 fois cité).

1772 Paris - 1825 Veretz (Indre-et-Loire).

Sans lui, on pouvait croire la République morte, sous le drapeau blanc qui était son linceul.

Pierre-Jean BÉRANGER (2 fois cité - 1 fois évoqué).

1780 Paris - 1857 Paris.

Et pour lui servir d'épitaphe :

En 1789, il avait neuf ans. Du toit de son pensionnat il assista à la prise de la Bastille, et s'en souvint. Il assura le relais entre Marianne I, décapitée, et Marianne II, qui commençait à bouger sous son linceul.

Alphonse de LAMARTINE (6 fois cité - 1 fois évoqué).

1790 Mâcon - 1869 Paris.

Il faut lire aussi le reportage qui lui est consacré :

Il est né un an après 89. Il est mort un an avant 70. Il a raté l'entrée et la sortie. Mais, au beau milieu du XIXe siècle, il est le plus grand, debout sur la table qui lui sert d'estrade. Il domine la seconde génération de la République.

Casimir DELAVIGNE (2 fois cité).
1793 Le Havre - 1843 Lyon.

Il a donné son hymne à la révolution avortée de 1830. Surtout, grâce à l'Eurotas bordé de lauriers roses, il a ramené l'idée républicaine aux sources salubres de Sparte. Enfin, il a mis à la mode le mot « carbonari ».

Auguste-Marseille BARTHÉLEMY (1 fois cité).
1796 Marseille - 1867 Marseille.

La République avait la Marseillaise. Il est, par excellence, le Marseillais. Il porte même le nom de sa ville natale en guise de prénom. Il est de ceux, avec Béranger et Delavigne, qui ont soufflé sur la braise endormie pour ranimer les flammes tricolores.

Jules MICHELET (8 fois cité - 1 fois évoqué).
1798 Paris - 1874 Hyères.

Et aussi le professeur Michelet, vu par un de ses étudiants :

Il eut, surtout, un rôle de prédicateur. Il prêcha l'évangile laïque. Il fut le médium par lequel la génération décapitée put parler à la postérité. On eût dit que tout le sang de la Terreur était retombé sur son berceau.

Victor-Marie HUGO (18 fois cité).
1802 Besançon - 1885 Paris.

Il déborde le siècle qu'il remplit. Il appartient aux trois Républiques à la fois. A la première il a donné, rétrospectivement, l'hymne des soldats de l'An II. A la seconde il a donné Gavroche. A la troisième il a donné dix-neuf ans de sa vie, dix-neuf ans d'exil sur lesquels elle est fondée, comme un phare sur un rocher. C'est le saint Paul de la religion laïque. Il est présent à chaque célébration.

Alexandre DUMAS (1 fois cité).
1802 Villers-Cotterêts - 1870 Puys.

On sera surpris de le trouver ici, encore qu'il ait fait le coup de feu en 1830. C'est qu'il a signé les paroles d'un des chants officiels de la République, celui des journées de Février 1848 qui souleva les pavés de Paris.

Edgar QUINET (3 fois cité).
1803 Bourg-en-Bresse - 1875 Paris

Derrière son nom célèbre, il y a un inconnu que vous aimerez. Et vous n'oublierez plus que Madame Quinet se prénommait Hermione.

Auguste BARBIER (1 fois cité).
1805 Paris - 1882 Nice.

C'est la révélation de ce livre : un grand poète dédaigné qui eut du génie à l'âge de vingt-cinq ans, en 1830.

Hégésippe MOREAU (2 fois cité).
1810 Paris - 1838 Paris (à la Charité).

Nous connaissions mystérieusement sa Voulzie. Vous savez? « S'il est un nom très doux, fait pour la poésie. » Le voici remis en place, dans la mythologie républicaine, ardent et poitrinaire, de l'orphelinat à l'hôpital, en passant par les barricades.

Louis BLANC (6 fois cité).
1811 Madrid - 1862 Cannes.

Comme Edgar Quinet, comme Hugo, comme Michelet, il a d'abord ressuscité la Révolution, avant de la vivre. Il a vécu au premier plan celle de 48 — avec Lamartine. Il ne se lit pas; il se chante : « Reviens, Louis Blanc, viens parler au vieux monde... ».

Eugène POTTIER (2 fois cité).
1816 Paris - 1887 Paris (à l'hôpital).

Que l'auteur de « l'Internationale », qui eut son heure de gloire sous le Front Populaire, soit né le lendemain de Waterloo, a de quoi surprendre. Comment imaginer cette longue vie, presque parallèle à celle de Victor Hugo, et qui n'émerge qu'une fois, en 1871, le temps d'un printemps, celui de la Commune? Son destin posthume lui a fait faire le tour du monde.

Pierre DUPONT (4 fois cité).
1821 Lyon - 1870 Lyon.

Il y avait autre chose que deux grands bœufs, dans son étable. Il y avait la faux des révoltes, cachée sous la paille. Les cyprès de la Croix-Rousse ont bercé sa colère. Il honore Lyon, véritable capitale de la République.

Eugène MANUEL (1 fois cité).
1823 Paris - 1901 Paris.

Il est le doyen de ces poètes officiels de la Troisième triomphante, qui furent à la République ce qu'avaient été, aux Rois, les poètes de cour. Ils excellèrent dans la poésie de circonstance, et nos vieux livres d'école leur ont fait un sort.

Louis RATISBONNE (1 fois cité).
1827 Strasbourg - 1900 Paris.

Voir ci-dessus. Détail supplémentaire : comme la Marseillaise, il était né à Strasbourg.

Louise MICHEL (1 fois citée).
1830 Vroncourt-la-Côte (Haute-Marne) - 1905 Marseille.

Lire aussi les vers qui lui sont dédiés :

Elle est « la Pasionaria » de la Commune. Une chapelle lui est consacrée dans l'église laïque. En fait, elle a de très haut dépassé l'anecdote et on lui doit, en quelque sorte, la « Déclaration des droits de la femme. »

Jules VALLÈS (2 fois cité).
1832 Le Puy - 1885 Paris.

Il joue un rôle décisif dans notre course-relais. Il a pris des mains de Michelet la torche allumée en 1789. Elle mettra le feu sous la Commune.

Jean-Baptiste CLÉMENT (1 fois cité).
1837 Boulogne-sur-Seine - 1903 Paris.

Premier poète de la ceinture rouge. Le Temps des cerises qu'il a chanté, c'est le printemps des Communards (il fut l'un d'eux), dont il porte au cœur une plaie ouverte.

Léon GAMBETTA (3 fois cité).
1838 Cahors - 1882 Ville d'Avray.

Est monté au ciel. Son ballon est au plafond de la religion laïque. Sa voix prodigieuse s'intercale entre celles de Danton et de Jaurès. Mon livre en vibre encore. Mort à quarante-quatre ans, trop tôt.

Émile ZOLA (6 fois cité).

1840 Paris - 1902 Paris.

— Le 18 mars	268
— L'Incendie	268
— Sans travail	308
— La Locomotive	313
— « J'accuse »	318
— Lettre à la jeunesse	319

Il se dresse, dans une buée rouge de charbon, à l'aube du XXe siècle. Celui-ci n'avait que deux ans quand, asphyxié par l'oxyde de carbone, Zola rejoint Hugo au Panthéon.

Anatole FRANCE (3 fois cité).

1844 Paris - 1924 Saint-Cyr-sur-Loire.

— Sadi Carnot	327
— Monsieur Bergeret	328
— Ce qu'est la République	329

A prononcé l'oraison funèbre de Zola; mais ne l'a pas suivi au Panthéon : il semble qu'en 1924 la torche-témoin, qui passait de main en main depuis 1789, n'ait pas trouvé preneur. Ou bien, emportée en contrebande par Lénine, poursuit-elle sa course là-bas, depuis 1917?

Jean AICARD (1 fois cité).

1848 Toulon - 1921 Paris.

— Le Grand Chantier	282

Le plus doué des poètes de cour de Marianne III. Sa muse était au service du « politburo » qui dota la France, en vingt ans, de ses écoles communales, de ses saints laïques et de ses morceaux choisis sacrés.

Jules JOUY (1 fois cité).

1855 Paris - 1897 Paris.

— Le Tombeau des fusillés	298

Il a seize ans sous la Commune. Il n'a pas oublié « les morts sans cercueil ». Il est un des promoteurs de la cérémonie des œillets rouges au mur des fédérés.

Jean JAURÈS (1 fois cité).

1859 Castres - 1914 Paris.

— La Paix avec nous	348

Il fut assassiné au café du Croissant. En même temps allaient tomber, sous une faux plus impitoyable que la guillotine, toutes les têtes qui avaient cru en lui. En 1916, Anatole France pouvait justement désespérer : « Je n'aspire qu'au néant. »

MONTEHUS (2 fois cité).

1872 Paris (Belleville) - 1952 Paris.

— Gloire au dix-septième	344
— La Jeune Garde	345

Ce baladin des faubourgs mérite sa place parmi les « officiels ». Il a inscrit deux hymnes, l'un de révolte, l'autre d'assaut, au répertoire du Grand Soir.

Jules ROMAINS (1 fois cité).

1885 Saint-Julien-Chapteuil (Haute-Loire).

— Hymne	358

En toute logique, le flambeau d'Anatole France aurait dû passer dans ses mains. Mais il n'y avait plus de flambeau. Cependant son grand livre « Les Hommes de bonne volonté » s'inscrit dans la lignée. Nous avons retenu le poète, dont je peux citer de mémoire ces vers dédiés à sa Haute-Loire : « Je regrette un village — au pied du Mont Mézenc — j'y fus heureux un soir — lorsque j'avais quinze ans... ».

Léon MOUSSINAC (1 fois cité).

1890 Migennes (Yonne).

— Le 14 juillet à Saint-Céré	369

Nous lui avons laissé l'honneur de tirer le feu d'artifice final de ce livre. Il appartient à la génération d'après Tours (1920). Pour lui, comme pour ceux dont les noms suivent, la lumière éteinte dans la boue de la Grande Guerre s'est rallumée du côté de l'Oural.

Paul ÉLUARD (1 fois cité).

1895 Saint-Denis (Seine) - 1952 Charenton-le-Pont.

— Une seule pensée	364

Second poète de la banlieue rouge, après Jean-Baptiste Clément. Sa muse délicate s'est affermie au souffle du maquis.

Louis ARAGON (1 fois cité).

1897 Paris.

— La Rose et le Réséda	362

A tenté de ramener de Russie, en même temps qu'une épouse aux yeux inépuisables, la torche qui avait éclairé, ici, de 1789 à 1914. A repris la lyre de Victor Hugo.

Joseph KESSEL (1 fois cité - 1 fois évoqué).
1898 Clara (Argentine).

— Le Chant des Partisans (avec Maurice Druon)   367

Et, pour savoir comment fut composé ce chant :

— La Guitare de la Résistance (par Maurice Druon)   368

Nous a donné, cent-cinquante ans plus tard, le pendant du Chant du Départ. L'un et l'autre sont au répertoire des Chœurs de l'Armée Soviétique. Quant au visage de Jef, il semble avoir été, d'avance, sculpté par Rude. Avec lui, la révolution russe redevient tout à fait française.

Maurice DRUON (2 fois cité).
1918 Paris.

— Le Chant des Partisans (avec Joseph Kessel)   367
— La Guitare de la Résistance   368

Neveu du précédent. Le seul des auteurs mis à l'honneur par ce palmarès, qui soit né au XXe siècle.

Ce palmarès a été dressé sans distinction de talent. Seuls y figurent ceux qui, par leur voix ou par leurs actes, ou par les deux, ont accédé aux autels de Marianne. Apôtres ou martyrs, poètes ou histrions, ils furent le visage ou le chant d'un des moments de la République.

Ils ont leur nom au calendrier de ses fêtes.

On ne prétend pas qu'il n'y ait que leurs noms. Chacun pourra en rajouter. L'auteur n'a voulu retenir que ceux qui étaient déjà passés au filtre de l'école communale, pour servir aux leçons de Morale et d'Instruction civique, ou qui impressionnèrent son enfance et sa jeunesse.

Si l'on veut établir un classement, comme on fait aux distributions des prix, à partir de celui qui a été le plus « nommé », voici les premiers :

1º Victor Hugo - 18 fois cité.
2º Jules Michelet - 8 fois cité.
3º ex aequo : Lamartine - 6 fois cité.
            Louis Blanc - 6 fois cité.
            Émile Zola - 6 fois cité.
6º Pierre Dupont - 4 fois cité.
7º ex aequo : Rouget de Lisle - 3 fois cité.
            Marie-Joseph Chénier - 3 fois cité.
            Edgar Quinet - 3 fois cité.
            Léon Gambetta - 3 fois cité.
            Anatole France - 3 fois cité.

En cette matière — la République — les premiers sont à peu près les mêmes, et dans le même ordre, qu'en composition française (voir le palmarès du « Vase de Soissons »).

La République et l'École vivent sous le même toit.

AUTRES AUTEURS APPELÉS A TÉMOIGNER

(classés par ordre alphabétique)

L'INSTRUCTION, C'EST LA LUMIÈRE.

Peuple, c'est guidé par elle, que tu connaîtras, enfin, quels sont tes droits et tes devoirs; c'est elle qui t'apprendra à distinguer tes vrais amis de ceux qui t'ont tant de fois trompé.

C'est par elle, et par elle seulement que tu pourras avancer dans la voie du PROGRÈS et de l'INDÉPENDANCE.

TABLE DES ILLUSTRATIONS
(dans l'ordre des pages)

MARIANNE III

COUVERTURE ORIGINALE D'ANDRÉ FRANÇOIS

MISE EN PAGE DE PIERRE CHAPELOT

ACHEVÉ D'IMPRIMER LE 15 OCTOBRE 1965
PAR FIRMIN-DIDOT ET Cie, PARIS - MESNIL - IVRY,
POUR LE COMPTE DES ÉDITIONS LAFFONT
ÉDITEUR No 2171